P9-CSE-051

LES THIBAULT

I

ŒUVRES DE ROGER MARTIN DU GARD

nrf

ŒUVRES ROMANESQUES

DEVENIR (1908).
JEAN BAROIS (1913).
CONFIDENCE AFRICAINE (1931).
VIEILLE FRANCE (1933).
LES THIBAULT (1922-1939).

Nouvelle édition en 7 volumes :

I.	Le Cahier gris. — Le Pénitencier.
II.	La belle Saison. — La Consultation.
III.	La Sorellina. — La Mort du Père.
IV.	L'Été 1914 *(début)*.
V.	L'Été 1914 *(suite)*.
VI.	L'Été 1914 *(fin)*.
VII.	Épilogue.

ŒUVRES THÉÂTRALES

LE TESTAMENT DU PÈRE LELEU, *farce paysanne* (1920).
LA GONFLE, *farce paysanne* (1928).
UN TACITURNE, *drame* (1932).

ESSAIS

NOTES SUR ANDRÉ GIDE (1913-1951).

AUTRES ÉDITIONS

Collection « A la Gerbe » in-8° :

JEAN BAROIS (2 *vol.*).
LES THIBAULT (9 *vol.*).

Édition illustrée :

LES THIBAULT (2 *vol. grand in-8°*).
(*Illustrations de* Jacques Thévenet).

Bibliothèque de la Pléiade :

ŒUVRES COMPLÈTES (2 *vol.*).

ROGER MARTIN DU GARD

LES THIBAULT

1

LE CAHIER GRIS
LE PÉNITENCIER

nrf

GALLIMARD
5, rue Sébastien-Bottin, Paris VIIe

Gramley Library
Salem College
Winston-Salem, NC 27108

Il a été tiré de la présente édition mille cinquante exemplaires sur vélin ivoiré reliés d'après la maquette de Paul Bonet, savoir : mille exemplaires numérotés de 1 à 1.000 et cinquante, hors commerce, marqués de I à L.

Tous droits de traduction, de reproduction et d'adaptation réservés pour tous les pays, y compris l'U.R.S.S.
© *1953 Éditions Gallimard.*

Je dédie

« *LES THIBAULT* »

à la mémoire fraternelle

de

PIERRE MARGARITIS

dont la mort, à l'hôpital militaire le 30 octobre 1918, anéantit l'œuvre puissante qui mûrissait dans son cœur tourmenté et pur.

R. M. G.

PREMIÈRE PARTIE

Au coin de la rue de Vaugirard, comme ils longeaient déjà les bâtiments de l'Ecole, M. Thibault, qui pendant le trajet n'avait pas adressé la parole à son fils, s'arrêta brusquement :

— « Ah, cette fois, Antoine, non, cette fois, ça dépasse!! » Le jeune homme ne répondit pas.

L'Ecole était fermée. C'était dimanche, et il était neuf heures du soir. Un portier entrouvrit le guichet.

— « Savez-vous où est mon frère? » cria Antoine. L'autre écarquilla les yeux.

M. Thibault frappa du pied.

— « Allez chercher l'abbé Binot. »

Le portier précéda les deux hommes jusqu'au parloir, tira de sa poche un rat-de-cave, et alluma le lustre.

Quelques minutes passèrent. M. Thibault, essoufflé, s'était laissé choir sur une chaise; il murmura de nouveau, les dents serrées :

— « Cette fois, tu sais, non, cette fois! »

— « Excusez-nous, Monsieur », dit l'abbé Binot qui venait d'entrer sans bruit. Il était fort petit et dut se dresser pour poser la main sur l'épaule d'Antoine. « Bonjour, jeune docteur! Qu'y a-t-il donc? »

— « Où est mon frère? »

— « Jacques? »

— « Il n'est pas rentré de la journée! » s'écria M. Thibault, qui s'était levé.

— « Mais, où était-il allé? » fit l'abbé, sans trop de surprise.

— « Ici, parbleu! A la consigne! »

L'abbé glissa ses mains sous sa ceinture :

Gramley Library
Salem College
Winston-Salem, NC 27108

— « Jacques n'était pas consigné. »

— « Quoi ? »

— « Jacques n'a pas paru à l'Ecole aujourd'hui. »

L'affaire se corsait. Antoine ne quittait pas du regard la figure du prêtre. M. Thibault secoua les épaules, et tourna vers l'abbé son visage bouffi, dont les lourdes paupières ne se soulevaient presque jamais :

— « Jacques nous a dit hier qu'il avait quatre heures de consigne. Il est parti, ce matin, à l'heure habituelle. Et puis, vers onze heures, pendant que nous étions tous à la messe, il est revenu, paraît-il : il n'a trouvé que la cuisinière; il a dit qu'il ne reviendrait pas déjeuner parce qu'il avait huit heures de consigne au lieu de quatre. »

— « Pure invention », appuya l'abbé.

— « J'ai dû sortir à la fin de l'après-midi », continua M. Thibault, « pour porter ma chronique à la *Revue des Deux Mondes*. Le directeur recevait, je ne suis rentré que pour le dîner. Jacques n'avait pas reparu. Huit heures et demie, personne. J'ai pris peur, j'ai envoyé chercher Antoine qui était de garde à son hôpital. Et nous voilà. »

L'abbé pinçait les lèvres d'un air songeur. M. Thibault entrouvrit les cils, et décocha vers l'abbé puis vers son fils un regard aigu.

— « Alors, Antoine ? »

— « Eh bien, père », fit le jeune homme, « si c'est une escapade préméditée, cela écarte l'hypothèse d'accident. »

Son attitude invitait au calme. M. Thibault prit une chaise et s'assit; son esprit agile suivait diverses pistes; mais le visage, paralysé par la graisse, n'exprimait rien.

— « Alors », répéta-t-il, « que faire ? »

Antoine réfléchit.

— « Ce soir, rien. Attendre. »

C'était évident. Mais l'impossibilité d'en finir tout de suite par un acte d'autorité, et la pensée du Congrès des Sciences Morales qui s'ouvrait à Bruxelles le surlendemain, et où il était invité à présider la section française, firent monter une bouffée de rage au front de M. Thibault. Il se leva.

— « Je le ferai chercher partout par les gendarmes ! »

s'écria-t-il. « Est-ce qu'il y a encore une police en France ?
Est-ce qu'on ne retrouve pas les malfaiteurs ? »

Sa jaquette pendait de chaque côté de son ventre ; les
plis de son menton se pinçaient à tout instant entre les
pointes de son col, et il donnait des coups de mâchoire en
avant, comme un cheval qui tire sur sa bride. « Ah, vaurien », songea-t-il, « si seulement une bonne fois il se
faisait broyer par un train ! » Et, le temps d'un éclair,
tout lui parut aplani : son discours au Congrès, la vice-
présidence peut-être... Mais, presque en même temps,
il aperçut le petit sur une civière ; puis, dans une chapelle
ardente, son attitude à lui, malheureux père, et la compassion de tous... Il eut honte.

— « Passer la nuit dans cette inquiétude ! » reprit-il à
haute voix. « C'est dur, Monsieur l'abbé, c'est dur, pour
un père, de traverser des heures comme celles-ci. »

Il se dirigeait vers la porte. L'abbé tira les mains de
sous sa ceinture.

— « Permettez », fit-il, en baissant les yeux.

Le lustre éclairait son front à demi mangé par une
frange noire, et son visage chafouin, qui s'amincissait en
triangle jusqu'au menton. Deux taches roses parurent
sur ses joues.

— « Nous hésitions à vous mettre, dès ce soir, au
courant d'une histoire de votre garçon, — toute récente
d'ailleurs, — et bien regrettable... Mais, après tout, nous
estimons qu'il peut y avoir là quelques indices... Et si
vous avez un instant, Monsieur... »

L'accent picard alourdissait ses hésitations. M. Thibault, sans répondre, revint vers sa chaise et s'assit lourdement, les yeux clos.

— « Nous avons eu, Monsieur », poursuivit l'abbé, « à
relever ces jours derniers contre votre garçon des fautes
d'un caractère particulier... des fautes particulièrement
graves... Nous l'avions même menacé de renvoi. Oh,
pour l'effrayer, bien entendu. Il ne vous a parlé de rien ? »

— « Est-ce que vous ne savez pas combien il est hy-
pocrite ? Il était silencieux comme d'habitude ! »

— « Le cher garçon, malgré de sérieux défauts, n'est
pas foncièrement mauvais », rectifia l'abbé. « Et nous esti-

mons qu'en cette dernière occasion, c'est surtout par faiblesse, par entraînement, qu'il a péché : l'influence d'un camarade dangereux, comme il y en a tant, hélas, dans les lycées de l'Etat... »

M. Thibault coula vers le prêtre un coup d'œil inquiet.

— « Voici les faits, Monsieur, dans l'ordre : c'est jeudi dernier... » Il se recueillit une seconde, et reprit sur un ton presque joyeux : « Non, pardon, c'est avant-hier, vendredi, oui, vendredi matin pendant la grande étude. Un peu avant midi, nous sommes entrés dans la salle, rapidement comme nous faisons toujours... » Il cligna de l'œil du côté d'Antoine : « Nous tournons le bouton sans que la porte bouge, et nous ouvrons d'un seul coup.

« Donc, en entrant, nos yeux tombent sur l'ami Jacquot, que nous avons précisément placé bien en face de notre porte. Nous allons à lui, nous déplaçons son dictionnaire. Pincé! Nous saisissons le volume suspect : un roman traduit de l'italien, d'un auteur dont nous avons oublié le nom : *les Vierges aux Rochers*. »

— « C'est du propre! » cria M. Thibault.

— « L'air gêné du garçon semblait cacher autre chose : nous avons l'habitude. L'heure du repas approchait. A l'appel de la cloche, nous prions le maître d'étude de conduire les élèves au réfectoire, et, restés seuls, nous levons le pupitre de Jacques : deux autres volumes : *les Confessions* de J.-J. Rousseau; et, ce qui est plus déshonnête encore, excusez-nous, Monsieur, un ignoble roman de Zola : *la Faute de l'abbé Mouret*. »

— « Ah, le vaurien! »

— « Nous allions refermer le pupitre, quand l'idée nous vient de passer la main par derrière la rangée des livres de classe; et nous ramenons un cahier de toile grise, qui, au premier abord, nous devons le dire, n'avait aucun caractère clandestin. Nous l'ouvrons, nous parcourons les premières pages... » L'abbé regarda les deux hommes de ses yeux vifs et sans douceur : « Nous étions édifiés. Aussitôt nous avons mis notre butin en sûreté, et pendant la récréation de midi, nous avons pu l'inventorier à loisir. Les livres, soigneusement reliés, portaient au dos,

en bas, une initiale : F. Quant au cahier gris, la pièce
capitale — la pièce à conviction — c'était une sorte de
carnet de correspondance; deux écritures très différentes :
celle de Jacques, avec sa signature J.; et une autre, que
nous ne connaissions pas, dont la signature était un D
majuscule. » Il fit une pause et baissa la voix : « Le ton,
la teneur des lettres, ne laissaient, hélas! aucun doute
sur la nature de cette amitié. A ce point, Monsieur, que
nous avons pris un instant cette écriture ferme et allongée
pour celle d'une jeune fille, ou, pour mieux dire, d'une
femme... Enfin, en analysant les textes, nous avons
compris que cette graphie inconnue était celle d'un
condisciple de Jacques, non pas d'un élève de notre maison, grâce à Dieu, mais d'un gamin que Jacques ren-
contrait sans doute au lycée. Afin d'en avoir confirma-
tion, nous nous sommes rendu le jour même auprès du
censeur, — ce brave M. Quillard », dit-il en se tournant
vers Antoine; « c'est un homme inflexible et qui a la
triste expérience des internats. L'identification a été
immédiate. Le garçon incriminé, qui signait D., est un
élève de troisième, un camarade de Jacques, et se nomme
Fontanin, Daniel de Fontanin. »

— « Fontanin! Parfaitement! » s'écria Antoine. « Tu
sais, père, ces gens qui habitent Maisons-Laffitte, l'été,
près de la forêt? En effet, en effet, plusieurs fois cet
hiver en rentrant le soir, j'ai surpris Jacques lisant des
livres de vers que lui avait prêtés ce Fontanin. »

— « Comment? Des livres prêtés? Est-ce que tu n'aurais pas dû m'avertir? »

— « Ça ne me semblait pas bien dangereux », répliqua
Antoine, en regardant l'abbé comme pour lui tenir tête;
et, tout à coup, un sourire très jeune, qui ne fit que passer,
éclaira son visage méditatif. « Du Victor Hugo », expliqua-t-il, « du Lamartine. Je lui confisquais sa lampe pour
le forcer à s'endormir. »

L'abbé tenait sa bouche coulissée. Il prit sa revanche :

— « Mais voilà qui est plus grave : ce Fontanin est
protestant. »

— « Eh, je sais bien! » cria M. Thibault, accablé.

— « Un assez bon élève, d'ailleurs », reprit aussitôt le

prêtre, afin de marquer son équité. « M. Quillard nous a dit : " C'est un grand, qui paraissait sérieux; il trompait bien son monde ! La mère aussi avait l'air d'être bien. " »

— « Oh, la mère... », interrompit M. Thibault. « Des gens impossibles, malgré leurs airs dignes ! »

— « On sait de reste », insinua l'abbé, « ce que cache la rigidité des protestants ! »

— « Le père, en tout cas, est un sauteur... A Maisons, personne ne les reçoit; c'est tout juste si on les salue. Ah, ton frère peut se vanter de bien choisir ses relations ! »

— « Quoi qu'il en soit », reprit l'abbé, « nous sommes revenu du lycée parfaitement édifié. Et nous nous apprêtions à ouvrir une instruction en règle, quand, hier, samedi, au début de l'étude du matin, l'ami Jacquot a fait irruption dans notre cabinet. Irruption, littéralement. Il était tout pâle; il avait les dents serrées. Il nous a crié, dès la porte, sans même nous dire bonjour : " On m'a volé des livres, des papiers !... " Nous lui avons fait remarquer que son entrée était fort inconvenante. Mais il n'écoutait rien. Ses yeux, si clairs d'habitude, étaient devenus foncés de colère : " C'est vous qui m'avez volé mon cahier, criait-il, c'est vous ! " Il nous a même dit, ajouta l'abbé avec un sourire niais : " Si vous avez osé le lire, je me tuerai ! " Nous avons essayé de le prendre par la douceur. Il ne nous a pas laissé parler : " Où est mon cahier? Rendez-le-moi ! Je casserai tout jusqu'à ce qu'on me le rende ! " Et avant que nous ayons pu l'en empêcher, il saisissait sur notre bureau un presse-papiers de cristal, — vous le connaissez, Antoine? c'est un souvenir que d'anciens élèves nous avaient rapporté du Puy-de-Dôme — et il le lançait à toute volée contre le marbre de la cheminée. C'est peu de chose », se hâta d'ajouter l'abbé, pour répondre au geste confus de M. Thibault; « nous vous donnons ce détail terre à terre, pour vous montrer jusqu'à quel degré d'exaltation votre cher garçon était parvenu. Là-dessus il se roule sur le parquet, en proie à une véritable crise nerveuse. Nous avons pu nous emparer de lui, le pousser dans une petite cellule de récitation, contiguë à notre cabinet, et l'enfermer à double tour. »

— « Ah », dit M. Thibault en levant les poings, « il y a des jours où il est comme possédé! Demandez à Antoine : est-ce que nous ne lui avons pas vu, pour une simple contrariété, de tels accès de fureur, qu'il fallait bien céder, il devenait bleu, les veines du cou se gonflaient, il aurait étranglé de rage! »

— « Çà, tous les Thibault sont violents », constata Antoine; et il paraissait en avoir si peu de regret, que l'abbé crut devoir sourire avec complaisance.

— « Lorsque nous avons été le délivrer, une heure plus tard », reprit-il, « il était assis devant la table, la tête entre les mains. Il nous a jeté un regard terrible; ses yeux étaient secs. Nous l'avons sommé de nous faire des excuses; il ne nous a pas répondu. Il nous a suivi docilement dans notre cabinet, les cheveux emmêlés, les yeux à terre, l'air têtu. Nous lui avons fait ramasser les débris du malheureux presse-papiers, mais sans obtenir qu'il desserrât les dents. Alors, nous l'avons conduit à la chapelle, et nous avons cru séant de le laisser là, seul avec le bon Dieu, pendant une grande heure. Puis nous sommes venu nous agenouiller à son côté. Il nous a semblé, à ce moment-là, que peut-être il avait pleuré; mais la chapelle était obscure, nous n'oserions l'affirmer. Nous avons récité à mi-voix une dizaine de chapelet; puis nous l'avons sermonné; nous lui avons représenté le chagrin de son père, lorsqu'il apprendrait qu'un mauvais camarade avait compromis la pureté de son cher garçon. Il avait croisé les bras et tenait la tête levée, les yeux fixés vers l'autel, comme s'il ne nous entendait pas. Voyant que cette obstination se prolongeait, nous lui avons enjoint de retourner à l'étude. Il y est resté jusqu'au soir, à sa place, les bras toujours croisés, sans ouvrir un livre. Nous n'avons pas voulu nous en apercevoir. A sept heures, il est parti comme de coutume, — sans venir nous saluer, cependant.

« Voilà toute l'histoire, Monsieur », conclut le prêtre avec un regard fort animé. « Nous attendions, pour vous mettre au courant, d'être renseigné sur la sanction prise par le censeur du lycée contre le triste sire qui s'appelle Fontanin : renvoi pur et simple, sans doute. Mais, en vous voyant inquiet ce soir... »

— « Monsieur l'abbé », interrompit M. Thibault, essoufflé comme s'il venait de courir, « je suis atterré, ai-je besoin de vous le dire ! Quand je songe à ce que de pareils instincts peuvent nous réserver encore... Je suis atterré », répéta-t-il, d'une voix songeuse, presque basse ; et il demeura immobile, la tête en avant, les mains sur les cuisses. N'eût été le tremblement à peine visible, qui, sous la moustache grise, agitait sa lèvre inférieure et sa barbiche blanche, ses paupières baissées lui eussent donné l'air de dormir.

— « Le vaurien ! » cria-t-il soudain, en lançant sa mâchoire en avant ; et le regard incisif qui, à ce moment-là, jaillit entre les cils, marquait assez que l'on se fût mépris en se fiant trop longtemps à son apparente inertie. Il referma les yeux et tourna le corps vers Antoine. Le jeune homme ne répondit pas tout de suite ; il tenait sa barbe dans sa main, fronçait les sourcils et regardait à terre :

— « Je vais passer à l'hôpital pour qu'on ne compte pas sur moi demain », fit-il ; « et, dès la première heure, j'irai questionner ce Fontanin. »

— « Dès la première heure ? » répéta machinalement M. Thibault. Il se mit debout. « En attendant, c'est une nuit blanche », soupira-t-il, et il se dirigea vers la porte.

L'abbé le suivit. Sur le seuil, le gros homme tendit au prêtre sa main flasque :

— « Je suis atterré », soupira-t-il, sans ouvrir les yeux.

— « Nous allons prier le bon Dieu pour qu'il nous assiste tous », dit l'abbé Binot avec politesse.

Le père et le fils firent quelques pas en silence. La rue était déserte. Le vent avait cessé, la soirée était douce. On était dans les premiers jours de mai.

M. Thibault songeait au fugitif. « Au moins s'il est dehors, il n'aura pas trop froid. » L'émotion amollit ses jambes. Il s'arrêta et se tourna vers son fils. L'attitude d'Antoine lui rendait un peu d'assurance. Il avait de l'affection pour son fils aîné ; il en était fier ; et il l'aimait particulièrement ce soir, parce que son animosité vis-à-vis du cadet s'était accrue. Non qu'il fût incapable d'aimer Jacques : il eût suffi que le petit lui procurât quelque satisfaction d'orgueil, pour éveiller sa tendresse; mais les extravagances et les écarts de Jacques l'atteignaient toujours au point le plus sensible, dans son amour-propre.

— « Pourvu que tout cela ne fasse pas trop d'esclandre! » grogna-t-il. Il se rapprocha d'Antoine, et sa voix changea : « Je suis content que tu aies pu être relevé de ta garde, cette nuit », fit-il. Il était intimidé du sentiment qu'il exprimait. Le jeune homme, plus gêné encore que son père, ne répondit pas.

— « Antoine... Je suis content de t'avoir près de moi ce soir, mon cher », murmura M. Thibault, en glissant, pour la première fois peut-être, son bras sous celui de son fils.

Ce dimanche-là, Mme de Fontanin, en rentrant vers midi, avait trouvé dans le vestibule un mot de son fils.

— « Daniel écrit qu'il est retenu à déjeuner chez les Bertier », dit-elle à Jenny. « Tu n'étais donc pas là lorsqu'il est rentré ? »

— « Daniel ? » Elle s'était jetée à quatre pattes pour attraper sa petite chienne tapie sous un fauteuil. Elle n'en finissait pas de se relever. « Non », dit-elle enfin, « je ne l'ai pas vu. » Elle saisit Puce à pleins bras, et s'enfuit en gambadant vers sa chambre, couvrant l'animal de caresses.

A l'heure du déjeuner, elle revint :

— « J'ai mal à la tête. Je n'ai pas faim. Je voudrais m'étendre dans le noir. »

Mme de Fontanin la mit au lit et tira les rideaux. Jenny s'enfouit sous les couvertures. Impossible de dormir. Les heures passaient. Plusieurs fois dans la journée, Mme de Fontanin vint appuyer sa main fraîche sur le front de l'enfant. Vers le soir, défaillant de tendresse et d'anxiété, la petite s'empara de cette main, et l'embrassa sans pouvoir retenir ses larmes.

— « Tu es énervée, ma chérie... Tu dois avoir un peu de fièvre. »

Sept heures, puis huit heures sonnèrent. Mme de Fontanin attendait son fils pour se mettre à table. Jamais Daniel ne manquait un repas sans prévenir, jamais surtout il n'eût laissé sa mère et sa sœur dîner seules un dimanche. Mme de Fontanin s'accouda au balcon. Le soir était doux. De rares passants suivaient l'avenue de l'Observatoire. L'ombre s'épaississait entre les touffes des arbres. Plusieurs fois elle crut reconnaître Daniel à sa démarche, dans la lueur des réverbères. Le tambour battit dans le jardin du Luxembourg. On ferma les grilles. La nuit était venue.

Elle mit son chapeau et courut chez les Bertier : ils étaient à la campagne depuis la veille. Daniel avait menti !

Mme de Fontanin avait l'expérience de ces mensonges-là; mais de Daniel, son Daniel, un mensonge, le premier ! A quatorze ans, déjà ?

Jenny ne dormait pas; elle guettait tous les bruits; elle appela sa mère :

— « Daniel ? »

— « Il est couché. Il a cru que tu dormais, il n'a pas voulu te réveiller. » Sa voix était naturelle; à quoi bon effrayer l'enfant ?

Il était tard. Mme de Fontanin s'installa dans un fauteuil, après avoir entrouvert la porte du couloir afin d'entendre l'enfant rentrer.

La nuit tout entière passa; le jour vint.

Vers sept heures, la chienne se dressa en grondant. On avait sonné. Mme de Fontanin s'élança dans le vestibule; elle voulait ouvrir elle-même. Mais c'était un jeune homme barbu qu'elle ne connaissait pas... Un accident ?

Antoine se nomma; il demandait à voir Daniel avant que celui-ci ne partît pour le lycée.

— « C'est que, justement... mon fils n'est pas visible ce matin. »

Antoine eut un geste étonné :

— « Pardonnez-moi si j'insiste, Madame... Mon frère, qui est un grand ami de votre fils, a disparu depuis hier, et nous sommes affreusement inquiets. »

— « Disparu ? » Sa main se crispa sur la mantille blanche dont elle avait voilé ses cheveux. Elle ouvrit la porte du salon; Antoine la suivit.

— « Daniel non plus n'est pas rentré hier soir, Monsieur. Et je suis inquiète, moi aussi. » Elle avait baissé la tête; elle la releva presque aussitôt : « D'autant plus qu'en ce moment mon mari est absent de Paris », ajouta-t-elle.

La physionomie de cette femme respirait une simplicité, une franchise, qu'Antoine n'avait jamais rencontrées ailleurs. Surprise ainsi, après une nuit de veille et dans le désarroi de son angoisse, elle offrait au regard du jeune homme un visage nu, où les sentiments se succédaient comme des tons purs. Ils se regardèrent quelques secondes, sans bien se voir. Chacun d'eux suivait les rebondissements de sa pensée.

Antoine avait sauté du lit avec un entrain de policier. Il ne prenait pas au tragique l'escapade de Jacques, et sa curiosité seule était en action : il venait cuisiner l'*autre*, le petit complice. Mais voici que l'affaire se corsait, encore une fois. Il en éprouvait plutôt du plaisir. Dès qu'il était ainsi surpris par l'événement, son regard devenait fatal, et, sous la barbe carrée, la mâchoire, la forte mâchoire des Thibault, se serrait à bloc.

— « A quelle heure votre fils est-il parti hier matin ? » demanda-t-il.

— « De bonne heure. Mais il est revenu, un peu plus tard... »

— « Ah ! Entre dix heures et demie et onze heures ? »

— « A peu près. »

— « Comme Jacques ! Ils sont partis ensemble », conclut-il sur un ton net, presque joyeux.

Mais à ce moment, la porte, demeurée entrouverte, céda, et un corps d'enfant, en chemise, vint s'abattre sur le tapis. Mme de Fontanin poussa un cri. Antoine avait déjà relevé la fillette évanouie, et la soulevait dans ses bras; guidé par Mme de Fontanin, il la porta jusqu'à sa chambre, sur son lit.

— « Laissez, Madame, je suis médecin. De l'eau fraîche. Avez-vous de l'éther ? »

Bientôt Jenny revint à elle. Sa mère lui sourit; mais les yeux de la fillette restaient durs.

— « Ce n'est plus rien », dit Antoine. « Il faudrait la faire dormir. »

— « Tu entends, ma chérie », murmura Mme de Fontanin; et sa main, posée sur le front moite de l'enfant, glissa jusqu'aux paupières, et les tint abaissées.

Ils étaient debout, de chaque côté du lit, et ne bougeaient pas. L'éther volatilisé embaumait la chambre. Le regard d'Antoine, d'abord fixé sur la main gracieuse et sur le bras tendu, examina discrètement Mme de Fontanin. La dentelle qui l'enveloppait était tombée; ses cheveux étaient blonds, mais rayés déjà de mèches grises; elle devait avoir une quarantaine d'années, bien que l'allure, la mobilité de l'expression, fussent d'une jeune femme.

Jenny paraissait s'endormir. La main, posée sur les yeux de l'enfant, se retira, avec une légèreté d'aile. Ils quittèrent la chambre sur la pointe des pieds, laissant les portes entrebâillées. Mme de Fontanin marchait la première; elle se retourna :

— « Merci », dit-elle, en tendant ses deux mains. Le geste était si spontané, si masculin, qu'Antoine prit ces mains et les serra, sans oser y porter les lèvres.

— « Cette petite est tellement nerveuse », expliqua-t-elle. « Elle a dû entendre aboyer Puce, croire que c'était son frère, accourir. Elle n'est pas bien depuis hier matin, elle a eu la fièvre toute la nuit. »

Ils s'assirent. Mme de Fontanin tira de son corsage le mot griffonné la veille par son fils et le remit à Antoine. Elle le regardait lire. Dans ses rapports avec les êtres, elle se laissait toujours guider par son instinct : et dès les premières minutes, elle s'était sentie en confiance auprès d'Antoine. « Avec ce front-là », songeait-elle, « un homme est incapable de bassesse. » Il portait les cheveux relevés et la barbe assez fournie sur les joues, de sorte qu'entre ces deux masses sombres, d'un roux presque brun, les yeux encaissés, et le rectangle blanc du front, formaient tout son visage. Il replia la lettre et la lui rendit. Il semblait réfléchir à ce qu'il venait de lire; en réalité, il cherchait le moyen de dire certaines choses.

— « Pour moi », insinua-t-il, « je crois qu'il faut établir un lien entre leur fugue et ce fait : que justement leur amitié... leur liaison... venait d'être découverte par leurs professeurs. »

— « Découverte ? »

— « Mais oui. On venait de trouver leur correspondance, dans un cahier spécial. »

— « Leur correspondance ? »

— « Ils s'écrivaient pendant les classes. Et des lettres
d'un ton tout à fait particulier, à ce qu'il paraît. » Il cessa
de la regarder : « Au point que les deux coupables avaient
été menacés de renvoi. »

— « Coupables ? Je vous avoue que je ne vois pas
bien... Coupables de quoi ? De s'écrire ? »

— « Le ton des lettres, à ce qu'il paraît, était très... »

— « Le ton des lettres ? » Elle ne comprenait pas.
Mais elle avait trop de sensibilité pour ne pas avoir
remarqué depuis un instant la gêne croissante d'Antoine;
et soudain, elle secoua la tête :

— « Tout ceci est hors de question, Monsieur »,
déclara-t-elle d'une voix forcée, un peu frémissante. Il
sembla qu'une distance se fût brusquement établie
entre eux. Elle se leva : « Que votre frère et mon fils aient
combiné ensemble je ne sais quelle escapade, c'est possible; quoique Daniel n'ait jamais prononcé devant moi
ce nom de...? »

— « Thibault. »

— « Thibault ? » répéta-t-elle avec surprise, sans achever sa phrase. « Tiens, c'est étrange : ma fille, cette nuit,
dans un cauchemar, a prononcé distinctement ce nom-
là. »

— « Elle a pu entendre son frère parler de son ami. »

— « Non, je vous dis que jamais Daniel... »

— « Comment aurait-elle su ? »

— « Oh », fit-elle, « ces phénomènes occultes sont si
fréquents ! »

— « Quels phénomènes ? »

Elle était debout; sa physionomie était sérieuse et
distraite :

— « La transmission de la pensée. »

L'explication, l'accent, étaient si nouveaux pour lui,
qu'Antoine la regarda curieusement. Le visage de Mme de
Fontanin n'était pas seulement grave, mais illuminé,
et sur ses lèvres errait le demi-sourire d'une croyante

qui, en ces matières, est habituée à braver le scepticisme d'autrui.

Il y eut un silence. Antoine venait d'avoir une idée; l'entrain du policier se réveillait :

— « Permettez, Madame : vous me dites que votre fille a prononcé le nom de mon frère? Et qu'elle a eu toute la journée d'hier une fièvre inexplicable? N'aurait-elle pas reçu des confidences de votre fils? »

— « Ce soupçon tomberait de lui-même, Monsieur », répondit Mme de Fontanin avec une expression indulgente, « si vous connaissiez mes enfants et la façon dont ils sont avec moi. Jamais ils n'ont eu, ni l'un ni l'autre, rien de caché pour... » Elle se tut : elle venait d'être frappée au vif par le démenti que lui donnait la conduite de Daniel. « D'ailleurs », reprit-elle aussitôt, avec un peu de hauteur, et en s'avançant vers la porte, « si Jenny ne dort pas, questionnez-la. »

La fillette avait les yeux ouverts. Son visage fin se détachait sur l'oreiller; les pommettes étaient fiévreuses. Elle serrait dans ses bras la petite chienne, dont le museau noir dépassait drôlement le bord des draps.

— « Jenny, c'est M. Thibault, tu sais, le frère d'un ami de Daniel. »

L'enfant jeta sur l'étranger un coup d'œil avide, puis méfiant.

Antoine, s'approchant du lit, avait pris le poignet de la fillette et tirait sa montre.

— « Encore trop rapide », déclara-t-il. Il l'ausculta. Il mettait à ces gestes professionnels une gravité satisfaite.

— « Quel âge a-t-elle? »

— « Treize ans bientôt. »

— « Vraiment? Je n'aurais pas cru. Par principe, il faut toujours surveiller ces mouvements de fièvre. Sans s'inquiéter, d'ailleurs », fit-il en regardant l'enfant, et il sourit. Puis, s'écartant du lit, il prit un autre ton :

— « Est-ce que vous connaissez mon frère, Mademoiselle? Jacques Thibault? »

Elle fronça les sourcils et fit signe que non.

— « Bien vrai? Le grand frère ne vous parle jamais de son meilleur ami? »

— « Jamais », dit-elle.

— « Pourtant », insista Mme de Fontanin, « cette nuit, rappelle-toi, quand je t'ai éveillée, tu rêvais qu'on poursuivait sur une route Daniel et son ami Thibault. Tu as dit Thibault, très distinctement. »

L'enfant sembla chercher. Elle dit enfin :

— « Je ne connais pas ce nom-là. »

— « Mademoiselle », reprit Antoine après un silence, « je venais demander à votre maman un détail dont elle ne se souvient pas, et qui est indispensable pour retrouver votre frère : comment était-il habillé? »

— « Je ne sais pas. »

— « Vous ne l'avez donc pas vu hier matin? »

— « Si. Au petit déjeuner. Mais il n'était pas habillé encore. » Elle se tourna vers sa mère : « Tu n'as qu'à regarder dans son armoire quels sont les vêtements qui manquent? »

— « Autre chose, Mademoiselle, et qui a une grande importance : est-ce à 9 heures, à 10 heures ou à 11 heures, que votre frère est revenu pour poser la lettre? Votre maman n'était pas là, et ne peut préciser. »

— « Je ne sais pas. »

Il crut distinguer un peu d'irritation dans le ton de Jenny.

— « Alors », fit-il avec un geste découragé, « nous allons avoir du mal à retrouver sa trace! »

— « Attendez », dit-elle, levant le bras pour le retenir. « C'était à onze heures moins dix. »

— « Exactement? Vous en êtes sûre? »

— « Oui. »

— « Vous avez regardé la pendule pendant qu'il était avec vous? »

— « Non. Mais, à cette heure-là, j'ai été à la cuisine chercher de la mie de pain pour dessiner; alors, s'il était venu avant, ou bien s'il était venu après, j'aurais entendu la porte et j'aurais été voir. »

— « Ah, c'est juste. » Il réfléchit un instant. A quoi bon la fatiguer davantage? Il s'était trompé, elle ne

savait rien. « Maintenant », reprit-il, redevenu médecin,
« il faut rester au chaud, fermer les yeux, dormir. » Il
ramena la couverture sur le petit bras découvert, et sourit : « Un bon somme : quand on se réveillera, on sera
guérie, et le grand frère sera revenu! »

Elle le regarda. Jamais il ne put oublier ce qu'il lut
à ce moment-là dans ce regard : une si totale indifférence pour tout encouragement, une vie intérieure déjà
si intense, une telle détresse dans une telle solitude,
qu'involontairement troublé, il baissa les yeux.

— « Vous aviez raison, Madame », fit-il, dès qu'ils
furent revenus au salon. « Cette enfant est l'innocence
même. Elle souffre terriblement; mais elle ne sait rien. »

— « Elle est l'innocence même », répéta Mme de Fontanin, rêveuse. « Mais elle sait. »

— « Elle sait? »

— « Elle sait. »

— « Comment? Ses réponses, au contraire... »

— « Oui, ses réponses... », reprit-elle avec lenteur.
« Mais j'étais près d'elle... j'ai senti... Je ne sais comment
expliquer... » Elle s'assit et se releva presque aussitôt.
Son visage était tourmenté. « Elle sait, elle sait, maintenant j'en suis sûre! » s'écria-t-elle soudain. « Et je
sens aussi qu'elle mourrait plutôt que de laisser échapper
son secret. »

Après le départ d'Antoine, avant d'aller, sur son
conseil, questionner M. Quillard, le censeur du lycée,
Mme de Fontanin, cédant à sa curiosité, ouvrit le *Tout-
Paris* :

— THIBAULT (Oscar-Marie). — Chev. Lég. d'hon. —
*Ancien député de l'Eure. — Vice-président de la Ligue
morale de Puériculture. — Fondateur et Directeur de
l'Œuvre de Préservation sociale. — Trésorier du Syndicat
des œuvres catholiques du Diocèse de Paris. — 4 bis,* rue
de l'Université (VIe arr.).

III

Lorsque, deux heures plus tard, après sa visite au cabinet du censeur, dont elle s'échappa sans répondre et le feu au visage, Mme de Fontanin, ne sachant à qui demander appui, songea à venir trouver M. Thibault, un secret instinct lui conseilla de s'abstenir. Mais elle passa outre, comme elle faisait parfois, poussée par un goût du risque et un esprit de décision qu'elle confondait avec le courage.

Chez les Thibault, l'on tenait un véritable conseil de famille. L'abbé Binot était accouru de bonne heure rue de l'Université, devançant de peu M. l'abbé Vécard, secrétaire particulier de Mgr l'Archevêque de Paris, directeur spirituel de M. Thibault et grand ami de la maison, qui venait d'être averti par téléphone.

M. Thibault, assis à son bureau, semblait présider un tribunal. Il avait mal dormi et son teint albumineux était plus blanchâtre que de coutume. M. Chasle, son secrétaire, un nain à poil gris et à lunettes, avait pris place à sa gauche. Antoine, pensif, était resté debout, appuyé à la bibliothèque. Mademoiselle elle-même avait été convoquée, bien que ce fût l'heure domestique : les épaules gainées de mérinos noir, attentive et muette, elle se tenait perchée sur le bord de sa chaise; ses bandeaux gris collaient à son front jaune, et ses prunelles de biche ne cessaient de courir d'un prêtre à l'autre. On avait installé ces messieurs de chaque côté de la cheminée, dans des fauteuils à dossiers hauts.

Après avoir exposé les résultats de l'enquête d'Antoine, M. Thibault se lamentait sur la situation. Il jouissait de sentir l'approbation de son entourage et les

mots qu'il trouvait pour peindre son inquiétude lui
remuaient le cœur. Cependant la présence de son confesseur l'inclinait à refaire son examen de conscience :
avait-il rempli tous ses devoirs paternels envers le malheureux enfant? Il ne savait que répondre. Sa pensée dévia :
sans ce petit parpaillot rien ne fût arrivé!

— « Des voyous comme ce Fontanin », gronda-t-il,
en se levant, « est-ce que ça ne devrait pas être enfermé
dans des maisons spéciales? Est-ce qu'il est admissible
que nos enfants soient exposés à de semblables contagions? » Les mains au dos, les paupières closes, il allait
et venait derrière son bureau. La pensée du Congrès
manqué, quoiqu'il n'en parlât pas, entretenait sa rancune. « Voilà plus de vingt ans que je me dévoue à ces
problèmes de la criminalité enfantine! Vingt ans que je
lutte par des ligues de préservation, des brochures, des
rapports à tous les congrès! Mieux que ça! » reprit-il en
faisant volte-face dans la direction des abbés : « Est-ce
que je n'ai pas créé, à ma colonie pénitentiaire de Crouy,
un pavillon spécial, où les enfants vicieux lorsqu'ils
appartiennent à une autre classe sociale que nos pupilles,
sont soumis à un traitement particulièrement attentif?
Eh bien, ce que je vais dire n'est pas croyable : ce pavillon est toujours vide! Est-ce à moi d'obliger les parents
à y enfermer leurs fils? J'ai tout fait pour intéresser
l'Instruction Publique à notre initiative! Mais », acheva-
t-il, en haussant les épaules et en retombant sur son
siège, « est-ce que ces messieurs de l'école-sans-Dieu se
soucient d'hygiène sociale? »

C'est à ce moment que la femme de chambre lui tendit une carte de visite.

— « Elle, ici? » fit-il en se tournant vers son fils.
« Qu'est-ce qu'elle veut? » demanda-t-il à la femme de
chambre; et, sans attendre la réponse : « Antoine, vas-y. »

— « Tu ne peux pas te dispenser de la recevoir », dit
Antoine, après avoir jeté les yeux sur la carte.

M. Thibault fut sur le point de se fâcher. Mais il se
maîtrisa aussitôt, et s'adressant aux deux prêtres :

— « Mme de Fontanin! Que faire, Messieurs? Est-ce
qu'on n'est pas tenu à des égards vis-à-vis d'une femme,

quelle qu'elle soit? Et celle-ci, n'est-elle pas mère, après tout? »

— « Quoi? mère? » balbutia M. Chasle, mais d'une voix si basse qu'il ne s'adressait qu'à lui-même.

M. Thibault reprit :

— « Faites entrer cette dame. »

Et lorsque la femme de chambre eut introduit la visiteuse, il se leva et s'inclina cérémonieusement.

Mme de Fontanin ne s'attendait pas à trouver tant de monde. Elle eut, sur le seuil, une imperceptible hésitation, puis fit un pas vers Mademoiselle; celle-ci avait sauté de sa chaise et dévisageait la protestante avec des yeux effarés qui n'avaient plus rien de languide, et qui la firent ressembler, non plus à une biche, mais à une poule.

— « Mme Thibault, sans doute? » murmura Mme de Fontanin.

— « Non, Madame », se hâta de dire Antoine. « Mlle de Waize, qui vit avec nous depuis quatorze ans, — depuis la mort de ma mère, — et qui nous a élevés, mon frère et moi. »

M. Thibault présenta les hommes.

— « Je m'excuse de vous déranger, Monsieur », dit Mme de Fontanin, gênée par les regards dirigés sur elle, mais sans rien perdre de son aisance. « Je venais voir si depuis ce matin... Nous sommes pareillement éprouvés, Monsieur, et j'ai pensé que le mieux était de... de réunir nos efforts. N'est-ce pas? » ajouta-t-elle avec un demi-sourire affable et triste. Mais son regard honnête, qui quêtait celui de M. Thibault, ne rencontra qu'un masque d'aveugle.

Alors elle chercha Antoine des yeux; et, malgré l'insensible distance qu'avait mise entre eux la fin de leur précédent entretien, ce fut vers cette figure sombre et loyale que son impulsion la porta. Lui-même, depuis qu'elle était entrée, il avait senti qu'une sorte d'alliance existait entre eux. Il s'approcha d'elle :

— « Et notre petite malade, Madame, comment va-t-elle? »

M. Thibault lui coupa la parole. Sa fébrilité ne se

trahissait que par les coups de tête qu'il donnait pour dégager son menton. Il tourna le buste vers Mme de Fontanin, et commença sur un ton appliqué :

— « Ai-je besoin de vous dire, Madame, que nul mieux que moi ne peut comprendre votre inquiétude? Comme je le disais à ces messieurs, on ne peut songer à ces pauvres enfants sans avoir le cœur serré. Pourtant, Madame, je n'hésite pas à le dire : est-ce qu'une action commune serait bien souhaitable? Certes, il faut agir; il faut qu'on les retrouve; mais est-ce qu'il ne vaudrait pas mieux que nos recherches fussent séparées? Je veux dire : est-ce que nous ne devons pas craindre avant tout les indiscrétions des journalistes? Ne soyez pas surprise si je vous tiens le langage d'un homme que sa situation oblige à certaines prudences, vis-à-vis de la presse, vis-à-vis de l'opinion... Pour moi? Non, certes! Je suis, Dieu merci, au-dessus des coassements de l'autre parti. Mais, à travers ma personne, mon nom, est-ce qu'on ne chercherait pas à atteindre les œuvres que je représente? Et puis, je pense à mon fils. Est-ce que je ne dois pas éviter, à tout prix, que, dans une si délicate aventure, un autre nom soit prononcé à côté du nôtre? Est-ce que mon premier devoir n'est pas de faire en sorte qu'on ne puisse pas, un jour, lui jeter au visage certaines relations, — tout accidentelles, je sais bien, — mais d'un caractère, si je puis dire, éminemment... préjudiciable? » Il conclut, s'adressant à l'abbé Vécard, et entrebâillant une seconde ses paupières : « Est-ce que vous n'êtes pas de cet avis, Messieurs? »

Mme de Fontanin était devenue pâle. Elle regarda tour à tour les abbés, Mademoiselle, Antoine : elle se heurtait à des faces muettes. Elle s'écria :

— « Oh, je vois, Monsieur, que... » Mais sa gorge se serra; elle reprit avec effort : « Je vois que les soupçons de M. Quillard... » Elle se tut de nouveau. « Ce M. Quillard est un pauvre homme, oui, un pauvre, un pauvre homme! » s'écria-t-elle enfin, avec un sourire amer.

Le visage de M. Thibault demeurait impénétrable; sa main molle se souleva vers l'abbé Binot, comme pour le prendre à témoin et lui donner la parole. L'abbé se jeta dans la bataille avec une joie de roquet bâtard.

— « Nous nous permettrons de vous faire remarquer, Madame, que vous repoussez les pénibles constatations de M. Quillard, sans même connaître les charges qui pèsent sur M. votre fils... »

Mme de Fontanin, après avoir toisé l'abbé Binot, cé, dant toujours à son instinct des êtres, s'était tournée vers l'abbé Vécard. Le regard qu'il fixait sur elle était d'une parfaite suavité. Son visage dormant, qu'allongeait un reste de cheveux, dressés en brosse autour de sa calvitie, accusait la cinquantaine. Sensible au muet appel de l'hérétique, il se hâta d'intervenir :

— « Tout le monde ici, Madame, comprend combien cet entretien est douloureux pour vous. La confiance que vous avez en votre fils est infiniment touchante... Infiniment respectable... », ajouta-t-il; et son index, par un tic qui lui était familier, se leva jusqu'à ses lèvres sans qu'il cessât de parler. « Mais cependant, Madame, les faits, hélas... »

— « Les faits », reprit l'abbé Binot avec plus d'onction, comme si son confrère lui eût donné le *la*, « il faut bien le dire, Madame : les faits sont accablants. »

— « Je vous en prie, Monsieur », murmura Mme de Fontanin, en se détournant.

Mais l'abbé ne pouvait se retenir :

— « D'ailleurs, voici la pièce à conviction », s'écria-t-il, laissant choir son chapeau et tirant de sa ceinture un cahier gris à tranches rouges. « Jetez-y seulement les yeux, Madame : si cruel que cela soit de vous enlever toute illusion, nous estimons que cela est nécessaire, et que vous serez édifiée! »

Il avait fait deux pas jusqu'à elle, pour l'obliger à prendre le cahier. Mais elle se leva :

— « Je n'en lirai pas une ligne, Messieurs. Pénétrer les secrets de cet enfant, en public, à son insu, sans seulement qu'il puisse s'expliquer! Je ne l'ai pas habitué à être traité ainsi. »

L'abbé Binot restait debout, le bras tendu, un sourire vexé sur ses lèvres minces.

— « Nous n'insistons pas », fit-il enfin, avec une into-

nation railleuse. Il posa le cahier sur le bureau, ramassa
son chapeau, et fut se rasseoir. Antoine eut envie de le
prendre par les épaules et de le mettre dehors. Son regard,
qui trahissait son antipathie, se croisa, s'accorda une
seconde avec celui de l'abbé Vécard.

Cependant Mme de Fontanin avait changé d'attitude :
il y avait une expression de défi sur son front levé. Elle
s'avança vers M. Thibault, qui n'avait pas quitté son
fauteuil :

— « Tout cela est hors de propos, Monsieur. Je suis
seulement venue vous demander ce que vous comptez
faire. Mon mari n'est pas à Paris en ce moment, je suis
seule pour prendre ces décisions... Je voulais surtout
vous dire : il me semble qu'il serait regrettable d'avoir
recours à la police... »

— « La police ? » repartit vivement M. Thibault, que
l'irritation mit debout. « Mais, Madame, est-ce que vous
supposez qu'à l'heure actuelle toute la police des départe-
ments ne s'est pas déjà mise en campagne ? J'ai télépho-
né moi-même ce matin au chef de cabinet du Préfet pour
que toutes les mesures soient prises, avec la plus grande
discrétion... J'ai fait télégraphier à la mairie de Maisons-
Laffitte, pour le cas où les fugitifs auraient eu l'idée de
se cacher dans une région qu'ils connaissent bien l'un
et l'autre. On a donné l'alarme aux compagnies de chemin de fer, aux postes-frontière, aux ports d'embarque-
ment. Mais, Madame, — n'était l'esclandre que je veux
éviter à tout prix, — est-ce qu'il ne serait pas souhaitable pour l'amendement de ces vauriens, qu'on nous
les ramenât menottes aux poignets, entre deux gendarmes ? Ne fût-ce que pour leur rappeler qu'il y a encore
dans notre malheureux pays un semblant de justice pour
soutenir l'autorité paternelle ? »

Mme de Fontanin salua, sans répondre, et se dirigea
vers la porte. M. Thibault se ressaisit :

— « Du moins, soyez sûre, Madame, que si nous rece-
vons la moindre nouvelle, mon fils ira vous la porter
aussitôt. »

Elle inclina légèrement la tête, puis sortit, accompagnée
d'Antoine, et suivie par M. Thibault.

— « La huguenote ! » ricana l'abbé Binot, dès qu'elle eut disparu.

L'abbé Vécard ne put réprimer un geste de reproche.

— « Quoi ? La huguenote ?? » balbutia M. Chasles en se reculant, comme s'il venait de poser le pied dans une flaque de la Saint-Barthélemy.

IV

Mme de Fontanin rentra chez elle. Jenny somnolait au fond de son lit; elle souleva son visage fiévreux, questionna sa mère du regard et referma les yeux.

— « Emmène Puce, le bruit me fait mal. »

Mme de Fontanin regagna sa chambre, et, prise de vertige, s'assit, sans même retirer ses gants. Est-ce que la fièvre la guettait, elle aussi? Etre calme, être forte, avoir confiance... Son front s'inclina pour prier. Lorsqu'elle se releva, son activité avait un but : atteindre son mari, le rappeler.

Elle traversa le vestibule, hésita devant une porte fermée, et l'ouvrit. La pièce était fraîche, inhabitée; il y traînait un arôme acidulé de verveine, de citronnelle, une odeur de toilette, à demi évaporée. Elle écarta les rideaux. Un bureau occupait le centre de la chambre; une fine poussière couvrait le sous-main; mais aucun papier ne traînait, aucune adresse, aucun indice. Les clefs étaient aux meubles. Celui qui habitait là n'était guère méfiant. Elle tira le tiroir du bureau : un amas de lettres, quelques photographies, un éventail, et, dans un angle, en tapon, un humble gant de filoselle noire... Sa main s'est brusquement raidie sur le bord de la table. Un souvenir l'assaille, son attention lui échappe, et son regard se fixe au loin... Il y a deux ans, comme elle passait, un soir d'été, en tramway, sur les quais, elle avait cru voir — elle s'était dressée — elle avait reconnu Jérôme, son mari, auprès d'une femme, oui, penché vers une jeune femme qui pleurait sur un banc! Et cent fois depuis, sa cruelle imagination, travaillant autour de cette vision d'une seconde, s'était plu à en recomposer les

détails : la douleur vulgaire de la femme, dont le chapeau
chavirait, et qui tirait hâtivement de son jupon un gros
mouchoir blanc; la contenance de Jérôme, surtout! Ah,
comme elle était sûre d'avoir deviné, d'après l'attitude
de son mari, tous les sentiments dont il était agité, ce
soir-là! Un peu de compassion, sans doute car elle le
savait faible et facile à émouvoir; de l'agacement aussi,
d'être en pleine rue l'objet de ce scandale; de la cruauté,
enfin! Oui! Dans sa posture à demi penchée mais sans
abandon, elle était certaine d'avoir surpris le calcul
égoïste de l'amant qui en a assez, que sans doute d'autres
caprices sollicitent déjà, et qui, en dépit de sa pitié, en
dépit d'une honte secrète, a formé le dessein de mettre
à profit ces larmes, pour consommer sur-le-champ la
rupture! Tout cela lui était clairement apparu en un
instant, et chaque fois que cette obsession prenait de
nouveau possession d'elle, un même vertige la faisait
défaillir.

Très vite, elle quitta la chambre et ferma la porte à
double tour.

Une idée précise lui était venue : cette bonne, cette
petite Mariette, qu'il avait fallu renvoyer il y a six mois...
Mᵐᵉ de Fontanin connaissait l'adresse de sa nouvelle
place. Elle réprima sa répugnance et, sans balancer davantage, s'y rendit.

La cuisine était au quatrième étage d'un escalier de
service. C'était l'heure fade de la vaisselle. Mariette lui
ouvrit : une blondine, des cheveux follets, deux prunelles
sans défense, une enfant. Elle était seule; elle rougit,
mais ses yeux s'éclairèrent :

— « Que je suis aise de revoir Madame! Et Mˡˡᵉ Jenny,
elle grandit toujours? »

Mᵐᵉ de Fontanin hésitait. Son sourire était douloureux.

— « Mariette... donnez-moi l'adresse de Monsieur. »

La jeune fille devint pourpre; ses yeux, où montaient
des larmes, restaient grands ouverts. L'adresse? Elle
secoua la tête, elle ne savait pas; c'est-à-dire elle ne savait
plus : Monsieur n'habitait pas dans l'hôtel où... Et

puis, Monsieur l'avait quittée presque tout de suite.

Mme de Fontanin avait baissé les yeux et reculait vers la porte, pour se soustraire à ce qu'elle eût pu entendre encore. Il y eut un court silence; et comme l'eau de la bassine s'échappait en grésillant sur le fourneau, Mme de Fontanin fit un geste machinal :

— « Votre eau bout », murmura-t-elle. Puis, reculant toujours, elle ajouta : « Etes-vous au moins heureuse ici, mon enfant? »

Mariette ne répondit pas; mais lorsque Mme de Fontanin, relevant la tête, croisa son regard, elle y vit poindre quelque chose d'animal : ses lèvres d'enfant, entrouvertes, découvraient les dents. Après une hésitation qui parut interminable à toutes deux, la petite balbutia :

— « Si qu'on demanderait à... Mme Petit-Dutreuil? »

Mme de Fontanin ne l'entendit pas fondre en larmes. Elle redescendait l'escalier comme on fuit un incendie. Ce nom expliquait tout à coup cent coïncidences à peine remarquées, oubliées à mesure, et qui soudain prenaient un sens.

Un fiacre passait, vide; elle s'y jeta pour rentrer plus vite. Mais, au moment de donner son adresse, un désir irrésistible s'empara d'elle. Elle crut obéir au souffle de l'Esprit.

— « Rue de Monceau », cria-t-elle.

Un quart d'heure après, elle sonnait à la porte de sa cousine Noémie Petit-Dutreuil.

Ce fut une fillette d'une quinzaine d'années, blonde et fraîche, avec de larges yeux accueillants, qui lui ouvrit.

— « Bonjour, Nicole; ta maman est là? »

Elle sentit peser sur elle le regard étonné de l'enfant :

— « Je vais l'appeler, tante Thérèse! »

Mme de Fontanin resta seule dans le vestibule. Son cœur battait si fort qu'elle y avait appuyé sa main et n'osait plus la retirer. Elle s'obligea à regarder autour d'elle avec calme. La porte du salon était ouverte; le soleil faisait chatoyer les couleurs des tentures, des tapis; la pièce avait l'aspect négligé et coquet d'une garçonnière. « On disait que son divorce l'avait laissée sans ressources », songea Mme de Fontanin. Et cette pensée lui rappela que son mari ne lui avait pas remis d'argent depuis deux mois, qu'elle ne savait plus comment faire face aux dépenses de la maison : l'idée l'effleura que peut-être ce luxe de Noémie...

Nicole ne revenait pas. Le silence s'était fait dans l'appartement. Mme de Fontanin, de plus en plus oppressée, entra dans le salon pour s'asseoir. Le piano était ouvert; un journal de mode était déployé sur le divan; des cigarettes traînaient sur une table basse; une botte d'œillets rouges emplissaient une coupe. Dès le premier coup d'œil, son malaise s'accrut. Pourquoi donc?

Ah, c'est qu'*il* était ici, présent dans chaque détail! C'est lui qui avait poussé le piano en biais devant la fenêtre, comme chez elle! C'est lui sans doute qui l'avait laissé ouvert; ou, si ce n'était lui, c'était pour lui que la musique s'effeuillait en désordre! C'est lui qui avait voulu ce large divan bas, ces cigarettes à portée de la main! Et c'était lui qu'elle voyait là, allongé parmi les coussins, avec son air nonchalant et soigné, le regard gai coulant entre les cils, le bras abandonné, une cigarette entre les doigts!

Un glissement sur le tapis la fit tressaillir : Noémie parut, dans un peignoir à dentelles, le bras posé sur l'épaule de sa fille. C'était une femme de trente-cinq ans, brune, grande, un peu grasse.

— « Bonjour, Thérèse; excuse-moi, j'ai depuis ce matin une migraine à ne pas tenir debout. Baisse les stores, Nicole. »

L'éclat de ses yeux, de son teint, la démentait. Et sa volubilité trahissait la gêne que lui causait cette visite : gêne qui devint une inquiétude, lorsque tante Thérèse, se tournant vers l'enfant, dit avec douceur :

— « J'ai besoin de causer avec ta maman, ma mignonne; veux-tu nous laisser un instant? »

— « Allons, va travailler dans ta chambre, va! » s'écria Noémie. Puis adressant à sa cousine un rire excessif : « C'est insupportable, à cet âge-là, ça commence à vouloir venir minauder au salon! Est-ce que Jenny est

comme ça? Je dois dire que j'étais toute pareille, te sou-
viens-tu? Ça désespérait maman. »

Mᵐᵉ de Fontanin était venue pour obtenir l'adresse
dont elle avait besoin. Mais, depuis son arrivée, la présence de Jérôme s'était si fort imposée à elle, l'outrage
était si flagrant, la vue de Noémie, sa beauté épanouie
et vulgaire lui avait paru si offensante, que, cédant encore
une fois à son impulsion, elle avait pris une résolution
insensée.

— « Mais assieds-toi donc, Thérèse », dit Noémie.

Au lieu de s'asseoir, Thérèse s'avança vers sa cousine
et lui tendit la main. Rien de théâtral dans son geste,
tant il fut spontané, tant il resta digne.

— « Noémie... », dit-elle; et tout d'un trait : « rends-
moi mon mari. » Le sourire mondain de Mᵐᵉ Petit-
Dutreuil se figea. Mᵐᵉ de Fontanin tenait toujours sa
main : « Ne réponds rien. Je ne te fais pas de reproche :
c'est lui, sans doute... Je sais bien comment il est... »
Elle s'interrompit une seconde; le souffle lui manquait.
Noémie n'en profita pas pour se défendre, et Mᵐᵉ de
Fontanin lui fut reconnaissante de ce silence, non qu'il
fût un aveu, mais parce qu'il prouvait qu'elle n'était
pas assez rouée pour parer sur-le-champ un coup si
brusque. « Ecoute-moi, Noémie. Nos enfants gran-
dissent. Ta fille... Et moi aussi mes deux enfants gran-
dissent, Daniel a quatorze ans passés. L'exemple peut
être funeste, le mal est si contagieux! Il ne faut plus que
ça dure, n'est-ce pas? Bientôt je ne serais plus seule à
voir... et à souffrir. » Sa voix essoufflée devint suppliante :
« Rends-le-nous maintenant, Noémie. »

— « Mais, Thérèse, je t'assure... Tu es folle! » La
jeune femme se ressaisissait; ses yeux devinrent rageurs,
ses lèvres se pincèrent : « Oui, vraiment, es-tu folle,
Thérèse? Et moi qui te laisse parler, tant je suis aba-
sourdie! Tu as rêvé! Ou bien on t'a monté la tête, des
potins! Explique-toi! »

Sans répondre, Mᵐᵉ de Fontanin enveloppa sa cousine d'un regard profond, presque tendre, qui semblait
dire : « Pauvre âme retardée! Tu es tout de même meilleure que ta vie! » Mais soudain ce regard glissa jusqu'à

la saillie de l'épaule, dont la chair nue, fraîche et grasse, palpitait sous les mailles de la dentelle comme un animal pris dans un filet : l'image qui surgit à ses yeux fut si précise qu'elle ferma les yeux; une expression de haine, puis de souffrance, passa sur son visage. Alors elle dit, pour en finir, comme si son courage l'eût abandonnée :

— « Je me suis trompée, peut-être... Donne-moi seulement son adresse. Ou plutôt, non, je ne demande pas que tu me dises où il est, mais préviens-le, préviens-le seulement qu'il faut que je le voie... »

Noémie redressa le buste :

— « Le prévenir? Est-ce que je sais où il est, moi? » Elle était devenue très rouge. « Et puis, est-ce bientôt fini, toutes ces clabauderies? Jérôme vient me voir quelquefois! Après? On ne s'en cache pas! Entre cousins! La belle affaire! » Son instinct lui souffla les mots qui blessent : « Il sera content quand je lui raconterai que tu es venue faire ici tout ce charivari! »

Mme de Fontanin s'était reculée.

— « Tu parles comme une fille! »

— « Ah! Eh bien, veux-tu que je te dise? » riposta Noémie. « Quand une femme perd son mari, c'est sa faute! Si Jérôme avait trouvé dans ta société ce qu'il demande sans doute ailleurs, tu n'aurais pas à courir après lui, ma belle! »

« Est-ce que cela pourrait être vrai? » ne put s'empêcher de penser Mme de Fontanin. Elle était à bout de forces. Elle eut la tentation de fuir; mais elle eut peur de se retrouver seule, sans adresse, sans aucun moyen de rappeler Jérôme. Son regard s'adoucit de nouveau.

— « Noémie, oublie ce que je t'ai dit, écoute-moi : Jenny est malade, elle a la fièvre depuis deux jours. Je suis seule. Tu es mère, tu dois savoir ce que c'est que d'attendre auprès d'une enfant qui commence une maladie... Voilà trois semaines que Jérôme n'a pas reparu, pas une seule fois! Où est-il? Que fait-il? Il faut qu'il sache que sa fille est malade, il faut qu'il revienne! Dis-le-lui! » Noémie secouait la tête avec un entêtement cruel. « Oh, Noémie, ce n'est tout de même pas possible que tu sois devenue si mauvaise! Ecoute,

je vais te dire le reste. Jenny est souffrante, c'est vrai, et
je suis bien tourmentée; mais ce n'est pas le plus grave. »
Sa voix s'humilia davantage. « Daniel m'a quittée : il a
disparu. »

— « Disparu? »

— « Il y aurait des recherches à faire. Je ne peux pas
rester seule à un moment pareil... avec une enfant
malade... N'est-ce pas? Noémie, dis-lui seulement qu'il
vienne! »

Mme de Fontanin crut que la jeune femme allait céder;
son regard était compatissant; mais elle fit un demi-tour,
et s'écria, en levant les bras :

— « Mon Dieu, qu'est-ce que tu veux que j'y fasse!
Puisque je te dis que je ne peux rien faire pour toi! » Et
comme Mme de Fontanin se taisait, révoltée, elle se
retourna d'un coup, le visage enflammé : « Tu ne me
crois pas, Thérèse? Non? Tant pis, alors tu sauras tout!
Il m'a trompée encore une fois, comprends-tu? Il a filé,
je ne sais pas où, — filé avec une autre! Là! Me crois-tu
maintenant? »

Mme de Fontanin était devenue blême. Elle répéta
machinalement :

— « Filé? »

La jeune femme s'était jetée sur le divan et sanglotait,
la tête dans les coussins.

— « Ah, si tu savais ce qu'il a pu me faire souffrir!
J'ai trop souvent pardonné, il croit que je pardonnerai
toujours! Mais non, jamais plus! Il m'a fait la pire ava-
nie! Devant moi, chez moi, il a séduit un avorton que
j'avais ici, une bonniche de dix-neuf ans! Elle a décampé,
voilà quinze jours, avec ses frusques, à l'anglaise! Et
lui, il l'attendait en bas dans une voiture! Oui », hurla-
t-elle en se redressant, « dans ma rue, à ma porte, en
plein jour, devant tout le monde, — pour une bonne!
Crois-tu! »

Mme de Fontanin s'était appuyée au piano afin de
pouvoir rester debout. Elle regardait Noémie, sans la
voir. Devant ses yeux, des visions passaient : elle revit
Mariette, quelques mois plus tôt, les petits signes, les
frôlements dans le couloir, les montées furtives au

sixième, jusqu'au jour où il avait bien fallu avoir vu, et
renvoyer la petite, qui suffoquait de désespoir et demandait pardon à Madame; elle revit, sur le banc du quai,
cette femme qui s'essuyait les yeux, la petite ouvrière,
en noir; puis elle aperçut enfin, là, tout près, Noémie,
et elle se détourna. Mais son regard revenait, malgré
elle, au corps de cette belle fille tombée en travers du
divan, à cette épaule nue, secouée par les hoquets, et
dont la chair gonflait la dentelle. Une image s'imposait,
intolérable.

Cependant la voix de Noémie lui parvenait, par éclats :
— « Ah, c'est fini! fini! Il peut revenir, il peut
traîner à genoux, je ne le regarderai même pas! Je le
hais, je le méprise. Je l'ai surpris cent fois à mentir sans
aucun motif, par jeu, par pur plaisir, par instinct! Il
ment dès qu'il parle! C'est un menteur! »

— « Tu n'es pas juste, Noémie! »

La jeune femme se releva d'un bond :

— « C'est toi qui le défends? Toi? »

Mais Mme de Fontanin s'était reprise; elle dit seulement, sur un autre ton :

— « Tu n'as pas l'adresse de cette...? »

Noémie réfléchit une seconde, puis se pencha familièrement :

— « Non. Mais la concierge, des fois... »

Thérèse l'interrompit d'un geste et gagna la porte.
La jeune femme, par contenance, cachait son visage au
milieu des coussins, et fit semblant de ne pas la voir
partir.

Dans le vestibule, comme Mme de Fontanin soulevait la portière de l'entrée, elle se sentit saisie à pleins
bras par Nicole, dont le visage était trempé de larmes.
Elle n'eut pas le temps de lui dire un mot. L'enfant
l'avait embrassée éperdument, et s'était enfuie.

La concierge ne demandait qu'à causer :

— « Moi, je renvoie ses lettres à son pays d'origine,
en Bretagne, à Perros-Guirec; ses parents font suivre
sans doute. Si ça vous intéresse... », ajouta-t-elle en
ouvrant un registre crasseux.

Avant de rentrer chez elle Mme de Fontanin entra dans un bureau de poste, prit une feuille de télégramme, et écrivit :

« *Victorine Le Gad. Place de l'Eglise, Perros-Guirec. (Côtes-du-Nord.)*
« Veuillez dire à M. de Fontanin que son fils Daniel a disparu depuis dimanche. »

Puis elle demanda une carte-lettre :

« M. le Pasteur Gregory
Christian scientist Society,
2 bis, boulevard Bineau,
Neuilly-sur-Seine.

« Cher James,
« Depuis deux jours Daniel est parti, sans dire où, sans donner de nouvelles; je suis rongée d'inquiétude. De plus, ma Jenny est malade, une grosse fièvre que rien n'explique encore. Et je ne sais où retrouver Jérôme pour le prévenir.
« Je suis bien seule, mon ami. Venez me voir.

« Thérèse de Fontanin. »

V

Le surlendemain, mercredi, à six heures du soir, un homme grand, dégingandé, effroyablement maigre et sans âge déterminé, se présentait avenue de l'Observatoire.

— « Peu probable que Madame reçoive », répondit le concierge. « Les médecins sont là-haut. La petite demoiselle est perdue. »

Le pasteur grimpa l'escalier. La porte du palier était ouverte. Plusieurs pardessus d'hommes encombraient le vestibule. Une infirmière passa en courant.

— « Je suis le pasteur Gregory. Qu'arrive-t-il? Jenny souffre? »

L'infirmière le regarda :

— « Elle est perdue », murmura-t-elle; et elle s'éclipsa.

Il tressaillit comme s'il eût été frappé au visage. L'atmosphère lui sembla s'être raréfiée tout à coup; il étouffait. Il pénétra dans le salon et ouvrit les deux croisées.

Dix minutes passèrent. On allait et venait dans le couloir; des portes battaient. Il y eut un bruit de voix : Mme de Fontanin parut, suivie de deux hommes âgés, vêtus de noir. Elle aperçut Gregory et s'élança vers lui :

— « James! Enfin! Ah, mon ami, ne m'abandonnez pas. »

Il bredouilla :

— « Je suis seulement retourné de Londres aujourd'hui. »

Elle l'entraînait, laissant les deux consultants délibérer. Dans le vestibule, Antoine, en manches de chemise, se brossait les ongles dans une cuvette que l'infirmière lui tenait. Mme de Fontanin avait saisi les deux mains du pasteur. Elle était méconnaissable : ses joues étaient blanches et semblaient dépouillées de leur chair; sa bouche ne cessait de trembler.

— « Ah, restez avec moi, James, ne me laissez pas seule! Jenny est... »

Des gémissements s'échappaient du fond de l'appartement; elle n'acheva pas, et s'enfuit vers la chambre.

Le pasteur s'approcha d'Antoine; il ne dit rien, mais son regard anxieux interrogeait. Antoine secoua la tête.

— « Elle est perdue. »

— « Oh! pourquoi dire comme ça? », fit Gregory sur un ton de reproche.

— « Mé-nin-gite », scanda Antoine, en levant la main vers son front. « Drôle de bonhomme », ajouta-t-il à part lui.

Le visage de Gregory était jaune et anguleux; des mèches noires, ternes comme des cheveux morts, s'échevelaient autour d'un front exceptionnellement vertical. De chaque côté du nez, qui était long, tombant et congestionné, les yeux, tapis sous les sourcils, brillaient comme s'ils eussent été phosphorescents : très noirs, presque sans blanc, toujours humides et d'une mobilité surprenante, ils faisaient songer aux yeux de certains singes : ils en avaient la langueur et la dureté. Plus anormal encore était le bas du visage : un rire silencieux, un rictus qui n'exprimait aucun sentiment connu, tiraillait en tous sens le menton, dont la peau était sans poils, parcheminée et collée à l'os.

— « Subit? » questionna le pasteur.

— « La fièvre a commencé dimanche, mais les symptômes ne se sont affirmés qu'hier, mardi, dans la matinée. Il y a eu aussitôt consultation. On a tout fait. » Son regard devint songeur. « Nous verrons ce que vont dire ces messieurs; mais pour moi », conclut-il, et son visage se contracta, « pour moi, la pauvre enfant est per... »

— « Oh, *dont'!* » interrompit le pasteur d'une voix rauque. Ses yeux étaient braqués sur ceux d'Antoine; leur irritation s'accordait mal avec le rire étrange de la bouche. Comme si l'air fût devenu irrespirable, il avait porté à son col sa main de squelette, et il la tenait crispée sous son menton, pareille à une araignée de cauchemar.

Antoine enveloppa le pasteur d'un regard professionnel : « Asymétries frappantes », se dit-il; « et ce rire intérieur, cette grimace inexpressive de maniaque... »

— « Daniel est-il revenu, je vous prie? » demanda Gregory cérémonieusement.

— « Pas de nouvelles. »

— « Pauvre, pauvre dame! » murmura-t-il avec une inflexion câline.

A ce moment, les deux docteurs sortirent du salon. Antoine s'avança.

— « Elle est perdue », nasilla le plus âgé en posant la main sur l'épaule d'Antoine, qui se tourna aussitôt vers le pasteur.

L'infirmière, qui passait, s'approcha, et, baissant la voix :

— « Vraiment, docteur, est-ce que vous la croyez... »

Cette fois, Gregory se détourna pour ne plus entendre le mot. La sensation d'étouffement lui devint intolérable. Par la porte entrouverte, il aperçut l'escalier : en quelques bonds il fut en bas, traversa l'avenue et se mit à courir devant lui sous les arbres, riant de son rire extravagant, les cheveux emmêlés, ses pattes de faucheux croisées sur la poitrine, aspirant à pleine gorge l'air du soir. « Damnés docteurs! » grommelait-il. Il était attaché aux Fontanin comme à sa propre famille. Lorsqu'il avait débarqué à Paris, seize années auparavant, sans un penny en poche, c'est auprès du pasteur Perrier, le père de Thérèse, qu'il avait trouvé accueil et appui. Il ne l'avait jamais oublié. Plus tard, pendant la dernière maladie de son bienfaiteur, il avait tout quitté pour s'installer à son chevet : et le vieux pasteur était mort, une main dans celles de sa fille, et l'autre dans celles de Gregory, qu'il appelait son fils. Ce souvenir lui fut si douloureux en ce moment, qu'il fit volte-face et revint à grands pas. La voiture des médecins ne stationnait plus devant la maison. Il remonta rapidement.

Les portes étaient restées entrebâillées. Les gémissements le guidèrent jusqu'à la chambre. On avait tiré les

rideaux; l'ombre était pleine d'essoufflements et de
plaintes. Mme de Fontanin, l'infirmière et la femme de
ménage, courbées sur le lit, maintenaient à grand-peine
le petit corps, qui se tendait et se détendait comme un
poisson sur l'herbe.

Gregory demeura quelques instants muet, le menton
dans la main, le visage hargneux. Enfin il se pencha vers
Mme de Fontanin :

— « Ils tueront votre petite fille! »

— « Quoi? La tuer? Comment? » balbutia-t-elle, cram-
ponnée au bras de Jenny, qui lui échappait sans cesse.

— « Si vous ne les chassez pas », reprit-il avec force,
« ils vont tuer votre enfant. »

— « Chasser qui? »

— « Tout le monde. »

Elle le regardait, étourdie; avait-elle bien entendu?
La face bilieuse de Gregory, tout près d'elle, était terri-
fiante.

Il avait happé au vol l'une des mains de Jenny, et, se
baissant, il l'appela, d'une voix douce comme un chant :

— « Jenny! Jenny! *Dearest!* Me connaissez-vous? Me
connaissez-vous? »

Les prunelles égarées, fixées au plafond, virèrent lentement jusqu'au pasteur; alors, s'inclinant davantage, il y
coula son regard, si obstinément, si profondément, que
l'enfant cessa soudain de gémir.

— « Laissez! » dit-il alors aux trois femmes. Et comme
aucune n'obéissait, il reprit, sans bouger la tête, avec une
autorité irrésistible : « Donnez son autre main. C'est
bien. Et maintenant, laissez. »

Elles s'écartèrent. Il demeura seul, penché sur le lit,
enfonçant dans les yeux mourants sa volonté magnétique. Les deux bras qu'il tenait battirent l'air un long
moment, puis s'abaissèrent. Les jambes continuaient à
se débattre; elles s'allongèrent à leur tour. Les yeux,
soumis enfin, se fermèrent. Gregory, toujours courbé,
fit signe à Mme de Fontanin de venir près de lui :

— « Voyez », grommela-t-il : « elle se tait, elle est plus
calme. Chassez-les, je dis, chassez ces *enfants de Bélial!*
L'Erreur est seule dominante en eux! L'Erreur tuera

votre petit enfant! » Il riait, du rire silencieux des voyants qui possèdent la vérité éternelle et pour qui le reste du monde est composé d'insanes. Sans déplacer son regard, rivé aux pupilles de Jenny, il baissa la voix :

— « Femme, femme, *le Mal n'existe pas!* C'est vous qui le créez, c'est vous qui lui donnez la puissance mauvaise, parce que vous le craignez, parce que vous acceptez qu'il soit! Voyez : aucun d'eux ici n'espère plus. Ils disent tous : " Elle est... " Vous-même, vous pensez, et tout à l'heure vous avez presque prononcé : " Elle est..."! *Eternel! Mets un vigilant sur ma bouche, mets un vigilant sur la porte de mes lèvres!* Oh, la pauvre petite chose, quand je suis apparu, elle n'avait plus autour d'elle que le vide, que le *Négatif!*

« Et moi je dis : Elle n'est pas malade! » s'écria-t-il avec une conviction si contagieuse, que les trois femmes en furent électrisées. « Elle est en santé! Mais qu'on me laisse! »

Avec des précautions de prestidigitateur, il avait progressivement desserré les doigts et fait un petit saut en arrière, laissant libres les membres de l'enfant, qui s'étendirent, dociles, sur le lit.

— « Bonne est la vie! » affirma-t-il d'une voix musicale. « Bonne est toute substance! Bonne est l'intelligence, et bonne est l'amour! Toute santé est en Christ, et Christ est en nous! »

Il se tourna vers la femme de chambre et vers l'infirmière, qui s'étaient reculées au fond de la pièce :

— « Je vous prie, quittez, laissez-moi. »

— « Allez », dit Mme de Fontanin. Mais Gregory s'était redressé de toute sa hauteur, et son bras tendu jetait l'anathème sur la table où traînaient les ampoules, les compresses, le seau de glace pilée :

— « Emportez tout! » ordonna-t-il.

Les femmes obéirent.

Lorsqu'il fut seul avec Mme de Fontanin :

— « Maintenant, *open the window!* » cria-t-il gaiement, « ouvrez, ouvrez toute grande, *dear!* »

Le souffle frais, qui faisait bruire les feuillages de l'avenue, sembla venir attaquer l'air vicié de la chambre, le prendre par-dessous, le rouler en volutes, le chasser dehors; et sa caresse atteignit le visage ardent de la malade, qui frissonna.

— « Elle va prendre froid... », chuchota Mme de Fontanin.

Il ne répondit d'abord que par un ricanement heureux.

— « *Shut!* » dit-il enfin. « Fermez la fenêtre, oui, c'est très bien! Et allumez toutes vos lumières, Madame Fontanin : il faut la clarté autour, il faut la joie! Et dans nos cœurs aussi il faut la lumière autour, et beaucoup de joie! *L'Eternel est notre Lumière, l'Eternel est notre Joie : de quoi donc aurais-je crainte?* Tu as permis que j'arrive avant l'heure maudite! » ajouta-t-il en levant les mains. Puis il avança une chaise au chevet du lit : « Asseyez-vous. Calme soyez; très calme. Gardez le *personnel contrôle*. Ecoutez seulement ce que Christ inspire en vous. Je vous dis : Christ veut qu'elle soit en santé! Voulons avec lui! Invoquons la grande Force du Bien. L'Esprit est tout. Le matériel est esclave du spirituel. Depuis deux jours déjà, la pauvre *darling* est sans préservation de l'influence négative. Oh, tous ces hommes et femmes, ils m'ont fait horreur : ils ne pensent que le pire, ils n'évoquent rien autre que le contrariant! Et ils croient tout est fini, quand leurs pauvres petites maigres certitudes sont vidées! »

Les vagissements recommençaient. Jenny se débattait de nouveau. Soudain elle renversa la tête et ses lèvres s'entrouvrirent comme si elle allait rendre le dernier souffle. Mme de Fontanin s'était jetée sur le lit, couvrant la petite de son corps, lui criant au visage :

— « Je ne veux pas!... Je ne veux pas!... »

Le pasteur se dirigea vers elle comme s'il la rendait responsable de la crise :

— « Peur? Vous n'avez donc plus foi? En face de Dieu il n'y a pas de peur. La peur est seulement charnelle. Mettez de côté l'être charnel, ce n'est pas votre véritable. Marc a dit : *Tout ce que vous demanderez en priant, croyez déjà que vous avez reçu la chose, et alors vous aurez l'accomplissement de cette chose. Laissez. Priez!* » Mme de Fontanin s'agenouilla. « Priez! » répéta-t-il sur un ton sévère. « Priez en premier pour vous, âme trop débile!

Que Dieu vous restitue d'abord confiance et paix! C'est dans votre confiance *totale* que l'enfant trouvera salut! Invoquez l'Esprit de Dieu! Je réunis mon cœur avec vous : prions! »

Il se recueillit un instant et commença la prière. Ce ne fut d'abord qu'un murmure : il était debout, les pieds joints, les bras croisés, la tête dressée vers le ciel, les paupières closes; ses mèches, tordues autour de son front, l'auréolaient de flammes noires. Peu à peu les mots devinrent perceptibles; et les râles rythmés de l'enfant faisaient à son invocation comme un accompagnement d'orgue :

— « Tout-Puissant! Souffle animateur! Tu domiciles partout, dans le moindre chaque petit morceau de tes créatures. Et moi je t'appelle du fond de mon cœur. Emplis de ta paix ce *home* éprouvé! Ecarte loin de cette couche toute chose qui n'est pas pensée de vie! Le Mal est seulement dans notre faiblesse. Ah, Seigneur, expulse de nous le *Négatif!*

« Toi seul es l'Infinie Sagesse, et ce que tu fais de nous est fait selon la loi. C'est pourquoi cette femme te confie son enfant, au vestibule de la mort! Elle le remet à ta Volonté, elle le quitte, elle l'abandonne! Et s'il faut que tu arraches l'enfant à la mère, elle y consent, elle y consent! »

— « Oh, taisez-vous! Non, non, James! » balbutia Mme de Fontanin.

Sans faire un pas, Gregory laissa tomber une main de fer sur son épaule :

— « Femme de peu de foi, est-ce vous? Vous que l'Esprit du Seigneur a tant de fois insufflée? »

— « Ah, James, depuis trois jours, j'ai trop souffert, James, je ne peux plus! »

— « Je la regarde », fit-il en se reculant, « et ce n'est plus elle, et je ne la connais plus! Elle a laissé le Mauvais entrer dans sa pensée, dans le temple même de Dieu!

« Priez, pauvre dame, priez! »

Le corps de l'enfant, sillonné par des décharges nerveuses, sautait sous les draps; les yeux se rouvrirent; le regard exorbité fixa successivement les lumières de la

chambre. Gregory n'y prêtait aucune attention. Mme de
Fontanin, étreignant la fillette avec ses deux bras, essayait
de maîtriser ses soubresauts.

— « Force Suprême ! » psalmodiait le pasteur. « Vérité !
Tu as dit : *Si quelqu'un veut venir à ma suite, qu'il renonce
à lui-même.* Eh bien, s'il faut que la mère soit mutilée
en son enfant, elle accepte ! Elle est consentant ! »

— « Non, James, non... »

Le pasteur se pencha :

— « Renoncez ! Renoncement est même chose que
levain : comme le levain travaille la farine, ainsi le renoncement travaille la pensée mauvaise et fait lever le Bien ! »
Puis, se relevant : « Si tu le veux donc, Seigneur, prends
sa fille, prends, elle renonce, elle abandonne ! Et si tu
as besoin de son fils... »

— « Non... non... »

— « ...et si tu as besoin de prendre aussi son fils, qu'il
lui soit arraché de même ! Qu'il ne reparaisse jamais
plus sur le seuil du foyer maternel ! »

— « Daniel... Non ! »

— « Seigneur, elle remet son fils à ta Sagesse, et de
son plein consentement ! Et si l'époux doit lui être également ôté, qu'il soit ! »

— « Pas Jérôme ! » gémit-elle, se traînant sur les
genoux.

— « Qu'il soit pareillement ! » reprit le pasteur avec
une exaltation grandissante. « Qu'il soit, sans dispute,
et par ta seule Volonté, Source de Lumière ! Source du
Bien ! Esprit ! »

Il fit une courte pause ; puis, sans la regarder :

— « Avez-vous fait le sacrifice ? »

— « Pitié, James, je ne peux pas... »

— « Priez ! »

Quelques minutes passèrent :

— « Avez-vous fait le sacrifice, le *total* sacrifice ? »
Elle ne répondit pas et s'affaissa au pied du lit.

Près d'une heure passa. La malade restait immobile ;
sa tête seule, rouge et gonflée, oscillait de droite et de
gauche ; sa respiration était rauque ; ses yeux, qu'elle ne
fermait plus, avaient une expression démente.

Tout à coup, sans que Mme de Fontanin eût bougé, le pasteur tressaillit comme si elle l'eût appelé par son nom, et vint s'agenouiller à son côté. Elle se redressa; ses traits étaient moins tendus; elle contempla longuement le petit visage versé sur l'oreiller, écarta les bras, et dit :

— « Seigneur, que ta volonté soit faite et non la mienne. »

Gregory ne fit pas un mouvement. Il n'avait jamais douté que cette parole serait dite, à son heure. Il avait les yeux clos; de toute sa volonté, il appelait la grâce de Dieu.

Les heures se succédèrent. Par moments, on eût dit que la petite allait perdre ses dernières forces, et tout ce qui lui restait de vie semblait vaciller avec son regard. A d'autres instants, le corps était secoué de convulsions; alors Gregory prenait une des mains de Jenny dans les siennes, et disait avec humilité :

— « Nous moissonnerons! Nous moissonnerons! Mais il faut prier. Prions. »

Vers cinq heures, il se leva, étendit sur l'enfant une couverture qui avait glissé à terre, et ouvrit la fenêtre. L'air froid de la nuit fit irruption dans la chambre. Mme de Fontanin, toujours à genoux, n'avait pas fait un geste pour retenir le pasteur.

Il monta sur le balcon. L'aube était encore indécise, le ciel gardait une couleur métallique; l'avenue se creusait comme une tranchée d'ombre. Mais sur le jardin du Luxembourg l'horizon blêmissait; des vapeurs circulèrent dans l'avenue, et enveloppèrent d'ouate les touffes noires des cimes. Gregory raidit les bras pour ne pas frissonner, et ses deux poings se nouèrent à la rampe. La fraîcheur du matin, balancée par un vent léger, baignait son front moite, son visage fripé par la veille et la prière. Déjà les toits bleuissaient, les persiennes tranchaient en clair sur la pierre enfumée des maisons.

Le pasteur fit face au Levant. Des fonds obscurs de la nuit, une ample nappe de lumière montait vers lui, une lumière rosée, qui bientôt rayonna dans tout le ciel. La nature entière s'éveillait; des milliards de molécules

joyeuses scintillaient dans l'air matinal. Et, tout à coup,
un souffle nouveau gonfle sa poitrine, une force surhumaine le pénètre, le soulève, le grandit démesurément.
Il prend en un instant conscience de possibilités sans
limites : sa pensée commande à l'univers : il peut tout
oser, il peut crier à cet arbre : Frémis! et il frémira; à
cette enfant : Lève-toi! et elle ressuscitera. Il étend le
bras; et soudain, prolongeant son geste, le feuillage de
l'avenue palpite : de l'arbre qui est à ses pieds, une nuée
d'oiseaux s'échappent avec des pépiements d'ivresse.

Alors il s'approche du lit, pose la main sur les cheveux
de la mère agenouillée, et s'écrie :

— « Alleluia, *dear!* Le total nettoyage est accompli! »

Il s'avance vers Jenny.

— « Les ténèbres sont expulsées! Donnez-moi vos
mains, mon doux cœur. » Et l'enfant qui depuis deux
jours ne comprend presque plus les paroles, présente ses
mains. « Regardez-moi! » Et les yeux hagards, qui ne
semblaient plus voir, se fixent sur lui. « *Il te délivrera de
la mort, et les bêtes de la terre seront en paix avec toi.* Vous
êtes en santé, petite chose! Il n'y a plus de ténèbres!
Gloire à Dieu! Priez! » Le regard de l'enfant a retrouvé
une expression consciente : elle remue les lèvres; il
semble vraiment qu'elle tente un effort pour prier.
« Maintenant, *my darling,* laissez descendre les paupières. Doucement... C'est bien... Dormez, *my darling,*
vous n'avez plus contrariété! Il faut dormir de joie! »

Quelques minutes plus tard, pour la première fois
depuis cinquante heures, Jenny sommeillait. La tête
immobile s'enfonçait mollement dans l'oreiller; l'ombre
des cils s'allongeait sur les joues, et les lèvres laissaient
passer une haleine égale. Elle était sauvée.

C'était un cahier de classe en toile grise, choisi pour aller et venir entre Jacques et Daniel, sans attirer l'attention du professeur. Les premières pages étaient barbouillées d'inscriptions comme :

« Quelles sont les dates de Robert-le-Pieux? »

« Écrit-on *rapsodie* ou *rhapsodie?* »

« Comment traduis-tu *eripuit?* »

D'autres étaient chargées de notes et de corrections qui devaient se rapporter à des poèmes de Jacques, écrits sur feuilles volantes.

Bientôt une correspondance suivie s'établissait entre les deux écoliers.

La première lettre un peu longue était de Jacques :

« Paris, Lycée Amyot, en classe de troisième A, sous l'œil soupçonneux de QQ', dit Poil-de-Cochon, le lundi dix-septième jour de mars, à 3 h. 31 min. 15 sec.

« Ton état d'âme est-il l'indifférence, la sensualité, ou l'amour? Je penche plutôt pour le troisième état, qui t'est plus nature que les autres.

« Quant à moi, plus j'étudie mes sentiments, plus je vois que l'homme

ÉST UNE BRUTE,

et que l'amour seul peut l'élever. C'est le cri de mon cœur blessé, il ne me trompe pas! Sans toi, ô mon très cher, je ne serais qu'un cancre, qu'un crétin. Si je vibre à l'Idéal, c'est à toi que je le dois!

« Je n'oublierai jamais ces moments, trop rares, hélas,

et trop courts, où nous sommes entièrement l'un à l'autre. Tu es mon seul amour! Je n'en aurai jamais d'autre, car mille souvenirs passionnés de toi m'assailliraient aussitôt. Adieu, j'ai la fièvre, mes tempes battent, mes yeux se troublent. Rien ne nous séparera jamais, n'est-ce pas? Oh, quand, quand serons-nous libres? Quand pourrons-nous vivre ensemble, voyager ensemble? J'adorerai les pays étrangers! Recueillir ensemble des impressions immortelles et, ensemble, les transformer en poèmes, lorsqu'elles sont encore chaudes!

« Je n'aime pas attendre. Ecris-moi le plus tôt possible. Je veux que tu m'aies répondu avant 4 heures si tu m'aimes *comme* je t'aime!!

« Mon cœur étreint ton cœur, ainsi que Pétrone étreignait sa divine Eunice!

« *Vale et me ama!*

« J. »

A quoi Daniel avait répondu sur le feuillet suivant :

« Je sens que j'aurais beau vivre seul sous un autre ciel, le lien vraiment unique, qui unit nos deux âmes, me ferait quand même deviner tout ce que tu deviens. Il me semble que les jours ne passent pas sur notre intime union.

« Te dire le plaisir que m'a fait ta lettre, c'est impossible. N'étais-tu pas mon ami, et n'es-tu pas devenu plus encore? la vraie moitié de moi-même? N'ai-je pas contribué à former ton âme comme tu as contribué à former la mienne? Dieu, que je sens tout cela vrai et fort, en t'écrivant! Je vis! Et tout vit en moi, corps, esprit, cœur, imagination, grâce à ton attachement, dont je ne douterai jamais, ô mon vrai et seul ami!

« D. »

« *P.-S.* — J'ai décidé ma mère à bazarder mon vélo, qui est vraiment trop clou.

« *Tibi,*

« D. »

Une autre lettre de Jacques :

« *O dilectissime!*

« Comment peux-tu être tantôt gai et tantôt triste ? Moi, dans mes plus folles gaietés, je suis parfois la proie d'un amer souvenir. Non, jamais plus, je le sens, je ne saurai être gai et frivole ! Devant moi se dressera toujours le spectre d'un inaccessible Idéal !

« Ah, parfois je comprends l'extase de ces nonnes pâles au visage exsangue, qui passent leur vie hors de ce monde trop réel ! Avoir des ailes, pour les briser, hélas, contre les barreaux d'une prison ! Je suis seul dans un univers hostile, mon père bien-aimé ne me comprend pas. Je ne suis pas bien vieux, cependant, et déjà derrière moi, que de plantes brisées, que de rosées devenues pluies, que de voluptés inassouvies, que d'amers désespoirs !...

« Pardonne-moi, mon amour, d'être aussi lugubre en ce moment. Je suis en voie de formation sans doute : mon cerveau bouillonne, et mon cœur aussi (plus fort même encore, si c'est possible). Restons unis ! Nous éviterons ensemble les écueils, et ce tourbillon qu'on nomme plaisirs.

« Tout s'est évanoui dans mes mains, mais il me reste la volupté d'être voué à toi, ô élu de mon cœur !!!

« J. »

« *P.-S.* — Je termine en hâte cette missive, pressé par ma récitation dont je ne sais pas le premier mot. Zut !

« O mon amour, si je ne t'avais pas, je crois que je me tuerais !

« J. »

Daniel avait répondu aussitôt :

« Tu souffres, ami ?

« Pourquoi, toi, si jeune, ô mon ami très cher, toi, si jeune, pourquoi maudire la vie ? Sacrilège ! Ton âme, dis-tu, est enchaînée à la terre ? Travaille ! Espère ! Aime ! Lis !

« Comment te consolerai-je du tourment qui accable ton âme? Quel remède à ces cris de découragement? Non, mon ami, l'Idéal n'est pas incompatible avec la nature humaine. Non, ce n'est pas seulement une chimère enfantée à travers quelque rêve de poète! L'Idéal, pour moi, (c'est difficile à expliquer) mais, pour moi, c'est mêler du grand aux plus humbles choses terrestres; c'est faire grand tout ce qu'on fait; c'est le développement complet de tout ce que le Souffle Créateur a mis en nous comme facultés divines. Me comprends-tu? Voilà l'Idéal, tel qu'il réside au fond de mon cœur.

« Enfin, si tu en crois un ami fidèle jusqu'au trépas, qui a beaucoup vécu parce qu'il a beaucoup rêvé et beaucoup souffert; si tu en crois ton ami qui n'a jamais voulu que ton bonheur, il faut te répéter que tu ne vis pas pour ceux qui ne peuvent te comprendre, pour le monde extérieur qui te méprise, pauvre enfant, mais pour *quelqu'un* (moi) qui ne cesse de penser à toi, et de sentir comme toi et avec toi sur toutes choses!

« Ah! que la douceur de notre liaison privilégiée soit un baume sacré sur ta blessure, ô mon ami!

« D. »

Sans attendre, Jacques avait griffonné en marge :

« Pardonne, très cher amour! C'est la faute de mon caractère violent, exagéré, fantasque! Je passe du plus sombre découragement aux plus futiles espérances : à fond de cale, et, l'instant d'après, emballé jusqu'aux nues!! N'aimerai-je donc jamais rien de suite? (si ce n'est toi!!) (et mon ART!!!) Tel est mon destin! Acceptes-en l'aveu!

« Je t'adore pour ta générosité, pour ta sensibilité de fleur, pour le sérieux que tu mets dans toutes tes pensées, dans toutes tes actions, et jusque dans les élans de l'amour. Toutes tes tendresses, tous tes émois, je les endure en même temps que toi! Rendons grâce à la Providence de nous être aimés, et que nos cœurs, ravagés de solitude, aient pu s'unir dans une étreinte si indissoluble!

« Ne m'abandonne jamais!
« Et souvenons-nous éternellement que nous avons
l'un dans l'autre
           « l'objet passionné de
                « NOTRE AMOUR!

                                        « J. »

Deux longues pages de Daniel : une écriture haute
et ferme :

« Ce mardi 7 avril.

« Mon ami,
« J'aurai quatorze ans demain. L'an dernier je mur-
murais : quatorze ans... — comme dans un beau rêve
insaisissable. Le temps passe et nous flétrit. Et, au fond,
rien ne change. Toujours nous-mêmes. Rien n'est
changé, si ce n'est que je me sens découragé et vieilli.
« Hier soir, en me couchant, j'ai pris un volume de
Musset. La dernière fois, dès les premiers vers, je fris-
sonnais, et parfois même des larmes s'échappaient de
mes yeux. Hier, pendant de longues heures d'insomnie,
je m'exaltais et ne sentais rien venir. Je trouvais les
phrases bien coupées, harmonieuses... O sacrilège! Enfin
le sentiment poétique s'est réveillé en moi, avec un
torrent de pleurs délicieuses, et j'ai vibré enfin.
« Ah! pourvu que mon cœur ne se dessèche pas! J'ai
peur que la vie m'endurcisse le cœur et les sens. Je
vieillis. Déjà les grandes idées de Dieu, l'Esprit, l'Amour,
ne battent plus dans ma poitrine comme jadis, et le
Doute rongeur me dévore quelquefois. Hélas! pourquoi
ne pas vivre de toute la force de notre âme, au lieu de
raisonner? *Nous pensons trop!* J'envie la vigueur de la
jeunesse, qui s'élance au péril sans rien voir, sans tant
réfléchir! Je voudrais pouvoir, les yeux fermés, me sacri-
fier à une Idée sublime, à une Femme idéale et sans
souillure, au lieu d'être toujours replié sur moi! Ah,
c'est affreux, ces aspirations sans issue!...
« Tu me félicites de mon *sérieux*. C'est ma misère, au
contraire, c'est mon destin maudit! Je ne suis pas comme

l'abeille butineuse qui s'en va sucer le miel d'une fleur, puis d'une autre fleur. Je suis comme le noir scarabée qui s'enferme au sein d'une seule rose, et vit en elle jusqu'à ce qu'elle ferme ses pétales sur lui, et, étouffé dans cette suprême étreinte, il meurt entre les bras de la fleur qu'il a élue.

« Aussi fidèle est mon attachement pour toi, ô mon ami ! Tu es la tendre rose qui s'est ouverte pour moi sur cette terre désolée. Ensevelis mon noir chagrin au plus creux de ton cœur ami !

« D. »

« *P.-S.* — Pendant les vacances de Pâques, tu pourras sans crainte écrire chez moi. Ma mère respecte toutes mes épistoles. (Pas cependant des choses extraordinaires !)

« J'ai fini *la Débâcle* de Zola, je peux te la prêter. J'en suis encore ému et frissonnant. C'est beau de puissance et de profondeur. J'ai commencé *Werther*. Ah, mon ami, voilà enfin le livre des livres ! J'ai pris aussi *Elle et lui* de Gyp, mais je lirai *Werther* avant.

« D. »

Jacques lui avait envoyé ces lignes sévères :

« Pour la quatorzième année de mon ami :

« *Il y a dans l'univers un homme qui, le jour, souffre des tourments indicibles, et qui, la nuit, ne peut dormir; qui sent dans son cœur un vide affreux que n'a pu remplir la volupté; dans sa tête, un bouillonnement de toutes ses facultés; qui, au milieu des plaisirs, parmi tous les gais convives, sent tout à coup la solitude aux ailes sombres planer sur son cœur; il y a dans l'univers un homme qui n'espère rien, qui ne craint rien, qui déteste la vie et n'a pas la force de la quitter : cet homme, c'est CELUI QUI NE CROIT PAS EN DIEU!!!*

« *P.-S.* — Garde ceci. Tu le reliras quand tu seras ravagé et que tu clameras en vain dans les ténèbres.

« J. »

« As-tu travaillé pendant les vacances ? » questionnait Daniel sur le haut d'une page.

Et Jacques avait répondu :

« J'ai achevé, dans le genre de mon *Harmodius et Aristogiton,* un poème, qui commence d'une façon assez chic :

Ave Cœsar ! Voici la Gauloise aux yeux bleus...
Pour toi, la danse aimée de sa patrie perdue !
Comme un lotus des fleuves sous le vol neigeux des cygnes.

Sa taille ploie dans un frisson...
Empereur !... Ses lourdes épées étincellent...
Vois ! C'est une danse de son pays !...

Etc... etc... Et qui se termine ainsi :

— Mais tu pâlis, Cœsar ! Hélas ! Trois fois hélas !
A sa gorge a mordu la pointe des épées !
La coupe échappe... Ses yeux sont clos...
La voici toute ensanglantée
La danse nue des soirs baignés de lune !

Devant le grand feu clair qui palpite au bord du lac,
Voici la danse terminée
De la Guerrière blonde au festin de Cœsar !

« J'appelle ça l'*Offrande Pourpre,* et j'ai une danse mimée qui va avec. Je voudrais la dédier à la divine Loïe Fuller, pour qu'elle la danse à l'Olympia. Crois-tu qu'elle le ferait ?

« Depuis quelques jours j'avais cependant pris l'irrévocable décision de revenir au vers régulier et à la rime des grands classiques. (En somme, je crois que je les avais méprisés parce que c'est plus difficile.) J'ai commencé une ode en strophes rimées sur le martyre dont je t'avais parlé ! voici le début :

Au R. P. Perboyre, lazariste
Martyrisé en Chine le 20 nov. 1839
Béatifié en janvier 1889.

Salut, ô prêtre saint, dont le touchant martyre,
Fait frissonner d'horreur, le monde épouvanté!
Permets que mes accords te chantent sur ma lyre,
          Héros de notre chrétienté.

« Mais, depuis hier soir, je crois que ma vraie voca-
tion sera d'écrire, non des poèmes, mais des nouvelles,
et si j'en ai la patience, des romans. Je suis travaillé par
un grand sujet. Ecoute :

« Une jeune fille, enfant de grand artiste, née dans le
coin d'un atelier, artiste elle-même (c'est-à-dire un peu
légère de genre, mais faisant résider son idéal non dans
la vie de famille mais dans l'expression du Beau); elle
est aimée par un jeune homme sentimental mais bour-
geois, que sa beauté sauvage a fasciné. Mais bientôt ils
se haïssent passionnément et se quittent, lui pour la vie
de famille chaste avec une petite provinciale, et elle,
éplorée d'amour, s'enfonce dans la débauche (ou consacre
son génie à Dieu, je ne sais pas encore). Voilà mon idée :
qu'en pense l'ami?

« Ah, vois-tu, ne rien faire d'artificiel, suivre sa nature,
et quand on se sent né pour créer, se considérer comme
ayant en ce monde la plus grave et la plus belle des mis-
sions, un grand devoir à accomplir. Oui! Etre sincère!
Etre sincère en tout, et toujours! Ah, comme cette pensée me poursuit cruellement! Mille fois j'ai cru apercevoir en moi cette fausseté des faux artistes, des faux
génies, dont parle Maupassant dans *Sur l'eau*. Mon
cœur se soulevait de dégoût. O mon très cher, comme je
remercie Dieu de t'avoir donné à moi, comme nous
aurons besoin éternellement l'un de l'autre pour bien
nous connaître nous-mêmes et ne jamais nous faire illusion sur notre véritable génie!

« Je t'adore et te serre la main passionnément, comme
ce matin, tu sais? Et de tout mon être qui est tien,
entièrement et avec volupté!

« Méfie-toi. QQ' nous a fait un sale œil. Il ne peut pas
comprendre qu'on ait de nobles pensées et qu'on les
communique à son ami, pendant qu'il ânonne son Salluste!

                                        « J. »

De Jacques encore, cette lettre écrite d'un jet, et presque illisible :

« *Amicus amico!*

« Mon cœur est trop plein, il déborde! Je verse ce que je peux de ses flots écumants sur le papier :

« Né pour souffrir, aimer, espérer, j'espère, j'aime et je souffre! Le récit de ma vie tient en deux lignes : ce qui me fait vivre c'est l'amour ; et je n'ai qu'un amour : TOI!

« Depuis mes jeunes années, j'avais besoin de vider ces bouillonnements de mon cœur dans le cœur de quelqu'un qui me comprenne en tout. Que de lettres ai-je écrites, jadis, à un personnage imaginaire qui me ressemblait comme un frère! Hélas! mon cœur parlait, ou plutôt écrivait à mon propre cœur, avec ivresse! Puis, tout à coup, Dieu a voulu que cet idéal se fasse chair, et il s'est incarné en toi, ô mon Amour! Comment est-ce que ça a commencé? On ne sait plus : de chaînon en chaînon, on se perd en dédale d'idées sans retrouver l'origine. Mais peut-on rien rêver d'aussi passionné et sublime que cet amour? Je cherche en vain des comparaisons. A côté de notre grand secret, tout pâlit! C'est un soleil qui échauffe et illumine nos deux existences! Mais tout cela ne se peut écrire! Ecrit, cela ressemble à la photographie d'une fleur!

« Mais assez!

« Tu aurais peut-être besoin de secours, de consolation, d'espoir, et je t'envoie, non des mots de tendresse, mais ces lamentations d'un cœur égoïste, qui ne vit que pour lui-même. Pardonne, ô mon amour! Je ne peux t'écrire autrement. Je traverse une crise et mon cœur est plus desséché que le lit rocailleux d'un ravin! Incertitude de tout et de moi-même, n'es-tu pas le mal le plus cruel?

« Dédaigne-moi! Ne m'écris plus! Aimes-en un autre! Je ne suis plus digne du don de toi-même!

« O ironie d'un sort fatal qui me pousse où? Où?? Néant!!!

« Ecris-moi! Si je ne t'avais plus, je me tuerais!

« *Tibi eximo, carissime!*

« J. »

L'abbé Binot avait inséré à la fin du cahier un billet intercepté par le professeur, la veille de la fuite.

L'écriture était de Jacques : un affreux griffonnage au crayon :

« Aux gens qui accusent lâchement et sans preuves, à ceux-là, Honte !

« HONTE ET MALHEUR !

« Toute cette intrigue est menée par une curiosité ignoble ! Ils voulaient farfouiller dans notre amitié et leur procédé est infâme !

« Pas de lâche compromission ! Tenir tête à l'orage ! Plutôt mourir !

« Notre amour est au-dessus des calomnies et des menaces !

« Prouvons-le !

« A toi, POUR LA VIE,

« J. »

VII

Ils étaient arrivés à Marseille le dimanche soir, après
minuit. L'exaltation était tombée. Ils avaient dormi,
courbés en deux, sur la banquette de bois, dans le wagon
mal éclairé; l'entrée en gare, le fracas des plaques tour-
nantes, venaient de les éveiller en sursaut; et ils étaient
descendus sur le quai, les yeux clignotants, silencieux,
inquiets, dégrisés.

Il fallait coucher. En face de la gare, sous un globe
blanc portant l'enseigne « Hôtel », un tenancier guettait
le client. Daniel, le plus assuré des deux, avait demandé
deux lits pour la nuit. L'homme, méfiant par principe,
avait posé quelques questions. (Tout était préparé : à la
gare de Paris, leur père, ayant oublié un colis, avait
manqué le départ; sans doute arriverait-il le lendemain
par le premier train.) Le patron sifflotait et dévisageait
les enfants avec un mauvais regard. Enfin il avait ouvert
un registre :

— « Inscrivez vos noms. »

Il s'adressait à Daniel parce qu'il paraissait l'aîné, —
on lui eût donné seize ans, — mais surtout parce que la
distinction de ses traits, de toute sa personne, contraignait à certains égards. Il s'était découvert en pénétrant
dans l'hôtel; non par timidité; il avait une façon d'enlever
son chapeau et de laisser retomber le bras, qui semblait
dire : « Ce n'est pas particulièrement pour vous que je
me découvre; c'est parce que je tiens aux usages de la
politesse. » Ses cheveux noirs, plantés avec symétrie,
formaient une pointe marquée au milieu du front, qui
était très blanc. Le visage allongé se terminait par un
menton d'un dessin ferme, à la fois volontaire et calme,

sans rien de brutal. Son regard avait soutenu, sans faiblesse ni bravade l'investigation de l'hôtelier : et, sur le registre, il avait écrit, sans hésitation : *Georges et Maurice Legrand*.

— « La chambre, ce sera sept francs. Ici, on paie toujours d'avance. Le premier train arrive à 5 h 30; je vous cognerai. »

Ils n'avaient pas osé dire qu'ils mouraient de faim.

Le mobilier de la chambre se composait de deux lits, d'une chaise, d'une cuvette. En entrant, la même confusion les avait troublés : avoir à se dévêtir l'un devant l'autre... Toute envie de dormir était dissipée. Afin de retarder le moment pénible, ils s'étaient assis sur leurs lits pour faire leurs comptes : additionnées, leurs économies se montaient à cent quatre-vingt-huit francs, qu'ils partagèrent. Jacques, vidant ses poches, en avait tiré un petit poignard corse, un ocarina, une traduction à 0 fr 25 de Dante, enfin une tablette de chocolat à demi fondue, dont il avait donné la moitié à Daniel. Puis ils étaient restés sans savoir que faire. Daniel, pour gagner du temps, avait délacé ses bottines, Jacques l'avait imité. Enfin Daniel avait pris un parti : il avait soufflé la bougie en disant : « Alors, j'éteins... Bonsoir. » Et ils s'étaient couchés très vite, en silence.

Le matin, avant cinq heures, on ébranlait leur porte. Ils s'habillèrent comme des spectres, sans autre éclairage que l'aube blanchissante. La crainte d'avoir à causer leur fit refuser le café préparé par le patron; et ils gagnèrent la buvette de la gare, frissonnants et à jeun.

A midi, ils avaient déjà parcouru Marseille en tous sens. L'audace leur était revenue avec le grand jour et la liberté. Jacques avait fait l'emplette d'un calepin pour écrire ses impressions, et il s'arrêtait de temps à autre, l'œil inspiré, griffonnant des notes. Ils achetèrent du pain, de la charcuterie, gagnèrent le port, et s'installèrent sur des rouleaux de cordages, devant les grands navires immobiles et les voiliers oscillants.

Un marin les fit lever pour dérouler ses câbles.

— « Où vont-ils donc ces bateaux-là? » hasarda
Jacques.

— « Ça dépend. Lequel? »

— « Ce gros-là? »

— « A Madagascar. »

— « Vrai? On va le voir partir? »

— « Non. Celui-là ne part que jeudi. Mais si tu veux
voir un départ, faut t'amener ce soir à 5 heures : celui-ci,
le *La-Fayette*, part pour Tunis. »

Ils étaient renseignés.

— « Tunis », observa Daniel, « ce n'est pas l'Algé-
rie... »

— « C'est toujours l'Afrique », dit Jacques, en arra-
chant une bouchée de pain. Accroupi sur ses talons contre
un tas de bâches, avec ses cheveux roux, durs et brous-
sailleux, plantés comme de l'herbe sur son front bas,
avec sa tête osseuse aux oreilles décollées, son cou maigre,
son petit nez mal formé qu'il fronçait sans cesse, il avait
l'air d'un écureuil grignotant des faînes.

Daniel s'était arrêté de manger.

— « Dis donc... Si on *leur* écrivait d'ici, avant de s'... »
Le coup d'œil du petit l'interrompit net.

— « Es-tu fou? » cria-t-il, la bouche pleine. « Pour
qu'ils nous fassent cueillir à l'arrivée? »

Il fixait son ami avec une expression de colère. Dans
cette figure plutôt ingrate, enlaidie par un semis de
taches de son, les yeux, d'un bleu dur, petits, encaissés,
volontaires, avaient une vie saisissante; et leur regard
était si changeant qu'il était quasi indéchiffrable, tantôt
sérieux, puis aussitôt espiègle; tantôt doux, même câlin,
et tout à coup méchant, presque cruel; quelquefois se
mouillant de larmes, mais le plus souvent sec, ardent, et
comme incapable de s'attendrir jamais.

Daniel fut sur le point de répliquer; mais il se tut. Son
visage conciliant s'offrait sans défense à l'irritation de
Jacques; et il se mit à sourire, comme pour s'excuser. Il
avait une façon particulière de sourire : sa bouche, petite,
aux lèvres ourlées, se relevait subitement vers la gauche,
en découvrant les dents; et, sur ses traits sérieux,
cette gaîté imprévue mettait une fantaisie charmante.

Pourquoi ce grand garçon réfléchi ne s'insurgeait-il pas contre l'ascendant de ce gamin ? Son éducation, la liberté dont il jouissait, ne lui donnaient-elles pas sur Jacques un incontestable droit d'aînesse ? Sans compter qu'au lycée où ils se rencontraient, Daniel était un bon élève, et Jacques un cancre. L'esprit clair de Daniel était en avance sur l'effort qu'on exigeait de lui. Jacques, au contraire, travaillait mal, ou plutôt ne travaillait pas. Faute d'intelligence ? Non. Mais, par malheur, son intelligence poussait dans un tout autre sens que celui des études. Un démon intérieur lui suggérait toujours cent sottises à faire ; il n'avait jamais su résister à une tentation ; d'ailleurs il paraissait irresponsable, et satisfaire seulement un caprice de son démon. Le plus étrange reste à dire : bien qu'il fût en tout le dernier de sa classe, ses condisciples et même ses professeurs ne pouvaient s'empêcher de lui porter une sorte d'intérêt : parmi ces enfants, dont la personnalité somnolait dans l'habitude et la discipline, auprès de ces maîtres, dont l'âge et la routine avaient usé l'énergie, ce cancre, au visage ingrat, mais qui avait des explosions de franchise et de volonté, qui paraissait vivre dans un univers de fiction, créé par lui et pour lui seul, qui n'hésitait pas à se lancer dans les aventures les plus saugrenues sans jamais en craindre les risques, ce petit monstre provoquait l'effroi, mais imposait une inconsciente estime. Daniel avait été des premiers à subir l'attrait de cette nature, plus fruste que lui, mais si riche, et qui ne cessait de l'étonner, de l'instruire ; d'ailleurs il avait lui aussi quelque chose d'ardent, et ce même penchant vers la liberté et la révolte. Quant à Jacques, demi-pensionnaire dans une école catholique, issu d'une famille où les pratiques religieuses tenaient une grande place, ce fut tout d'abord pour le plaisir d'échapper une fois de plus aux barrières qui l'encerclaient, qu'il se plut à rechercher l'attention de ce protestant, à travers lequel il pressentait déjà un monde opposé au sien. Mais, en quelques semaines, avec la rapidité du feu, leur camaraderie était devenue une passion exclusive, où l'un et l'autre trouvaient enfin le remède à une solitude morale dont chacun avait souffert sans le savoir. Amour chaste, amour mystique, où leurs deux jeunesses fusionnaient dans le même élan vers l'avenir; mise en commun de tous les sentiments excessifs et contradictoires qui ravageaient leurs âmes de quatorze ans, depuis la passion des vers à soie et des alphabets chiffrés, jusqu'aux plus secrets scrupules de leurs consciences, jusqu'à cet enivrant goût de vivre que chaque journée vécue soulevait en eux.

Le sourire silencieux de Daniel avait apaisé Jacques, qui s'était remis à mordre dans son pain. Il avait le bas du visage assez vulgaire, — la mâchoire des Thibault, — et une bouche trop fendue, avec des lèvres gercées, une bouche laide mais expressive, autoritaire, sensuelle. Il leva la tête :

— « Tu verras, je sais », affirma-t-il, « à Tunis, la vie est facile! On emploie aux rizières tous ceux qui se présentent; on mâche du bétel, c'est délicieux... On est payé tout de suite et nourri à discrétion, de dattes, de mandarines, de goyaves... »

— « On leur écrira de là-bas », hasarda Daniel.

— « Peut-être », rectifia Jacques, en secouant son front rouquin. « Mais seulement quand on sera bien établi, et qu'ils auront vu qu'on peut se passer d'eux. »

Ils se turent. Daniel, qui ne mangeait plus, contemplait devant lui les grosses coques noires, et le grouillement des hommes de peine sur les dalles ensoleillées, et la splendeur de l'horizon à travers l'enchevêtrement des mâts : il luttait et s'aidait du spectacle pour ne pas penser à sa mère.

L'important était de s'embarquer, dès ce soir, sur le *La-Fayette*.

Un garçon de café leur indiqua le bureau des Messageries. Les prix étaient affichés. Daniel se pencha vers le guichet.

— « Monsieur, mon père m'envoie prendre deux places de troisième classe pour Tunis. »

— « Votre père? » dit le vieux en continuant de travailler. On ne voyait qu'une tignasse grise émergeant des paperasses. Il écrivit un long moment. Le cœur des enfants défaillait.

— « Eh bien », fit-il enfin, sans avoir levé le nez, « tu lui diras qu'il vienne ici lui-même et avec ses papiers, tu entends? »

Ils se sentaient examinés par les gens qui étaient dans le bureau. Ils s'échappèrent sans répondre. Jacques, rageur, enfonçait les mains jusqu'au fond de ses poches. Son imagination lui proposait déjà dix subterfuges différents : s'engager comme mousses; ou bien voyager, comme des colis, dans des caisses clouées, avec des vivres; ou plutôt louer une barque, et s'en aller, à petites journées, le long des côtes, jusqu'à Gibraltar, jusqu'au Maroc, en faisant escale le soir dans les ports pour jouer de l'ocarina et faire la quête, à la terrasse des auberges.

Daniel réfléchissait; il venait d'entendre de nouveau l'avertissement secret. Plusieurs fois, déjà, depuis le départ. Mais, cette fois, il ne pouvait plus se dérober, il fallait en prendre conscience : en lui, une voix mécontente désapprouvait.

— « Et si on restait à Marseille, bien cachés? » proposa-t-il.

— « On serait pistés avant deux jours », riposta Jacques en haussant les épaules. « Déjà, aujourd'hui, ils nous font chercher partout, tu peux en être sûr. »

Daniel aperçut là-bas sa mère inquiète qui pressait Jenny de questions; puis elle allait demander au censeur ce que son fils était devenu.

— « Ecoute », dit-il. Sa respiration était oppressée; il avisa un banc; ils s'assirent. « Voilà le moment de réfléchir », reprit-il courageusement. « Après tout, quand ils nous auront bien cherchés pendant deux ou trois jours, — ils seront peut-être assez punis? »

Jacques serrait les poings.

— « Non, non et non! » hurla-t-il. « Tu as déjà tout oublié? » Son corps nerveux était si tendu, qu'il n'était plus assis sur le banc mais appuyé contre, comme une pièce de bois. Ses yeux étincelaient de rancune, contre l'Ecole, l'abbé, le lycée, le censeur, son père, la société, l'injustice universelle. « Jamais ils ne nous croiront! » criait-il. Sa voix devint rauque : « Ils ont volé notre cahier gris! Ils ne comprennent pas, ils ne peuvent pas

comprendre! Si tu avais vu l'abbé, comme il cherchait à
me faire avouer! Son air mielleux! Parce que tu es protestant, tu es capable de tout!... »

Son regard se détourna, par pudeur. Daniel baissa le
sien; une atroce douleur le poignait à la pensée que sa
mère pouvait être effleurée par l'abominable soupçon. Il
murmura :

— « Crois-tu qu'ils raconteront à maman...? »

Mais Jacques n'écoutait pas.

— « Non, non et non! » reprit-il. « Tu sais ce qui a été
convenu? Rien n'est changé! Assez de persécutions! Au
revoir! Quand nous aurons montré, par des actes, ce que
nous sommes, et qu'on n'a pas besoin d'eux, tu verras
comme ils nous respecteront! Il n'y a qu'une solution :
s'expatrier, gagner sa vie sans eux, voilà! Et alors, oui,
leur écrire où nous sommes, poser nos conditions, décla-
rer que nous voulons rester amis et être libres, parce
que c'est entre nous à la vie à la mort! » Il se tut, se
maîtrisa, et reprit d'un ton bien posé : « Ou bien, je te
l'ai dit, je me tue. »

Daniel lui jeta un regard effaré. Le petit visage pâle,
semé de taches jaunes, était ferme, sans forfanterie.

— « Je te jure, je suis bien décidé à ne pas retomber
entre leurs pattes! J'aurai fait mes preuves avant. S'en-
fuir, ou ça... », fit-il, en montrant sous son gilet le
manche du poinçon corse qu'il avait couru prendre, le
dimanche matin, dans la chambre de son frère. « Ou
plutôt ça... », continua-t-il, en tirant de sa poche un petit
flacon ficelé dans du papier. « Si jamais tu refusais maintenant de t'embarquer avec moi, ça ne serait pas long :
hop!... » Il fit le geste d'avaler le contenu du flacon.
« ...et je tombe foudroyé. »

— « Qu'est-ce que c'est? » balbutia Daniel.

— « Teinture d'iode », articula Jacques, sans baisser
les yeux.

Daniel supplia :

— « Donne-moi ça, Thibault... »

Malgré sa terreur, il se sentait soulevé de tendresse,
d'admiration; il subissait l'extraordinaire fascination de
Jacques; et puis, voici que l'aventure le tentait de nou-

veau. Mais Jacques avait déjà enfoui le flacon au fond
de sa poche.

— « Marchons », dit-il avec un regard sombre. « On
pense mal, assis. »

A quatre heures, ils revinrent sur le quai. Autour du
La-Fayette, l'agitation était extrême : une file ininter-
rompue d'hommes de peine, portant des caisses sur les
épaules, et pareils à des fourmis traînant leurs œufs, cheminait sur les passerelles. Les deux enfants, Jacques en
tête, prirent le même chemin. Sur le pont frais lavé, des
marins, maniant un treuil au-dessus d'un trou béant,
engouffraient des bagages dans la cale. Un bonhomme,
trapu, le nez busqué, la barbe en fer à cheval, noir de poil,
rose et lisse de peau, commandait la manœuvre, en veste
bleue, avec un galon d'or sur la manche.

Au dernier moment, Jacques s'effaça.

— « Pardon, Monsieur », dit Daniel, en se découvrant
avec lenteur, « est-ce que vous êtes le Capitaine ? »

L'autre rit :

— « Pourquoi ? »

— « Je suis avec mon frère, Monsieur. Nous venons
vous demander... » Avant même d'avoir achevé, Daniel
sentit qu'il faisait fausse route, qu'ils étaient perdus.
« ...de partir avec vous... pour Tunis... »

— « Comme ça ? Tout seuls ? » fit le bonhomme, en
clignant des paupières. Dans l'expression de son œil san-
guin, quelque chose d'entreprenant et d'un peu fou allait
plus loin que ses paroles.

Daniel n'avait plus d'autre issue que de continuer les
mensonges convenus.

— « Nous étions venus à Marseille pour retrouver
notre père; mais on lui a offert une place à Tunis, dans
une rizière, et... il nous a écrit de le rejoindre. Mais
nous avons de quoi vous payer notre voyage », ajouta-t-il
de son chef; et il n'eut pas plutôt cédé à son inspiration
qu'il comprit que cette offre n'était pas moins maladroite
que le reste.

— « Bon. Mais ici, chez qui habitez-vous ? »

— « Chez... chez personne. Nous arrivons de la gare. »

— « Vous ne connaissez personne à Marseille? »

— « N... non. »

— « Et alors vous voulez embarquer ce soir? »

Daniel fut sur le point de répondre non, et de déguer-
pir. Il bredouilla :

— « Oui, Monsieur. »

— « Eh bien, mes pigeons », ricana le bonhomme,
« vous avez une fière chance de ne pas être tombés sur le
vieux, parce qu'il n'aime pas la rigolade, lui, et qu'il vous
aurait fait empoigner proprement et mener au commis-
sariat, pour tirer tout ça au clair... Sans compter qu'avec
ces loustics-là, c'est la seule chose à faire », cria-t-il
brusquement en happant Daniel par la manche. « Hé,
Charlot, tiens bon le petit, moi je... »

Jacques, qui avait vu le geste, fit un saut éperdu pardessus des caisses, évita d'un coup de reins le bras tendu
de Charlot, gagna en trois enjambées la passerelle, glissa
comme un singe au milieu des porteurs, bondit sur le
quai, et s'élança vers la gauche. Mais Daniel? Il se retourna : Daniel s'échappait, lui aussi! Jacques le vit à
son tour bousculer la rangée des fourmis, dégringoler les
échelles, sauter sur le quai et tourner à droite, tandis que
le supposé capitaine, penché au gaillard d'arrière, les
regardait détaler en riant. Alors Jacques reprit sa course;
ils se retrouveraient plus tard; pour l'instant, se perdre
dans la foule, s'éloigner le plus possible du port!

Un quart d'heure après, à bout de souffle, seul dans
la rue déserte d'un faubourg, il s'arrêta. Il eut d'abord
une mauvaise joie en imaginant que Daniel avait pu être
rattrapé; c'eût été bien fait : n'était-ce pas de sa faute
si leur plan avait échoué? Il le haïssait et fut sur le point
de gagner la campagne, de fuir seul, sans plus s'occuper
de lui. Il acheta des cigarettes et se mit à fumer. Pourtant,
par un grand détour à travers un quartier neuf, il finit
par revenir du côté du port. Le *La-Fayette* était toujours
immobile. Il vit de loin que les trois étages des ponts
étaient chargés de figures serrées les unes contre les
autres; le navire appareillait. Jacques grinça des dents, et
tourna les talons.

Alors il se mit à la recherche de Daniel pour passer sur
quelqu'un sa colère. Il enfila des rues, déboucha sur la
Canebière, se glissa un instant dans la cohue, revint sur
ses pas. Une chaleur d'orage, suffocante, pesait sur la
ville. Jacques était baigné de sueur. Comment rencon-
trer Daniel parmi tous ces gens? Son désir de retrouver
son camarade devenait de plus en plus impérieux, à mesure qu'il désespérait d'y parvenir. Ses lèvres, desséchées
par les cigarettes et la fièvre, étaient brûlantes. Sans plus
craindre de se faire remarquer, sans s'inquiéter des grondements lointains du tonnerre, il se mit à courir, de-ci,
de-là; et les yeux lui faisaient mal à force de chercher.
L'aspect de la ville changea brusquement : la lumière
sembla monter des pavés, et les façades se découpèrent
en clair sur un ciel violacé; l'orage approchait; de larges
gouttes de pluie commencèrent à étoiler le trottoir. Un
coup de tonnerre, brutal, tout proche, le fit tressaillir. Il
longeait des marches, sous un fronton à colonnes : le
portail d'une église s'ouvrait devant lui. Il s'y engouffra.
Ses pas sonnèrent sous des voûtes; un parfum connu
vint à ses narines. Aussitôt il éprouva un soulagement,
une sécurité : il n'était plus seul, une présence surna-
turelle l'environnait. Mais, au même instant, une nouvelle frayeur l'envahit : depuis son départ il n'avait pas
une fois songé à Dieu; et tout à coup il sentit planer sur
lui le Regard invisible, qui pénètre et retourne les inten-
tions les plus secrètes! Il eut conscience d'être un grand
coupable, dont la présence profanait le saint lieu, et que
Dieu pouvait foudroyer du haut du ciel. La pluie ruisse-
lait sur les toits; de brusques éclairs illuminaient les
vitraux de l'abside; le tonnerre éclatait à coups répétés,
et, comme s'il cherchait un coupable, roulait autour de
l'enfant, dans l'ombre des voûtes. Agenouillé sur un prie-
Dieu, Jacques se fit tout petit, et courba la tête, et balbutia en hâte quelques *Pater*, quelques *Ave*...
Enfin, les grondements s'espacèrent, une lueur plus
égale descendit des verrières, l'orage s'éloigna; le danger
immédiat était passé. Il eut le sentiment d'avoir triché,
et de ne pas avoir été pris. Il s'assit; il gardait au fond de
lui le sentiment de sa culpabilité; mais la fierté maligne

de s'être soustrait à la justice, pour timide qu'elle fût, n'était pas sans douceur. Le soir tombait. Qu'attendait-il là ? Apaisé, engourdi, il fixait le lumignon vacillant du sanctuaire, avec une vague impression d'insuffisance et d'ennui, comme si l'église était désaffectée. Un sacristain vint fermer les portes. Il s'enfuit comme un voleur, sans un bout de prière, sans une génuflexion : il savait bien qu'il n'emportait pas le pardon de Dieu.

Un vent frais séchait les trottoirs. Les promeneurs étaient peu nombreux. Où pouvait être Daniel ? Jacques s'imagina qu'il lui était arrivé malheur; ses yeux s'emplirent de larmes, qui brouillaient son chemin et qu'il refoulait en pressant le pas. S'il avait soudain vu Daniel traverser la chaussée et venir à lui, il se fût évanoui de tendresse.

Huit heures sonnèrent au clocher des Accoules. Les fenêtres s'allumaient. Il eut faim, acheta du pain, et continua à marcher devant lui, traînant son désespoir, et ne songeant même plus à examiner les passants.

Deux heures plus tard, rompu de fatigue, il aperçut un banc, sous des arbres, dans un bout d'avenue solitaire. Il s'assit. L'eau s'égouttait des platanes.

Une main rude lui secoua l'épaule. Avait-il dormi ? C'était un gardien de la paix : il crut mourir, ses jambes flageolèrent.

— « Rentre chez toi, et rapidement ! »

Jacques s'esquiva. Il ne pensait plus à Daniel, il ne pensait plus à rien; ses pieds lui faisaient mal; il évitait les sergents de ville. Il revint vers le port. Minuit sonna. Le vent était tombé; des feux de couleurs, par deux, se balançaient sur l'eau. Le quai était désert. Il faillit heurter les jambes d'un mendiant, qui ronflait, calé entre deux ballots. Alors il eut, plus forte que ses craintes, une envie irrésistible de s'étendre, tout de suite, n'importe où, et de dormir. Il fit quelques pas, souleva le coin d'une grande bâche, trébucha parmi des caisses qui sentaient le bois mouillé, et tomba endormi.

Cependant Daniel errait à la recherche de Jacques.

Il avait rôdé aux environs de la gare, autour de l'hôtel où ils avaient couché, près du bureau des Messageries : en vain. Il redescendit aux quais. La place du *La-Fayette* était vide, le port inanimé : l'orage faisait rentrer les flâneurs.

Tête basse, il revint en ville. L'averse lui cinglait les épaules. Il acheta quelques provisions pour Jacques et pour lui, et vint s'attabler au café où ils s'étaient arrêtés le matin. Une trombe d'eau s'abattait sur le quartier; à toutes les fenêtres on relevait les stores; les garçons de café, leur serviette sur la tête, roulaient les larges tentes des terrasses. Les trams à trolley filaient sans corner, jetant au ciel plombé les étincelles de leur antenne, et l'eau, semblable à des socs de charrue, giclait de chaque côté des rails. Daniel avait les pieds trempés et les tempes lourdes. Que devenait Jacques ? Il souffrait presque moins de l'avoir perdu, que d'imaginer l'angoisse, la détresse solitaire du petit. Il s'était persuadé qu'il allait le voir déboucher là, juste au coin de cette boulangerie, et il guettait; il l'apercevait d'avance, dans son vêtement mouillé, traînant ses souliers dans les flaques, avec un visage pâli où les yeux allaient et venaient désespérément. Vingt fois, il fut sur le point de le héler : mais c'étaient des gamins inconnus qui entraient en courant chez le boulanger, et ressortaient un pain sous la veste.

Deux heures passèrent. Il ne pleuvait plus; la nuit venait. Daniel n'osait partir : il lui semblait que Jacques allait surgir, dès qu'il aurait quitté la place. Enfin il reprit le chemin de la gare. La boule blanche était allumée, au-dessus de la porte de leur hôtel. Le quartier était mal éclairé; se reconnaîtraient-ils seulement, s'ils se croisaient dans ce noir ? Une voix cria : « Maman! » Il vit un garçon de son âge traverser la rue et rejoindre une dame, qui l'embrassa : ils passèrent près de lui : la dame avait ouvert son parapluie pour se protéger de l'eau des toits; son fils lui donnait le bras; ils causaient et dispa-

rurent dans la nuit. Une locomotive siffla. Daniel n'eut
pas la force de résister à son chagrin.

Ah, qu'il avait eu tort de suivre Jacques! Il le savait
bien; il n'avait cessé d'en avoir conscience depuis le début,
depuis ce rendez-vous matinal au Luxembourg, où s'était
décidée leur folle équipée. Non, pas un instant, il n'avait
pu se débarrasser de cette certitude, que si, au lieu de
fuir, il avait couru tout expliquer à sa mère, loin de lui
faire des reproches, elle l'eût protégé contre tous, et rien
de mal ne fût arrivé. Pourquoi avait-il cédé? Il restait
devant lui-même comme devant une énigme.

Il se revit, le dimanche matin, dans le vestibule. Jenny,
l'entendant rentrer, était accourue. Sur le plateau, une
enveloppe jaune, timbrée du lycée : son renvoi, sans
doute; il l'avait cachée sous le tapis de la table. Jenny,
muette, fixait sur lui ses yeux pénétrants; elle avait deviné
qu'il se passait un drame, l'avait suivi dans sa chambre,
l'avait vu prendre le portefeuille où il rangeait ses économies; elle s'était jetée sur lui, elle l'avait serré des deux
bras, l'embrassant, l'étouffant : « Qu'est-ce qu'il y a?
Qu'est-ce que tu vas faire? » Alors il avait avoué qu'il
partait, qu'il était accusé faussement, une histoire de
lycée, que les professeurs se liguaient tous contre lui, et
qu'il fallait qu'il disparût quelques jours. Elle avait crié :
« Seul? » — « Non, avec un camarade. » — « Qui? » —
— « Thibault. » — « Emmène-moi! » Il l'avait attirée
contre lui, sur ses genoux, comme autrefois, et il lui avait
répondu, à mi-voix : « Et maman? » Elle pleurait. Il lui
avait dit : « N'aie pas peur, et ne crois rien de ce qu'on
te dira. Dans quelques jours, j'écrirai, je reviendrai. Mais
jure-moi, jure-moi que tu ne diras jamais, ni à maman
ni à personne, jamais, jamais, que je suis rentré, que tu
m'as vu, que tu sais que je pars... » Elle avait fait un
brusque signe de tête. Puis il avait voulu l'embrasser,
mais elle s'était sauvée dans sa chambre, avec un sanglot
rauque, un tel cri de désespoir, qu'il en avait encore le
déchirement dans l'oreille. Il pressa le pas.

Comme il s'en allait devant lui, sans regarder son chemin, il se trouva bientôt à bonne distance de Marseille,
dans la banlieue. Le pavé était gluant, les réverbères

rares. De chaque côté, dans l'ombre, s'ouvraient des
trous noirs, des accès de cours, des corridors fétides. La
marmaille piaillait au fond des logements. Un phono-
graphe glapissait dans un cabaret borgne. Il fit demi-tour
et marcha longtemps dans l'autre sens. Il aperçut enfin
le feu d'un disque : la gare était proche. Il tombait de
fatigue. Le cadran lumineux marquait une heure. La
nuit serait longue encore : que faire ? Il chercha un coin
où reprendre haleine. Un bec de gaz chantait à l'entrée
d'une impasse vide ; il franchit l'espace éclairé et se tapit
dans l'ombre ; le grand mur d'une usine se dressait à sa
gauche ; il y appuya le dos et ferma les yeux.

Une voix de femme l'éveilla en sursaut.

— « Où habites-tu ? Tu ne vas pas coucher là, je
pense ! »

Elle l'avait ramené dans la lumière. Il ne savait que
dire.

— « Tu as eu des mots avec le père, je parie ? Tu n'oses
plus rentrer chez toi ? »

La voix était douce. Il accepta le mensonge. Il avait
retiré son chapeau et répondit poliment :

— « Oui, Madame. »

Elle se mit à rire.

— « Oui, Madame ! Eh bien, faut rentrer tout de même,
vois-tu. J'ai connu ça avant toi. Puisqu'il faudra que tu
rappliques un jour ou l'autre, à quoi bon attendre ? Plus
que t'attends, plus que c'est vexatoire. » Et comme il se
taisait : « T'as peur d'être battu ? » demanda-t-elle en
baissant la voix, sur un ton intéressé, familier, complice.

Il ne répondit rien.

— « Phénomène ! » fit-elle. « Il est si obstiné qu'il aimerait mieux passer la nuit là ! Allons, viens chez moi, je
n'ai personne, je te mettrai un matelas par terre. Je ne
peux pourtant pas laisser un gosse dans la rue ! »

Elle n'avait pas l'air d'une voleuse ; et il éprouvait un
immense soulagement à ne plus être seul. Il voulut dire :
« Merci, Madame » ; mais il se tut et la suivit.

Bientôt, devant une porte basse, elle sonna. On n'ouvrit
pas tout de suite. Le couloir sentait la lessive. Il buta
contre des marches.

— « J'ai l'habitude », dit-elle, « donne la main. »

Celle de la dame était gantée et tiède. Il se laissa conduire. L'escalier aussi était tiède. Daniel était heureux de ne plus être dehors. Ils montèrent deux ou trois étages, puis elle tira sa clef, ouvrit une porte et alluma une lampe. Il aperçut une chambre en désordre, un lit défait. Il restait debout, clignant des yeux dans la lumière, épuisé, dormant presque. Sans même enlever son chapeau, elle avait tiré du lit un matelas qu'elle traînait dans l'autre pièce. Elle se retourna et se mit à rire :

— « Il tombe de sommeil... Allons, déchausse-toi, au moins ! »

Il obéit, les mains molles. Le projet de retourner, le lendemain matin, à cinq heures précises, à la buvette de la gare, avec l'espoir que Jacques aurait la même pensée, lui revenait comme une idée fixe. Il balbutia :

— « Faudra m'éveiller de bonne heure... »

— « Oui, oui... », fit-elle en riant.

Il sentit qu'elle l'aidait à retirer sa cravate, à se déshabiller. Il se laissa choir sur le matelas, et perdit conscience.

Lorsqu'il ouvrit les yeux, il faisait jour. Il se croyait à Paris, dans sa chambre; mais il fut frappé par la couleur de la lumière travers les rideaux; une voix jeune chantait : alors il se souvint.

La porte de la chambre voisine était ouverte : une petite fille, penchée sur la toilette, se lavait la figure à grande eau. Elle se retourna, le vit dressé sur un coude, et se mit à rire.

— « Ah, te voilà réveillé, ce n'est pas dommage... »

Etait-ce la dame de la veille ? En chemise et en jupon court, les bras nus, les mollets nus, elle avait l'air d'une enfant. Il n'avait pas remarqué, sous le chapeau, qu'elle avait les cheveux coupés, des mèches brunes de gamin, rejetées en arrière à coups de brosse.

Brusquement la pensée de Jacques l'atterra :

— « Ah, mon Dieu », fit-il, « moi qui voulais être de bonne heure à la buvette... »

Mais la chaleur des couvertures qu'elle avait roulées autour de lui, pendant son sommeil, l'engourdissait encore; et puis, il n'osait pas se lever tant que la porte n'était pas fermée. A ce moment, elle entra, tenant une tasse fumante et un quignon de pain beurré.

— « Tiens! Avale ça, et puis décampe : je ne tiens pas à avoir des histoires avec ton père, moi! »

Il était gêné d'être vu ainsi, en chemise, le col ouvert; gêné de la voir approcher, le cou nu, elle aussi, les épaules nues... Elle se pencha. Il prit la tasse en baissant les paupières, et se mit à manger, par contenance. Elle allait et venait d'une chambre à l'autre, traînant ses babouches et fredonnant. Il ne levait pas les yeux de sa tasse; mais quand elle passait près de lui, il apercevait sans le vouloir, à sa hauteur, les jambes nues, grêles, veinées, et, glissant sur le parquet blond, les talons rougis qui n'étaient pas entrés dans les pantoufles. Le pain l'étranglait. Il était sans courage au seuil de cette journée grosse d'inconnu. Il songea que chez lui, à la table du petit déjeuner, sa chaise était vide.

Soudain le soleil emplit la pièce : la jeune femme venait de pousser les volets, et sa voix fraîche éclata dans la lumière comme un trille d'oiseau :

Ah, si l'amour prenait racine
J'en planterais dans mon-on jardin!...

C'était trop. Ce rayon de soleil, et cette insouciance joyeuse, à l'instant même où il luttait contre son désespoir... Les larmes lui vinrent aux yeux.

— « Allons, dépêche! » cria-t-elle gaiement, en enlevant la tasse vide.

Elle s'aperçut qu'il pleurait :

— « T'as du chagrin? » fit-elle.

Elle avait la voix tendre d'une grande sœur; il ne put retenir un sanglot. Elle s'assit sur le bord du matelas, passa le bras autour de son cou, et, maternellement, pour le consoler, — dernier argument de toutes les femmes, — elle prit sa tête et l'appuya contre sa poitrine. Il n'osa plus faire un mouvement; il sentait, le long de son visage, à travers la chemise, le va-et-vient de la gorge et sa tiédeur. La respiration lui manqua.

— « Bêta! » fit-elle, en se reculant, et cachant son

buste avec son bras nu. « C'est de voir ça, qui te rend tout chose? Voyez-vous ce vice, à son âge! Quel âge as-tu? »

Il mentit sans y songer, comme il faisait depuis deux jours :

— « Seize ans », balbutia-t-il.

Surprise, elle répéta :

— « Seize ans, déjà? »

Elle avait pris sa main, et, distraitement, l'examinait; elle écarta la manche et découvrit l'avant-bras.

— « C'est qu'il a la peau blanche comme une fille, ce môme-là », murmura-t-elle en souriant.

Elle avait soulevé le poignet de l'enfant, et le caressait avec sa joue inclinée; elle cessa de sourire, respira plus fort et laissa retomber la main.

Avant qu'il eût compris, elle avait dégrafé son jupon :

— « Réchauffe-moi », souffla-t-elle en se coulant sous les couvertures.

Jacques avait mal dormi sous sa bâche raidie par la pluie. Avant l'aube, il avait jailli de sa cachette, et s'était mis à déambuler dans le jour naissant. « Bien sûr », pensait-il, « si Daniel est libre, il aura l'idée de venir comme hier à la buvette de la gare. » Lui-même, il y fut bien avant cinq heures. Et à six heures, il ne se décidait pas à repartir.

Que penser? Que faire? Il se fit indiquer la prison. Le cœur chaviré, il osait à peine lever les yeux sur le portail clos :

MAISON D'ARRÊT

C'était peut-être là que Daniel... Il contourna l'interminable mur, fit un détour afin d'apercevoir le haut des fenêtres barrées de fer; et, pris de peur, il se sauva.

Toute la matinée, il battit la ville. Le soleil dardait; les linges de couleurs, qui séchaient à toutes les fenêtres, pavoisaient les ruelles populeuses; au seuil des portes, les commères causaient et riaient sur un diapason de dispute. Par instants, le spectacle de la rue, la liberté, l'aventure, soulevaient en lui une ivresse éphémère;

mais aussitôt il songeait à Daniel. Il tenait son flacon
d'iode à pleine main, au fond de sa poche : s'il ne retrouvait pas Daniel avant ce soir, il se tuerait. Il en fit le
serment, en élevant à demi la voix afin de se lier avec
plus de force; mais, en lui-même, il doutait un peu de
son courage.

Ce fut seulement vers onze heures, repassant pour la
centième fois devant le café où, la veille, ils s'étaient fait
indiquer le bureau des messageries, — ah! il était là!

Jacques se précipita à travers tables et chaises. Daniel,
plus maître de lui, s'était levé :

— « Chut... »

On les remarquait; ils se tendirent la main. Daniel
paya; ils sortirent, et tournèrent dans la première rue
qui s'offrit. Alors Jacques saisit le bras de son ami, s'accrochant à lui, l'étreignant; et, tout à coup, il se mit à
sangloter, le front contre son épaule. Daniel ne pleurait
pas : il continuait à avancer, très pâle, le regard dur
fixé loin en avant, serrant contre son côté la petite main
de Jacques, et sa lèvre, relevée de biais sur les dents,
tremblait.

Jacques raconta :

— « J'ai dormi comme un voleur sur le quai, sous une
bâche! Et toi? »

Daniel se troubla. Il respectait trop son ami et leur
amitié : pour la première fois, il lui fallait cacher quelque
chose à Jacques, et quelque chose d'essentiel. L'énor-
mité de ce secret, entre eux, l'étouffa. Il fut sur le point
de s'abandonner, de tout dire; mais non, il ne le pouvait
pas. Il demeurait silencieux, hébété, sans pouvoir écarter
l'obsession de tout ce qui avait eu lieu.

— « Et toi, où as-tu passé la nuit? » répéta Jacques.

Daniel fit un geste vague :

— « Sur un banc, là-bas... Et puis, surtout, j'ai erré. »

Dès qu'ils eurent déjeuné, ils discutèrent. Rester à
Marseille était une imprudence : leurs allées et venues
ne tarderaient pas à devenir suspectes.

— « Alors?... » dit Daniel, qui songeait au retour.

— « Alors », répliqua Jacques, « j'ai réfléchi : il faut

aller jusqu'à Toulon; c'est à vingt ou trente kilomètres d'ici, par là, à gauche, en suivant la côte. Nous irons à pied, comme des enfants qui se promènent. Et là-bas, il y a des tas de navires, nous trouverons bien le moyen d'embarquer. »

Tandis qu'il parlait, Daniel ne pouvait quitter des yeux le cher visage retrouvé, avec sa peau tachée de son, ses oreilles transparentes et son regard bleu, où passaient les visions des choses qu'il nommait : Toulon, les navires, l'horizon du large. Quel que fût son désir de partager la belle obstination de Jacques, son bon sens le rendait sceptique : il savait qu'ils n'embarqueraient pas; mais, malgré tout, il n'en avait pas la certitude; par instants même il espérait se tromper, et que la fantaisie donnerait un démenti au sens commun.

Ils achetèrent des vivres et se mirent en route. Deux filles les dévisagèrent en souriant. Daniel rougit : les jupes ne lui cachaient plus le mystère des corps... Jacques sifflotait; il n'avait rien remarqué. Et Daniel se sentit désormais isolé par cette expérience qui lui troublait le sang : Jacques ne pouvait plus être complètement son ami : ce n'était qu'un enfant.

A travers des faubourgs, ils atteignirent enfin leur chemin, qui suivait, comme une traînée de pastel rose, les sinuosités du rivage. Un air léger vint au-devant d'eux, savoureux, laissant un arrière-goût de sel. Ils marchaient au pas, dans la poussière blonde, les épaules cuisant au soleil. La proximité de la mer les enivra. Ils quittèrent le chemin pour courir vers elle, criant : « *Thalassa! Thalassa!* » levant déjà les mains pour les tremper dans l'eau bleue... Mais la mer ne se laissa pas saisir. Au point où ils l'abordèrent, le rivage ne s'inclinait pas vers l'eau par cette pente de sable fin que leur convoitise avait imaginée. Il surplombait une sorte de goulet profond, d'une largeur partout égale, où la mer s'engouffrait entre des rocs à pic. Au-dessous d'eux, un éboulis de quartiers rocheux s'avançait en brise-lames, comme une jetée édifiée par des Cyclopes; et le flot qui heurtait ce bec de granit, fendu, brisé, impuissant, rampait sournoisement le long de ses flancs lisses, **en bavant. Ils** s'étaient pris la main, et, penchés ensemble, ils s'oubliaient à contempler l'eau houleuse qui miroitait sous le ciel. Dans leur exaltation silencieuse, il y avait un peu d'effroi.

— « Regarde », fit Daniel.

A quelques centaines de mètres, une barque blanche, incroyablement lumineuse, glissait sur l'indigo de la mer. La coque, au-dessous de la ligne de flottaison, était peinte en vert, d'un vert agressif de jeune pousse; et les coups de rames projetaient l'embarcation en avant par une suite de rapides secousses, qui soulevaient la proue hors de l'eau, et découvraient à chaque bond l'éclat mouillé de la coque verte, subit comme une étincelle.

— « Ah, pouvoir décrire tout ça! » murmura Jacques en palpant son carnet dans sa poche. « Mais, tu verras! » s'écria-t-il en secouant les épaules, « l'Afrique, c'est encore plus beau! Viens! »

Et il s'élança à travers les rochers dans la direction de la route. Daniel courait près de lui; il avait pour un instant le cœur délivré de son fardeau, allégé de tout regret, follement avide d'aventure.

Ils parvinrent à un endroit où la route montait et faisait un angle droit pour desservir une agglomération de maisons. Comme ils allaient atteindre ce coude, un fracas infernal les arrêta net : un enchevêtrement de chevaux, de roues, de tonneaux, brinquebalant d'un côté à l'autre de la chaussée, dévalait vers eux à une vitesse vertigineuse; et avant qu'ils eussent fait un mouvement pour fuir, l'énorme masse vint s'écraser à cinquante mètres d'eux, contre une grille qui vola en éclats. La pente était très rapide : un immense haquet, qui descendait à pleine charge, n'avait pu être freiné à temps; de tout son poids, il avait entraîné les quatre percherons qui le tiraient, et qui, bousculés, se cabrant, s'empêtrant les uns dans les autres, venaient de s'abattre pêle-mêle au tournant, culbutant sur eux leur montagne de tonneaux d'où giclait du vin. Des hommes, affolés, gesticulants, couraient en criant derrière cet amas de naseaux ensanglantés, de croupes, de sabots, dont l'ensemble entier palpitait dans la poussière. Soudain, aux hennissements des bêtes, au tintamarre des grelots, aux sourdes ruades contre la porte de fer, au cliquetis des chaînes, aux vociférations des conducteurs, se mêla un raclement rauque qui domina tout le reste : le râle du cheval de flèche, un cheval gris, que tous les autres piétinaient, et qui, les pattes prises sous lui, s'époumonait, étranglé par son harnais. Un homme, brandissant une hache, se jeta dans la mêlée : on le vit trébucher, tomber, se relever; il tenait le cheval gris par une oreille, et s'acharnait à coups de hache contre le collier; mais le collier était de fer; l'acier s'y ébréchait; on vit l'homme se dresser avec un visage de fou et lancer la hache contre le mur, tandis que le râle devenait un sifflement strident, de plus en plus précipité, et qu'un flot de sang jaillissait des naseaux.

Alors Jacques sentit que tout vacillait : il tenta de se cramponner à la manche de Daniel, mais ses doigts étaient raides, et ses jambes amollies le laissaient glisser à terre. Des gens l'entourèrent. On le conduisit dans un jardinet, on l'assit près d'une pompe, au milieu des fleurs, on lui bassina les tempes avec de l'eau fraîche. Daniel était aussi pâle que lui.

Quand ils revinrent sur la route, tout le village s'occupait des fûts. Les chevaux étaient relevés. Sur quatre, trois étaient blessés, dont deux, les pattes de devant brisées, étaient effondrés sur les genoux. Le quatrième était mort : il gisait dans le fossé où coulait le vin, sa tête grise collée contre la terre, la langue hors de la bouche, les yeux glauques à demi clos, et les jambes repliées sous lui, comme s'il eût cherché, en mourant, à se rendre aussi portatif que possible pour l'équarrisseur. L'immobilité de cette chair velue, souillée de sable, de sang et de vin, contrastait avec le halètement des trois autres, qui tremblaient sur place, abandonnés au milieu du chemin.

Ils virent un des conducteurs s'approcher du cadavre. Sur son visage hâlé, aux cheveux collés par la sueur, une expression de colère, ennoblie par une sorte de gravité, témoignait à quel point ce charretier ressentait profondément la catastrophe. Jacques ne pouvait détacher les yeux de cet homme. Il le vit mettre au coin des lèvres un mégot qu'il tenait à la main, puis se pencher sur le cheval gris, soulever la langue gonflée, déjà noire de mouches, introduire l'index dans la bouche et découvrir les dents jaunâtres; il resta quelques secondes courbé en deux, palpant la gencive violacée; enfin il se redressa, chercha un regard ami, rencontra celui des enfants; et, sans même essuyer ses doigts salis d'écume où s'engluaient des mouches, il reprit entre ses lèvres son bout de cigarette.

— « Ça n'a pas sept ans! » fit-il en secouant les épaules. Il s'adressait à Jacques : « La plus belle bête des quatre, la plus à l'ouvrage! Je donnerais deux de mes doigts, tenez, ces deux-là, pour la ravoir. » Et, détournant la tête, il eut un sourire amer, et cracha.

Ils repartirent; sans entrain, oppressés.

— « Un mort, un vrai, un homme mort, en as-tu déjà vu? » demanda Jacques.

— « Non. »

— « Ah! mon vieux, c'est extraordinaire!... Moi, il y avait longtemps que ça me trottait en tête. Un dimanche à l'heure du catéchisme, j'y ai couru... »

— « Où ça? »

— « A la Morgue. »

— « Toi? Seul? »

— « Parfaitement. Ah, mon vieux, c'est blême un mort, tu n'as pas idée; c'est comme en cire, en pâte à copier. Il y en avait deux. L'un avait la figure toute tailladée. Mais l'autre, il était comme vivant, même que les paupières n'étaient pas fermées. Comme vivant », reprit-il, « et pourtant mort, ça ne faisait pas de doute, dès le premier coup d'œil, à cause de je ne sais quoi... Et pour le cheval, tu as vu, c'était la même chose... Ah, quand nous serons libres », conclut-il, « il faudra que je t'y mène, un dimanche, à la Morgue... »

Daniel n'écoutait plus. Ils venaient de passer sous le balcon d'une villa, où la main d'un enfant égrenait des gammes. Jenny... Il voyait devant lui le visage fin, le regard concentré de Jenny, lorsqu'elle avait crié : « Qu'est-ce que tu vas faire? » et que les larmes étaient montées dans les yeux gris largement ouverts.

— « Tu ne regrettes pas de ne pas avoir de sœur? » fit-il au bout d'un instant.

— « Oh si! Une sœur aînée, surtout. Car j'ai presque
une petite sœur. » Daniel le regardait surpris; il expliqua : « Mademoiselle élève à la maison une petite nièce
à elle, une orpheline... Elle a dix ans... Gise... Elle
s'appelle Gisèle, mais on dit Gise... Pour moi, c'est
comme une petite sœur. »

Ses yeux se mouillèrent tout à coup. Il poursuivit,
sans lier les idées : « Toi, tu es élevé d'une autre manière.
D'abord, tu es externe, tu vis déjà comme Antoine, tu
es presque libre. C'est vrai que tu es raisonnable, toi »,
remarqua-t-il d'un ton mélancolique.

— « Et toi, non? » fit Daniel avec sérieux.

— « Oh, moi », reprit Jacques en fronçant les sourcils,
« je sais bien que je suis insupportable. Ça ne peut pas
être autrement. Ainsi, tiens, j'ai des colères, quelquefois,
je ne connais plus rien, je casse, je cogne, je crie des
horreurs, je serais capable de sauter par la fenêtre ou
d'assommer quelqu'un! Je te dis ça pour que tu saches
tout », ajouta-t-il. Et il était visible qu'il éprouvait une
sombre jouissance à s'accuser. « Je ne sais pas si c'est
de ma faute, ou quoi? Il me semble que si je vivais avec
toi, je ne serais plus le même. Mais ce n'est pas sûr...

« A la maison, quand je rentre le soir, si tu savais
comme ils sont! » continua-t-il, après une pause, en
regardant au loin. « Papa ne m'a jamais pris au sérieux.
A l'Ecole, les abbés lui disent que je suis un monstre,
par lâche, pour avoir l'air de se donner beaucoup de
mal en élevant le fils de M. Thibault, qui a le bras long
à l'Archevêché, tu comprends? Papa est bon, tu sais »,
affirma-t-il avec une animation soudaine, « très bon
même, je t'assure. Mais je ne sais comment dire... Toujours ses œuvres, ses commissions, ses discours; toujours
la religion. Et Mademoiselle aussi : tout ce qui m'arrive
de mal, c'est le bon Dieu qui me punit. Tu comprends?
Après le dîner, papa s'enferme dans son bureau, et
Mademoiselle me fait réciter mes leçons, que je ne sais
jamais, dans la chambre de Gise, pendant qu'elle couche
la petite. Elle ne veut même pas que je reste dans ma
chambre, seul! Ils ont dévissé mon commutateur, crois-
tu? pour que je ne puisse pas toucher à l'électricité! »

— « Mais ton frère ? » questionna Daniel.

— « Antoine, oui, c'est un chic type, mais il n'est jamais là, tu comprends ? Et puis, — il ne me l'a jamais dit, — mais je suppose que lui non plus, il n'y tient pas tant que ça, à la maison... Il était déjà grand quand maman est morte, puisqu'il a juste neuf ans de plus que moi ; alors Mademoiselle n'a jamais pu avoir beaucoup de crampon sur lui. Tandis que moi, elle m'a élevé, tu comprends ? »

Daniel se taisait.

— « Toi, ce n'est pas la même chose », répéta Jacques. « On sait te prendre, tu as été élevé d'une autre manière. C'est comme pour les livres : toi, on te laisse tout lire : chez toi la bibliothèque est ouverte. Moi, on ne me donne jamais que les gros bouquins rouge et or, à images, genre Jules Verne, des imbécillités. Ils ne savent même pas que j'écris des vers. Ils en feraient toute une histoire, ils ne comprendraient pas. Peut-être même qu'ils me cafarderaient à la boîte, pour me faire surveiller de plus près... »

Il y eut un assez long silence. La route, s'écartant de la mer, montait vers un boqueteau de chênes-lièges.

Tout à coup, Daniel se rapprocha de Jacques et lui toucha le bras.

— « Ecoute », dit-il ; sa voix, qui muait, prit une sonorité basse, solennelle : « Je pense à l'avenir. Sait-on jamais ? Nous pouvons être séparés l'un de l'autre. Eh bien, il y a une chose que je voulais te demander depuis longtemps, comme un gage, comme le sceau éternel de notre amitié. Promets-moi de me dédier ton premier volume de vers... Oh, sans mettre de nom : simplement : *A mon ami.* — Tu veux ? »

— « Je te le jure », fit Jacques en se redressant. Et il se sentit grandir.

Arrivés au bois, ils firent halte sous les arbres. Au-dessus de Marseille, le couchant s'embrasait.

Jacques, qui se sentait les chevilles gonflées, retira ses bottines et s'étendit dans l'herbe. Daniel le regardait, sans penser à rien ; et tout à coup, de ces petits pieds nus, dont les talons étaient rougis, il détourna les yeux.

— « Tiens, un phare », fit Jacques en étendant le bras. Daniel tressaillit. Au loin, sur la côte, un scintillement intermittent piquait le fond soufré du ciel. Daniel ne répondit pas.

L'air avait fraîchi lorsqu'ils continuèrent leur voyage. Ils avaient projeté de coucher dehors, dans un buisson. Mais la nuit s'annonçait glacée.

Ils marchèrent une demi-heure sans échanger un mot, et débouchèrent enfin devant une auberge blanchie à neuf, dont on apercevait les gloriettes étagées sur la mer. La salle, éclairée, semblait vide. Ils se consultèrent. Une femme, les voyant hésiter sur le seuil, ouvrit la porte. Elle souleva vers eux son quinquet de verre, dont l'huile brillait comme une topaze. Elle était petite, âgée, et deux pendeloques d'or tombaient des oreilles sur son cou de tortue.

— « Madame », dit Daniel, « auriez-vous une chambre à deux lits pour cette nuit? » Et, avant qu'elle l'eût interrogé : « Nous sommes deux frères, nous allons rejoindre mon père à Toulon, mais nous sommes partis trop tard de Marseille pour pouvoir coucher à Toulon ce soir... »

— « Hé, je pense! » dit la bonne femme en riant. Elle avait le regard jeune, joyeux, et agitait les mains en parlant. « De pied jusqu'à Toulon? Vous m'en narrez des anecdotes! Enfin, il n'importe! Une chambre, oui, deux francs, payés de suite... » Et, comme Daniel tirait son portefeuille : « La soupe mijote : je vous en porte deux platées? » Ils acceptèrent.

La chambre était une soupente, et il n'y avait qu'un seul lit dont les draps avaient déjà servi. D'un commun accord, sans explication, ils se déchaussèrent vivement et se glissèrent sous la couverture, tout habillés, dos à dos. Ils furent longs à s'endormir. La lune éclairait à plein la lucarne. Dans le grenier voisin, des rats galopaient avec un bruit flasque. Jacques aperçut une affreuse araignée qui cheminait sur le mur blafard et s'évanouit dans l'ombre; il se jura de veiller toute la nuit. Daniel, en pensée, renouvelait le péché de chair;

son imagination enrichissait déjà ses souvenirs; il n'osait bouger, trempé de sueur, haletant de curiosité, de dégoût, de plaisir.

Le lendemain matin, — Jacques dormait encore, — Daniel allait se lever pour échapper à ses visions, lorsqu'il entendit un remue-ménage dans l'auberge. Il avait vécu toute la nuit dans une telle hantise de son aventure, que sa première pensée fut qu'on allait le traîner en justice pour sa débauche. En effet, la porte, qui n'avait plus de loquet, s'ouvrit : c'était un gendarme, qu'amenait la patronne. En entrant, il heurta son front contre le linteau et retira son képi.

— « Ils ont débarqué à la nuit venante, couverts de poussière », expliquait la vieille, riant toujours, et secouant les pendeloques de ses oreilles. « Regardez plutôt leurs brodequins! Ils m'ont narré des anecdotes de loup-garou, qu'ils voulaient aller de pied jusqu'à Toulon, que sais-je en outre! Et celui-là, le grand sacriste », fit-elle en avançant vers Daniel son bras où cliquetaient des bracelets, « il m'a donné un billet de cent francs pour payer les quatre francs cinquante de la chambre et du souper. »

Le gendarme brossait son képi d'un air désabusé.

— « Allons, debout! » ronchonna-t-il, « et donnez-moi vos noms, prénoms, et toute la séquelle. »

Daniel hésitait. Mais Jacques avait sauté du lit : en culotte et en chaussettes, dressé comme un coq de combat, il paraissait résolu à terrasser ce grand flandrin, et lui criait au visage :

— « Maurice Legrand. Et lui, Georges. C'est mon frère! Notre père est à Toulon. Vous ne nous empêcherez pas d'aller le rejoindre, allez! »

Quelques heures plus tard, ils faisaient leur entrée à Marseille, dans une charrette au trot, flanqués de deux gendarmes et d'un chenapan auquel on avait mis des menottes. Le haut portail de la maison d'arrêt s'ouvrit, puis se referma lourdement.

— « Entrez ici », leur dit un gendarme, en ouvrant la porte d'une cellule. « Et retournez-moi vos poches.

Donnez tout ça. On vous laisse ensemble jusqu'à la soupe, le temps de vérifier vos racontars. »

Mais bien avant l'heure du repas, un brigadier vint les chercher pour les conduire au bureau du lieutenant.

— « Inutile de nier, vous êtes pincés. On vous recherche depuis dimanche. Vous êtes de Paris : vous, le grand, vous vous appelez Fontanin; et vous, Thibault. Des enfants de famille, courir les chemins comme des petits criminels ! »

Daniel avait pris une attitude ombrageuse; mais il éprouvait un soulagement profond. C'était fini ! Déjà sa mère le savait vivant, l'attendait. Il lui demanderait pardon; et ce pardon effacerait tout : tout, même ce à quoi il pensait en ce moment avec un trouble émoi, et que jamais il ne pourrait confesser à personne.

Jacques serrait les dents, et, songeant à son flacon d'iode, à son poignard, il crispait désespérément les poings au fond de ses poches vidées. Vingt projets de vengeance et d'évasion s'échafaudaient dans sa tête. A ce moment, l'officier ajouta :

— « Vos pauvres parents sont dans le désespoir. »

Jacques lui jeta un regard terrible; et soudain son visage se crispa, il fondit en larmes. Il apercevait son père, Mademoiselle, et la petite Gise... Son cœur débordait de tendresse et de remords.

— « Allez faire un somme », reprit le lieutenant. « Demain, on pourvoira au nécessaire. J'attends les ordres. »

VIII

Depuis deux jours, Jenny somnole, très affaiblie, mais sans fièvre. Mᵐᵉ de Fontanin, debout contre la croisée, guette les bruits de l'avenue : Antoine est allé chercher les deux fugitifs à Marseille ; il doit les ramener ce soir ; neuf heures viennent de sonner ; ils devraient être là.

Elle tressaille : une voiture ne s'est-elle pas arrêtée devant la maison ?

Déjà elle est sur le palier, les mains à la rampe. La chienne s'est précipitée et jappe pour fêter l'enfant. Mᵐᵉ de Fontanin se penche : et soudain, en raccourci, le voilà ! C'est son chapeau, dont les bords cachent la figure, c'est le mouvement de ses épaules dans son vêtement. Il marche le premier, suivi d'Antoine, qui tient son frère par la main.

Daniel lève les yeux et aperçoit sa mère ; la lampe du palier, qui est au-dessus d'elle, lui fait les cheveux blancs et plonge son visage dans l'ombre. Il baisse la tête et continue à monter, devinant qu'elle descend vers lui ; il ne parvient plus à soulever les jambes ; et tandis qu'il se découvre, n'osant relever la tête, ne respirant plus, il se trouve contre elle, le front sur sa poitrine. Son cœur est douloureux, presque sans joie : il a tant espéré cette minute, qu'il y est insensible ; et quand il s'écarte enfin, il n'y a pas une larme sur sa figure humiliée. C'est Jacques qui, s'adossant au mur de l'escalier, éclate en sanglots.

Mᵐᵉ de Fontanin tient à deux mains le visage de son fils et l'attire vers ses lèvres. Pas un reproche : un long baiser. Mais toute l'angoisse de la terrible semaine fait trembler sa voix, lorsqu'elle demande à Antoine :

— « Ont-ils seulement dîné, ces pauvres enfants? »
Daniel murmure :
— « Jenny? »
— « Elle est sauvée, elle est dans son lit, tu vas la voir,
elle t'attend... » Et comme Daniel se dégage et s'élance
dans l'appartement : « Doucement, mon petit, prends
garde, elle a été bien malade, tu sais... »

Jacques, à travers ses larmes vite séchées, ne peut se
retenir de jeter autour de lui un coup d'œil curieux :
ainsi, voilà la maison de Daniel, voilà l'escalier qu'il
grimpe chaque jour en revenant du lycée, le vestibule
qu'il traverse; et voilà celle dont il dit *maman*, avec cette
étrange caresse de la voix?

— « Et vous, Jacques », demande-t-elle, « voulez-vous
m'embrasser? »
— « Réponds donc! » dit Antoine, souriant.

Il le pousse. Elle ouvre à demi les bras; Jacques s'y
glisse, et son front se pose là où Daniel vient si longtemps
de laisser le sien. Mme de Fontanin, pensive, effleure des
doigts la petite tête rousse, et tourne vers le grand frère
son visage qui voudrait sourire; puis, comme Antoine,
resté sur le seuil, semble pressé de repartir, par-dessus
l'enfant qui se cramponne, elle lui tend ses deux mains
à la fois, d'un geste conscient et plein de gratitude :
— « Allez, mes amis, votre père lui aussi vous attend. »

La porte de Jenny était ouverte.

Daniel, un genou plié, la tête sur les draps, avait mis
ses lèvres sur les mains de sa sœur, qu'il tenait réunies
dans les siennes. Jenny avait pleuré; ses bras tendus
tiraient de biais le buste hors des oreillers; l'effort se
lisait sur ses traits, où l'amaigrissement n'avait laissé
d'expression qu'aux yeux : regard encore maladif, toujours un peu dur et volontaire, regard de femme déjà,
énigmatique, et qui semblait avoir pour longtemps perdu
sa jeunesse et sa sérénité.

Mme de Fontanin s'approcha; elle faillit se pencher,
serrer les deux enfants dans ses bras; mais il ne fallait
pas fatiguer Jenny; elle obligea Daniel à se relever, à
l'accompagner dans sa chambre.

La pièce était gaiement éclairée. Devant la cheminée,

Mme de Fontanin avait préparé la table à thé : des tartines grillées, du beurre, du miel, et, bien au chaud sous une serviette, des châtaignes bouillies, comme Daniel les aimait. Le samovar ronronnait; la chambre était tiède, l'atmosphère douceâtre : Daniel pensa se trouver mal. De la main, il refusa l'assiette que sa mère lui tendait. Mais elle eut l'air si déçue !

— « Quoi donc, mon petit? Tu ne vas pas me priver d'une bonne tasse de thé, ce soir, avec toi? »

Daniel la regarda. Qu'avait-elle donc de changé? Pourtant, elle buvait, comme toujours, son thé brûlant, à petites gorgées, et ce visage à contre-jour, souriant dans la buée du thé, était bien, un peu plus fatigué sans doute, le visage de toujours ! Ah, ce sourire, ce long regard... Il ne put supporter tant de douceur : il baissa la tête, saisit une rôtie, et, par contenance, fit mine d'y mordre. Elle sourit davantage; elle était heureuse et ne disait rien; elle dépensait le trop-plein de sa tendresse à flatter le front de la chienne, blottie au creux de sa robe.

Il reposa le pain. Les yeux toujours à terre, il dit, en pâlissant :

— « Et au lycée, qu'est-ce qu'ils t'ont raconté? »

— « Je leur ai dit que ce n'était pas vrai ! »

Le front de Daniel se détendit enfin; levant les yeux, il rencontra le regard de sa mère : regard confiant, certes, mais qui interrogeait malgré tout, qui souhaitait d'être confirmé dans sa confiance; et le regard de Daniel répondit à cette question muette de la manière la plus indubitable. Alors elle s'approcha, radieuse, et, très bas :

— « Pourquoi, pourquoi n'es-tu pas venu me conter tout, mon grand, au lieu de... »

Mais elle se dressa, sans achever : un trousseau de clefs avait tinté dans l'antichambre. Elle restait immobile, tournée vers la porte entrebâillée. La chienne, remuant la queue, se glissa sans aboyer au-devant du visiteur ami.

Jérôme parut.

Il souriait.

Il était sans pardessus ni chapeau; il avait un air si naturel qu'on eût juré qu'il habitait là, qu'il sortait de sa chambre. Il jeta un coup d'œil vers Daniel, mais se dirigea vers sa femme et baisa la main qu'elle lui laissa prendre. Un parfum de verveine, de citronnelle, flottait autour de lui.

— « Amie, me voilà! Que s'est-il passé? Je suis désolé, vraiment... »

Daniel s'approchait de lui avec un visage joyeux. Il s'était habitué à aimer son père, bien que, dans sa petite enfance, il eût longtemps manifesté pour sa mère une tendresse exclusive, jalouse; et maintenant encore, il acceptait, avec une inconsciente satisfaction, que son père fût sans cesse absent de leur intimité.

— « Alors, tu es ici, toi, qu'est-ce qu'on m'a raconté? » fit Jérôme. Il tenait son fils par le menton et le regardait en fronçant les sourcils; puis il l'embrassa.

Mme de Fontanin était demeurée debout. « Lorsqu'il reviendra », s'était-elle dit, « je le chasserai. » Son ressentiment n'avait pas fléchi, ni sa résolution; mais il l'avait prise à l'improviste et il s'était imposé avec une si déconcertante désinvolture! Elle ne pouvait détacher de lui ses yeux; elle ne s'avouait pas combien elle était bouleversée par sa présence, combien elle était sensible encore au charme câlin de son regard, de son sourire, de ses gestes : il était l'homme de sa vie. Une pensée d'argent lui était venue, et elle s'y accrochait pour excuser la passivité de son attitude : elle avait entamé le matin même ses dernières économies; elle ne pouvait plus attendre; Jérôme le savait, et sans doute il lui apportait l'argent du mois.

Daniel, ne sachant trop que répondre, s'était tourné vers sa mère : et il surprit alors sur le pur visage maternel, il n'eût pas su dire quoi, quelque chose de si particulier, de si intime, qu'il détourna la tête avec un sen-

timent de pudeur. Il avait perdu à Marseille jusqu'à
l'innocence du regard.

— « Faut-il le gronder, Amie ? » disait Jérôme, avec
un glissant sourire qui faisait luire ses dents.

Elle ne répondit pas tout de suite. Elle lui jeta enfin,
sur un ton où perçait comme un désir de vengeance :

— « Jenny a été tout près de mourir. »

Il lâcha son fils et fit un pas vers elle, le visage tellement alarmé qu'elle eût aussitôt consenti à tout pardonner afin d'effacer ce mal qu'elle avait d'abord souhaité
lui faire.

— « Elle est sauvée », cria-t-elle, « rassurez-vous. »

Elle se contraignait à sourire afin de le tranquilliser
plus vite; et ce sourire, en fait, était une capitulation
momentanée. Elle en eut conscience. Tout conspirait
contre sa dignité.

— « Allez la voir », ajouta-t-elle, remarquant que les
mains de Jérôme tremblaient. « Mais ne l'éveillez pas. »

Quelques minutes s'écoulèrent. Mme de Fontanin
s'était assise. Jérôme revint sur la pointe des pieds et
ferma soigneusement la porte. Son visage rayonnait de
tendresse, mais l'angoisse était dissipée; il riait de nouveau et clignait des yeux :

— « Si vous la voyiez dormir ! Elle a glissé de côté, la
joue sur la main. » Ses doigts modelaient dans l'air la
forme gracieuse de l'enfant assoupie. « Elle a maigri,
mais c'est presque tant mieux, elle n'en est que plus
jolie, ne trouvez-vous pas ? »

Elle ne répondit rien. Il la regardait, hésitant, puis il
s'écria :

— « Mais, Thérèse, vous êtes devenue toute blanche ? »

Elle se leva et courut presque à la cheminée. C'était
vrai : deux jours avaient suffi pour que ses cheveux,
argentés déjà mais encore blonds, eussent tout à fait
blanchi sur les tempes et autour du front. Daniel comprit
enfin ce qui, depuis son arrivée, lui semblait différent,
inexplicable. Mme de Fontanin s'examinait, ne sachant
que penser, ne pouvant se défendre d'un regret; et, dans
la glace, elle aperçut Jérôme, qui était derrière elle : il
lui souriait, et, sans qu'elle y prît garde, ce sourire la

consola. Il avait l'air amusé; il frôla du doigt une mèche décolorée qui flottait dans la lumière :

— « Rien ne pouvait vous aller si bien, Amie; rien ne pouvait accuser mieux — comment dire? la jeunesse de votre regard. »

Elle dit, comme pour s'excuser, mais surtout pour masquer un secret plaisir :

— « Ah, Jérôme, j'ai passé des jours et des nuits atroces. Mercredi on avait tout tenté, on n'osait plus espérer... J'étais toute seule! J'ai eu si peur! »

— « Pauvre Amie », s'écria-t-il avec élan. « Je suis désolé, j'aurais si facilement pu revenir! J'étais à Lyon pour l'affaire que vous savez », reprit-il et avec tant d'assurance qu'elle se prit à chercher un instant dans sa mémoire. « J'avais tout de bon oublié que vous n'aviez pas mon adresse. D'ailleurs, je n'étais parti que pour vingt-quatre heures : j'ai même perdu le bénéfice de mon billet de retour. »

A ce moment il se souvint que depuis longtemps il n'avait pas remis d'argent à Thérèse. Il ne pouvait rien toucher avant trois semaines. Il fit le compte de ce qu'il avait en poche, et ne put retenir une grimace; mais il l'interpréta aussitôt :

— « Tout cela, pour pas grand-chose, aucun marché sérieux n'est conclu. J'ai espéré jusqu'au dernier jour, et je reviens bredouille. Ces gros banquiers lyonnais sont si tristes en affaires, si méfiants! » Et il se lança dans un récit de son voyage. Il inventait d'abondance, sans le moindre trouble, avec un amusement de conteur.

Daniel l'écoutait : pour la première fois, devant son père, il éprouvait une sorte de honte. Puis, sans raison, sans aucune apparence de lien, il songea à cet homme dont lui avait parlé la femme de là-bas, son « vieux » disait-elle, un homme marié, un homme dans les affaires, qui venait toujours l'après-midi, expliquait-elle, parce qu'il ne sortait jamais le soir « sans sa vraie femme ». Et le visage de sa mère, qui écoutait, elle aussi, lui parut, à cette minute, indéchiffrable. Leurs regards se croisèrent. Que lut la mère dans les yeux de son fils? Perçut-elle plus avant parmi des pensées que Daniel ne for-

mulait pas lui-même? Elle dit, avec une précipitation
un peu mécontente :

— « Allons, va te coucher, mon petit; tu es brisé de
fatigue. »

Il obéit. Mais à l'instant où il se courbait pour l'embrasser, il eut la vision de la pauvre femme, abandonnée
par tous tandis que Jenny se mourait. Par sa faute! Sa
tendresse s'accrut de tout le mal qu'il lui avait fait. Il
l'étreignit, et murmura enfin à son oreille :

— « Pardon. »

Elle attendait ce mot depuis son retour; mais elle
n'en éprouva pas le bonheur qu'elle eût goûté s'il l'eût
prononcé plus tôt. Daniel le sentit, et en voulut à son
père. Mme de Fontanin, elle aussi, en eut conscience;
mais c'est à son fils qu'elle en voulut, de ne pas avoir
parlé tandis qu'elle était encore à lui seul.

Moitié par gaminerie, moitié par gourmandise, Jérôme
s'était avancé jusqu'au plateau et l'inventoriait avec une
moue amusée.

— « Pour qui donc, toutes ces chatteries? »

Sa façon de rire était assez factice : il rejetait la tête
en arrière, ce qui coulait les prunelles dans le coin des
yeux, et il égrenait l'un après l'autre trois « ah », un peu
forcés : « Ah! ah! ah! »

Il avait traîné un tabouret près de la table et s'emparait déjà de la théière.

— « Ne buvez pas ce thé qui est tiède », dit Mme de
Fontanin, en rallumant le samovar. Et comme il protes-
tait : « Laissez-moi faire », dit-elle sans sourire.

Ils étaient seuls pour surveiller la bouilloire, elle s'était
approchée, et respirait cette senteur acidulée de lavande,
de verveine, qui montait de lui. Il leva la tête vers elle,
souriant à demi, et son expression était tendre, repen-
tante : il tenait sa tartine à la main, comme un écolier,
et, du bras libre, il entoura la taille de sa femme, avec
un sans-gêne qui confessait une longue expérience amou-
reuse. Mme de Fontanin se dégagea brusquement; elle
avait peur de sa faiblesse. Dès qu'il eut retiré son bras,
elle revint achever le thé, puis s'éloigna de nouveau.

Elle restait digne et triste; devant une telle inconscience, le plus âpre de sa rancune avait cédé. Elle l'examinait, à la dérobée, dans la glace. Son teint ambré, ses yeux en amande, la cambrure de sa taille, et jusqu'à la recherche un peu exotique de sa mise, donnaient à sa nonchalance quelque chose d'oriental. Elle se souvint qu'au temps des fiançailles elle avait écrit dans son journal : « Mon bien-aimé est beau comme un prince hindou. » Elle le regardait, et c'était toujours avec les yeux d'autrefois. Il s'était assis de biais sur le siège trop bas, et allongeait les jambes vers le feu. Du bout de ses doigts aux ongles polis, il bourrait l'une après l'autre ses rôties, les dorait de miel, et, penchant le buste au-dessus de l'assiette, mordait dans le pain à belles dents. Lorsqu'il eut fini, il but son thé d'un trait, se releva avec une souplesse de danseur, et vint s'allonger dans un fauteuil. L'on eût dit que rien ne s'était passé, qu'il vivait là comme autrefois. Il caressait Puce qui avait sauté sur ses genoux. Son annulaire gauche portait une large sardoine héritée de sa mère, un camée ancien où la silhouette laiteuse d'un Ganymède s'enlevait sur un noir profond; l'usage avait aminci l'anneau, et la bague, à chaque déplacement de la main, glissait d'un bout à l'autre de la phalange. Elle épiait tous ses gestes.

— « Vous permettez que j'allume une cigarette, Amie ? »

Il était incorrigible et délicieux. Il avait une manière à lui de prononcer ce mot *Amie*, en laissant l'*e* final mourir au bord des lèvres, comme un baiser. L'étui d'argent brilla entre ses doigts; elle reconnut son claquement sec, et ce tic qu'il avait de tapoter la cigarette sur le dos de sa main avant de la glisser sous la moustache. Et comme elle connaissait aussi les longues mains veinées, dont l'allumette fit soudain deux coquillages transparents, couleur de flamme!

Elle s'efforça de ranger la table à thé, calmement. Cette semaine l'avait brisée, et elle s'en apercevait à l'instant même où elle avait besoin de tout son courage. Elle s'assit. Elle ne savait plus que penser, elle entendait mal l'injonction de l'Esprit. Dieu ne l'avait-il pas placée auprès de ce pécheur, qui jusque dans ses dérèglements

demeurait accessible à la bonté, pour qu'elle pût l'assister
quelque jour dans son acheminement vers le Bien? Non :
le devoir immédiat était de préserver le foyer, les enfants.
Sa pensée se redressait peu à peu. Ce fut un réconfort
pour elle de se sentir plus ferme qu'elle n'avait cru. Le
jugement qu'elle avait rendu, Jérôme absent, au fond de
sa conscience éclairée par la prière, restait irrévocable.

Jérôme la considérait depuis un moment avec une
attention songeuse; puis son regard prit une expression
d'intense sincérité. Elle connaissait ce sourire en sus-
pens, cet œil circonspect; elle eut peur; car s'il était vrai
qu'elle déchiffrât à tout instant, presque malgré elle, la
signification de ce visage capricieux, cependant, toujours,
son intuition finissait par heurter un certain point limite,
au-delà duquel sa perspicacité s'enlisait en des sables
mouvants; et souvent elle s'était demandé : « Au fond de
lui-même, qu'est-il? »

— « Oui, je comprends bien », commença Jérôme,
avec une pointe de mélancolie cavalière. « Vous me jugez
sévèrement, Thérèse. Oh, je vous comprends, je vous
comprends trop bien. S'il s'agissait d'un autre que moi,
je le jugerais comme vous faites, je penserais : C'est un
misérable. Oui, un misérable, — ayons au moins le courage des mots. Ah, comment nous expliquer tout cela? »

— « A quoi bon, à quoi bon... », interrompit la pauvre
femme; et sa figure, qui ne savait pas feindre, suppliait.

Il s'était renversé au fond du fauteuil et fumait; le
croisement des jambes découvrait jusqu'à la cheville son
pied qu'il balançait indolemment.

— « Rassurez-vous, je ne discuterai pas. Les faits sont
là, ils me condamnent. Et pourtant, Thérèse, il existe
peut-être de tout cela d'autres explications que celles qui
sautent aux yeux. » Il sourit tristement. Il aimait à ratio-
ciner sur ses fautes et invoquer des arguments d'ordre
moral; peut-être satisfaisait-il ainsi ce qui subsistait en
lui de protestantisme. « Souvent », reprit-il, « une action
mauvaise a d'autres mobiles que des mobiles mauvais.
On paraît chercher la satisfaction brutale d'un instinct;
et, en réalité, quelquefois, souvent même, on cède à un
sentiment qui est bon en soi, — comme la pitié, par

exemple. Ainsi l'on fait souffrir un être qu'on aime, et quelquefois c'est parce que l'on a pitié d'un autre être, disgracié, de condition inférieure, qu'un peu d'attention, croit-on, suffirait à sauver... »

Elle aperçut, sur le quai, cette petite ouvrière qui sanglotait. D'autres souvenirs s'évoquèrent, Mariette, Noémie... Elle avait l'œil fixé sur le va-et-vient du soulier verni, où s'allumait et s'éteignait tour à tour le reflet de la lampe. Elle se rappela, jeune mariée, ces dîners d'affaires, imprévus et urgents, dont il revenait au petit jour, pour s'enfermer dans sa chambre et dormir jusqu'au soir. Toutes les lettres anonymes qu'elle avait parcourues, puis déchirées, brûlées, piétinées, sans parvenir à atténuer la virulence du venin! Elle avait vu Jérôme débaucher ses bonnes, une à une enjôler ses amies. Il avait fait le vide autour d'elle. Elle se souvint des reproches qu'au début elle avait hasardés, des scènes prudentes où elle parlait avec loyauté, avec indulgence, ne trouvant devant elle qu'un être dominé par ses caprices, fermé, fuyant, qui niait l'évidence avec une indignation puritaine, puis tout aussitôt, comme un gamin, jurait en souriant qu'il ne recommencerait plus.

— « Ainsi, voyez », poursuivit-il, « je me conduis mal avec vous, je... Si, si! n'ayons pas peur des mots. Et pourtant je vous aime, Thérèse, de toute mon âme, et je vous respecte, et je vous plains; et rien autre, jamais, j'en fais le serment, pas une seule fois, pas une minute, rien n'a été comparable à cet amour-là, le seul enraciné au fond de moi!

« Ah, ma vie est laide, je ne la défends pas, j'en ai honte. Mais vraiment, Amie, croyez-moi, vous commettriez une injustice, vous si pleine d'équité, en me jugeant seulement sur ce que je fais. Je... Je ne suis pas exactement l'homme de mes fautes. Je m'explique mal, je sens que vous ne m'entendez pas... Tout cela est mille fois plus compliqué encore que je ne peux le dire, et je ne parviens à l'entrevoir moi-même que par étincelles... »

Il se tut, la nuque courbée, les yeux au loin, comme s'il était épuisé par ce vain effort pour atteindre un instant la vérité intime de sa vie. Puis il releva la tête, et

Mᵐᵉ de Fontanin sentit passer sur son visage le regard
frôleur de Jérôme, si léger en apparence, mais qui possédait la vertu d'accrocher au passage les regards d'autrui,
de les happer, pour ainsi dire, et de les tenir un moment
englués, avant qu'ils pussent se détacher de lui : à la
façon dont l'aimant attire, soulève et lâche un fer trop
lourd. Une fois encore, leurs yeux se prirent et se quittèrent. « Toi aussi », pensa-t-elle, « ne serais-tu pas meilleur que ta vie? »

Cependant elle haussa les épaules.

— « Vous ne me croyez pas », murmura-t-il.

Elle s'appliqua à prendre un accent détaché :

— « Oh, je veux bien vous croire, je vous ai si souvent
cru, déjà; mais cela n'a guère d'importance. Coupable
ou non, responsable ou non, Jérôme, le mal a été fait, le
mal se fait tous les jours, le mal se fera encore, — et cela
ne doit pas durer... Séparons-nous, enfin. Séparons-
nous définitivement. »

Elle y avait tant songé depuis quatre jours, qu'elle
accentua ces mots avec une sécheresse à laquelle Jérôme
ne se méprit pas. Elle vit sa stupéfaction, sa douleur, et
se hâta de poursuivre :

— « Il y a les enfants, aujourd'hui. Tant qu'ils étaient
petits, ils ne comprenaient pas, j'étais seule à... » (Mais
au moment de prononcer le mot « souffrir », une pudeur
la retint.) « Le mal que vous m'avez fait, Jérôme, il ne
m'atteint plus, moi seule, dans mon... affection : il entre
ici avec vous, il est dans l'air de notre maison, il est dans
l'air que respirent mes enfants. Je ne le supporterai pas.
Voyez ce qu'a fait Daniel cette semaine. Dieu lui pardonne, comme je lui ai pardonné, la blessure qu'il m'a
faite! Il la regrette, dans son cœur resté droit », — et
son regard eut une lueur de fierté, presque de défi; —
« mais je suis sûre que votre exemple l'a aidé à faire le
mal. Serait-il parti aussi facilement, sans souci de mon
inquiétude, s'il ne vous voyait pas disparaître sans cesse...
pour vos affaires? » Elle se leva, fit un pas hésitant vers
la cheminée, aperçut ses cheveux blancs, et, se penchant
un peu dans la direction de son mari, sans toutefois le
regarder : « J'ai bien réfléchi, Jérôme. J'ai beaucoup souf-

fert cette semaine, j'ai prié, j'ai réfléchi. Je ne songe même pas à vous faire un reproche. D'ailleurs, ce soir, je n'en aurais pas la force, je suis exténuée. Je vous demande seulement de regarder la réalité en face : vous reconnaîtrez que j'ai raison, qu'il n'y a pas d'autre solution possible. La vie commune... », — elle se reprit, — « ...ce qui nous reste de vie commune, ce peu qui nous reste, Jérôme, c'est trop encore. » Elle se raidit, posa ses deux mains sur le marbre, et, ponctuant chaque mot d'un mouvement du buste et des mains, elle articula : « Je-n'en-veux-plus. »

Jérôme ne répondit pas; mais avant qu'elle eût pu s'écarter, il avait glissé à ses pieds et posé la joue contre sa hanche, comme un enfant qui veut forcer le pardon. Il balbutia.

— « Est-ce que je pourrais me séparer de toi? Est-ce que je pourrais vivre sans mes petits? Je me brûlerais la cervelle ! »

Elle eut presque envie de sourire, tant il mit de puérilité dans le simulacre qu'il fit vers sa tempe. Il avait pris le poignet de Thérèse, qui pendait le long de sa jupe, et le couvrait de baisers. Elle dégagea sa main, et lui caressa le front du bout des doigts, d'un mouvement inattentif et las, qui semblait maternel, qui prouvait son irrémédiable détachement. Il s'y trompa et redressa la tête; mais il comprit à l'examen de son visage combien il se leurrait. Elle s'était éloignée aussitôt. Elle tendit le bras vers une pendulette de voyage qui était sur la table de nuit.

— « Deux heures! » fit-elle. « Il est affreusement tard. Je vous en prie... Demain. »

Il jeta les yeux sur le cadran, de là sur le grand lit préparé où gisait l'oreiller solitaire.

C'est à ce moment qu'elle ajouta :

— « Vous allez avoir de la peine à trouver une voiture. »

Il eut un geste vague, étonné; il n'avait jamais eu le dessein de ressortir ce soir. N'était-il pas chez lui? Sa chambre, toujours prête, l'attendait; il n'avait qu'à traverser le couloir. Combien de fois était-il rentré, en pleine

nuit, après quatre, cinq, six jours d'absence? Et on le
voyait apparaître au petit déjeuner, en pyjama, rasé de
frais, plaisantant et riant haut pour vaincre chez ses
enfants cette silencieuse défiance qu'il ne s'expliquait pas.
Mme de Fontanin savait tout cela, et elle venait de suivre
sur ses traits la courbe de sa pensée; mais elle ne transi-
gea pas et ouvrit la porte qui donnait sur le vestibule. Il
passa, assez penaud dans le fond, mais gardant l'allure
d'un ami qui prend congé.

Tandis qu'il endossait son pardessus, il songea qu'elle
était sans argent. Il eût fait, sans hésiter, l'abandon des
quelques billets qui lui restaient en poche, bien qu'il
n'eût aucun moyen de se procurer d'autres subsides;
mais la pensée que cette diversion pût modifier quelque
chose à son départ, qu'après avoir reçu cet argent elle
n'eût peut-être plus pris la liberté de l'éconduire si ferme-
ment, cette pensée le froissa dans sa délicatesse; et, plus
encore, la crainte que Thérèse pût y soupçonner un calcul. Il dit seulement :

— « Amie, j'ai bien des choses à vous dire encore... »

A quoi elle répondit, vite, songeant à sa décision de
rompre, puis aussi à la somme entendue :

— « Demain, Jérôme. Je vous recevrai demain, si vous
venez. Nous causerons. »

Il prit alors le parti de s'en aller galamment, saisit le
bout de ses doigts et y apposa les lèvres. Il y eut entre
eux une seconde d'indécision. Mais elle retira sa main et
ouvrit la porte du palier.

— « Eh bien, au revoir, Amie... A demain. »

Elle l'aperçut une dernière fois, le chapeau levé, descen-
dant les premières marches, la tête inclinée vers elle, souriant.

La porte retomba. Mme de Fontanin restait seule.
Son front s'appuya au chambranle; le coup sourd de
la porte cochère fit frémir jusqu'à sa joue la maison
endormie. Devant elle un gant clair était tombé sur
le tapis. Sans réfléchir, elle s'en saisit, le pressa sur
sa bouche, le respira, cherchant, à travers ce relent de
cuir et de fumée, un parfum plus subtil qu'elle connaissait bien. Puis, apercevant son geste dans la glace,

elle rougit, laissa retomber le gant, tourna brutalement le commutateur, et, délivrée d'elle-même par les ténèbres, à tâtons, elle courut jusqu'aux chambres des enfants, pour écouter un long moment leurs respirations endormies.

IX

Antoine et Jacques étaient remontés dans leur fiacre. Le cheval n'avançait guère et semblait avec ses sabots jouer des castagnettes sur le macadam. Les rues étaient sombres. Une odeur de drap moisi s'évaporait dans l'obscurité de la guimbarde. Jacques pleurait. La fatigue, sans doute aussi l'accolade de cette dame au sourire maternel, le livraient enfin au remords : qu'allait-il répondre à son père? Il se sentit défaillir et, se trahissant, vint appuyer sa détresse à l'épaule du frère, qui l'entoura de son bras. C'était la première fois que leurs timidités ne s'interposaient plus entre eux.

Antoine voulut parler, mais il ne parvint pas à dépouiller tout respect humain; sa voix avait une bonhomie forcée, un peu rude :

— « Allons, mon vieux, allons... C'est fini... A quoi bon se mettre dans cet état-là... »

Il se tut et se contenta de garder contre lui le buste du petit. Mais sa curiosité le travaillait :

— « Qu'est-ce qui t'a pris, voyons? » reprit-il avec plus de douceur. « Qu'est-ce qui s'est passé? C'est lui qui t'a entraîné? »

— « Oh non. Lui, ne voulait pas. C'est moi, moi tout seul. »

— « Mais pourquoi? »

Pas de réponse. Antoine poursuivit gauchement :

— « Tu sais, je connais ça, les liaisons au collège. Tu peux m'avouer bien des choses, à moi, je sais ce que c'est. On se laisse entraîner... »

— « C'est mon ami, voilà tout », souffla Jacques sans quitter l'épaule de son frère.

— « Mais », hasarda l'autre, « qu'est-ce que vous... faites ensemble? »

— « Nous causons. Il me console. »

Antoine n'osait pas aller plus avant. « Il me console... » L'accent de Jacques lui serrait le cœur. Il allait rire : « Tu es donc bien malheureux, mon petit? » lorsque Jacques ajouta crânement :

— « Et puis, si tu veux savoir tout : il me corrige mes vers. »

Antoine répliqua :

— « Ah, ça, c'est très bien, ça me plaît beaucoup. Je suis très content, vois-tu, que tu sois poète. »

— « Vrai? » fit l'enfant.

— « Oui, très content. Je le savais d'ailleurs. J'ai déjà lu des poèmes de toi, j'en ai quelquefois trouvé, qui traînaient. Je ne t'en ai pas parlé. D'ailleurs, nous ne causions jamais ensemble, je ne sais pas pourquoi... Mais il y en a qui me plaisent beaucoup : tu as certainement des dons, il faudra en tirer parti. »

Jacques se pencha davantage :

— « J'aime tant ça », murmura-t-il. « Je donnerais tout pour les beaux vers que j'aime. Fontanin me prête des livres; — tu ne le diras pas, dis, à personne? — C'est lui qui m'a fait lire Laprade, Sully-Prudhomme, et Lamartine, et Victor Hugo, et Musset... Ah, Musset! Tu connais ça, dis :

> Pâle étoile du soir, messagère lointaine
> Dont le front sort brillant des voiles du couchant...

« Et ça :

> Voilà longtemps que celle avec qui j'ai dormi,
> O Seigneur, a quitté ma couche pour la vôtre,
> Et nous sommes encor tout mêlés l'un à l'autre,
> Elle à demi vivante et moi mort à demi...

« Et *le Crucifix* de Lamartine, tu le connais, dis :

> Toi que j'ai recueilli sur sa bouche expirante,
> Avec son dernier souffle et son dernier adieu...

« C'est beau, hein, c'est fluide! Chaque fois, ça me rend malade. » Son cœur débordait. « A la maison », reprit-il, « on ne comprend rien, je suis sûr qu'on m'embêterait si on savait que je fais des vers. Tu n'es pas comme eux, toi », — et il pressait le bras d'Antoine contre sa poitrine, « je m'en doutais bien depuis longtemps; seulement tu ne disais rien; et puis tu n'es pas souvent là... Ah, je suis content, si tu savais! Je sens que maintenant je vais avoir deux amis au lieu d'un! »

— Ave Cœsar, voici la Gauloise aux yeux bleus...

récita Antoine en souriant.

Jacques s'écarta :

— « Tu as lu le cahier! »

— « Mais voyons, écoute... »

— « Et papa? » hurla le petit, avec un accent si déchirant qu'Antoine balbutia :

— « Je ne sais pas... Peut-être l'a-t-il un peu... »

Il ne put achever. L'enfant s'était jeté dans le fond de la voiture et se roulait sur le coussin, la tête entre ses bras :

— « C'est ignoble! L'abbé est un mouchard, un salaud! Je lui dirai, je lui crierai en pleine étude, je lui cracherai à la figure! On peut me chasser de l'Ecole, je m'en fous, je me sauverai encore! Je me tuerai! »

Il trépignait. Antoine n'osait souffler mot. Tout à coup l'enfant se tut de lui-même, s'enfonça dans le coin, se tamponna les yeux; ses dents claquaient. Son silence était plus alarmant encore que sa colère. Heureusement le fiacre descendait la rue des Saints-Pères; ils arrivaient.

Jacques sortit le premier. Antoine, en payant, ne quittait pas son frère de l'œil, craignant qu'il ne prît sa course dans la nuit, au hasard. Mais l'enfant semblait abattu; sa figure de gamin des rues, balafrée par le voyage et fripée par le chagrin, était sèche, ses yeux baissés.

— « Sonne, veux-tu? » dit Antoine.

Jacques ne répondit pas, ne bougea pas. Antoine le fit entrer. Il obéissait docilement. Il ne pensa même pas à la curiosité de la mère Fruhling, la concierge. Il était écrasé par l'évidence de son impuissance. L'ascenseur l'enleva, comme un fétu, pour le jeter sous la férule paternelle : de toutes parts, sans résistance possible, il était prisonnier des mécanismes de la famille, de la police, de la société.

Pourtant, lorsqu'il retrouva son palier, lorsqu'il reconnut le lustre allumé dans le vestibule comme les soirs où son père donnait ses dîners d'hommes, il éprouva une douceur, malgré tout, à sentir autour de lui l'enveloppement de ces habitudes anciennes; et lorsqu'il vit venir, boitillant vers lui du fond de l'antichambre, Mademoiselle, plus menue, plus branlante que jamais, il eut envie de s'élancer, presque sans rancune, dans ces petits bras de laine noire qui s'écartaient pour lui. Elle l'avait saisi et le dévorait de caresses, tandis que sa voix trébuchante psalmodiait, sur une seule note aiguë :

— « Quel péché! Le sans-cœur! Tu voulais donc nous faire mourir de chagrin? Dieu bon, quel péché! Tu n'as donc plus de cœur? » Et ses yeux de lama s'emplissaient d'eau.

Mais la porte du cabinet s'ouvre à deux battants, et le père surgit dans l'embrasure.

Du premier coup d'œil il aperçoit Jacques et ne peut se défendre d'être ému. Il s'arrête cependant et referme les paupières; il semble attendre que le fils coupable se précipite à ses genoux, comme dans le Greuze, dont la gravure est au salon.

Le fils n'ose pas. Car le bureau, lui aussi, est éclairé comme pour une fête, et les deux bonnes viennent d'apparaître à la porte de l'office, et puis M. Thibault est en redingote, bien que ce soit l'heure de la vareuse du soir : tant de choses insolites paralysent l'enfant. Il s'est dégagé des embrassades de Mademoiselle; il a reculé, et reste debout, baissant la tête, attendant il ne sait quoi, ayant envie, tant il y a de tendresse accumulée dans son cœur, de pleurer, et aussi d'éclater de rire!

Mais le premier mot de M. Thibault semble l'exclure de la famille. L'attitude de Jacques, en présence de témoins, a fait s'évanouir en un instant toute velléité d'indulgence; et, pour mater l'insubordonné, il affecte un complet détachement :

— « Ah, te voilà », dit-il, s'adressant à Antoine seul. « Je commençais à m'étonner. Tout s'est normalement passé là-bas? » Et, sur la réponse affirmative d'Antoine, qui vient serrer la main molle que son père lui tend : « Je te remercie, mon cher, de m'avoir épargné une démarche... Une démarche aussi humiliante ! »

Il hésite quelques secondes, il espère encore un élan du coupable; il décoche un coup d'œil vers les bonnes, puis vers l'enfant, qui fixe le tapis avec une physionomie sournoise. Alors, décidément fâché, il déclare :

— « Nous aviserons dès demain aux dispositions à prendre pour que de pareils scandales ne se renouvellent jamais. »

Et quand Mademoiselle fait un pas vers Jacques pour le pousser dans les bras de son père — mouvement que Jacques a deviné, sans lever la tête, et qu'il attend comme sa dernière chance de salut, — M. Thibault, tendant le bras, arrête Mademoiselle avec autorité :

— « Laissez-le ! Laissez-le ! C'est un vaurien, un cœur de pierre ! Est-ce qu'il est digne des inquiétudes que nous avons traversées à cause de lui? » Et, s'adressant de nouveau à Antoine, qui cherche l'instant d'intervenir : « Antoine, mon cher, rends-nous le service de t'occuper, pour cette nuit encore, de ce garnement. Demain, je te promets, nous t'en délivrerons. »

Il y a un flottement : Antoine s'est approché de son père; Jacques, timidement, a relevé le front. Mais M. Thibault reprend sur un ton sans réplique :

— « Allons, tu m'entends, Antoine? Emmène-le dans sa chambre. Ce scandale n'a que trop duré. »

Puis, dès qu'Antoine, menant Jacques devant lui, a disparu dans le couloir où les bonnes s'effacent le long du mur comme sur le chemin du poteau d'exécution, M. Thibault, les yeux toujours clos, rentre dans son cabinet et referme la porte derrière lui.

Il ne fait que traverser la pièce pour entrer dans celle où il couche. C'est l a chambre de ses parents, telle qu'il l'a vue dès sa prim e enfance dans le pavillon de l'usine paternelle, près de Rouen; telle qu'il l'a héritée et apportée à Paris lorsqu'il est venu faire son droit : la commode d'acajou, les fauteuils Voltaire, les rideaux de reps bleu, le lit où, l'un après l'autre, son père, puis sa mère sont morts; et, suspendu devant le prie-Dieu dont Mme Thibault a brodé la tapisserie, le christ qu'il a lui-même, à quelques mois de distance, placé entre leurs mains jointes.

Là, seul, redevenu lui, le gros homme arrondit les épaules; un masque de fatigue paraît glisser de son visage, et ses traits prennent une expression simple, qui le fait ressembler à ses portraits d'enfant. Il s'approche du prie-Dieu et s'agenouille avec abandon. Ses mains bouffies se croisent d'une façon rapide, coutumière : tous ses gestes ont ici quelque chose d'aisé, de secret, de solitaire. Il lève sa face inerte; son regard, filtrant sous les cils, s'en va droit vers le crucifix. Il offre à Dieu sa déception, cette épreuve nouvelle; et, du fond de son cœur délesté de tout ressentiment, il prie, comme un père, pour le petit égaré. Sous l'accotoir, parmi les livres pieux, il prend son chapelet, celui de sa première communion, dont les grains après quarante années de polissage coulent d'eux-mêmes entre ses doigts. Il a refermé les yeux, mais il garde le front tendu vers le christ. Personne jamais ne lui a vu, dans la vie, ce sourire intérieur, ce visage dépouillé, heureux. Le balbutiement de ses lèvres fait un peu trembler ses bajoues, et les coups de tête qu'il donne à intervalles réguliers, pour dégager son cou hors du col, semblent balancer l'encensoir au pied du trône céleste.

Le lendemain Jacques était seul, assis sur son lit défait. Il ne savait que devenir, par cette matinée de samedi, qui n'était pas vacances, au contraire, et qu'il passait là, dans sa chambre. Il songeait au lycée, à la classe d'histoire, à Daniel. Il écoutait les bruits matinaux qui ne lui étaient pas familiers et lui semblaient hostiles, le balai sur les tapis, les portes que les courants d'air faisaient grincer.

Il n'était pas abattu : plutôt exalté; mais son inaction, et cette menace mystérieuse qui planait dans la maison, lui causaient un intolérable malaise. Il eût recherché comme une délivrance l'occasion d'un dévouement, d'un sacrifice héroïque et absurde, qui lui eût permis d'épuiser d'un coup ce trop-plein de tendresse qui l'étouffait. Par instants, la pitié qu'il avait de lui-même lui faisait redresser la tête, et il savourait une minute de volupté perverse, faite d'amour méconnu, de haine et d'orgueil.

Quelqu'un remua le bouton de la serrure. C'était Gisèle. On venait de lui laver les cheveux et ses boucles noires séchaient sur ses épaules; elle était en chemise et en pantalon; son cou, ses bras, ses mollets étaient bruns, et elle avait l'air d'un petit Algérien, dans sa culotte bouffante, avec ses beaux yeux de chien, ses lèvres fraîches, sa tignasse ébouriffée.

— « Qu'est-ce que tu veux? » fit Jacques sans aménité.

— « Je viens te voir », dit-elle en le regardant.

Ses dix ans avaient deviné bien des choses, cette semaine. Enfin, Jacquot était revenu. Mais tout n'était pas rentré dans l'ordre, puisque sa tante, en train de la coiffer, venait d'être appelée auprès de M. Thibault, et l'avait plantée là, les cheveux au vent, lui faisant promettre d'être sage.

— « Qui a sonné? » demanda-t-il.

— « M. l'abbé. »

Jacques fronça les sourcils. Elle se hissa sur le lit, à son côté :

— « Pauvre Jacquot », murmura-t-elle.

Cette affection lui fit tant de bien que, pour la remercier, il la prit sur ses genoux et l'embrassa. Mais il avait l'oreille au guet :

— « Sauve-toi, on vient! » souffla-t-il, en la poussant vers le couloir.

Il eut à peine le temps de sauter à bas du lit et d'ouvrir un livre de grammaire. La voix de l'abbé Vécard s'éleva derrière la porte :

— « Bonjour, ma mignonne. Jacquot est par ici? »

Il entra et s'arrêta sur le seuil. Jacques baissait les yeux. L'abbé s'approcha et lui pinça l'oreille :

— « C'est du joli », fit-il.

Mais l'aspect buté de l'enfant lui fit aussitôt changer de manière. Avec Jacques il agissait toujours prudemment. Il éprouvait pour cette brebis souvent égarée une dilection particulière, mêlée de curiosité et d'estime; il avait bien distingué quelles forces gisaient là.

Il s'assit et fit venir le gamin devant lui :

— « As-tu au moins demandé pardon à ton père? » reprit-il, quoiqu'il sût fort bien à quoi s'en tenir. Jacques lui en voulut de cette feinte; il leva sur lui un regard lisse, et fit signe que non. Il y eut un court silence.

— « Mon enfant », poursuivit le prêtre d'une voix contristée, un peu hésitante, « tout cela me fait beaucoup de peine, je ne le cache pas. Jusqu'ici, malgré ta dissipation, j'ai toujours pris ta défense auprès de ton père. Je lui disais : " Jacquot a bon cœur, il y a de la ressource, patientons. " Mais aujourd'hui, je ne sais plus que dire, et, ce qui est plus grave, je ne sais quoi penser. J'ai appris sur toi des choses que jamais, jamais je n'aurais osé soupçonner. Nous reviendrons là-dessus. Mais je me disais : " Il aura eu le temps de réfléchir, il nous reviendra repentant; et il n'y a pas de faute qui ne puisse être rachetée par une sincère contrition. " Au lieu de cela, te voici avec ta mauvaise figure, sans un geste de regret, sans une larme. Ton pauvre père, cette fois, en est découragé : il m'a fait peine. Il se demande jusqu'à quel degré de perversion tu es descendu, si ton cœur est totalement desséché. Et, ma foi, je me le demande aussi. »

Jacques crispait les poings au fond de ses poches et comprimait le menton contre sa poitrine, afin qu'aucun sanglot ne pût jaillir de sa gorge, afin qu'aucun muscle du visage ne pût le trahir. Lui seul savait combien il souffrait de ne pas avoir demandé pardon, quelles larmes délicieuses il eût versées s'il eût reçu l'accueil de Daniel! Non! Et puisqu'il en était ainsi, jamais il ne laisserait soupçonner à personne ce qu'il éprouvait pour son père, cet attachement animal, assaisonné de rancune, et qui semblait même avivé depuis qu'aucun espoir de réciprocité ne le soutenait plus!

L'abbé se taisait. La placidité de ses traits rendait plus

pesant son silence. Puis, le regard au loin, sans autre préambule, il commença, d'une voix de récitant :

— « *Un homme avait deux fils. Or, le plus jeune des deux, ayant rassemblé tout ce qu'il avait, partit pour une région étrangère et lointaine; et là il dissipa son bien en vivant dans le désordre. Après qu'il eut tout dépensé, il rentra en lui-même et dit : Je me lèverai et je m'en irai vers mon père, et je lui dirai : Mon père, j'ai péché contre le ciel et à tes yeux je ne suis plus digne d'être appelé ton fi. Il se leva donc et s'en fut vers son père. Et comme il était encore loin, son père l'aperçut et il fut touché de compassion; et courant à lui, il le serra dans ses bras et l'embrassa. Mais le fi lui dit : Mon père, j'ai péché contre le ciel et à tes yeux, et je ne suis plus digne d'être appelé ton fi...* »

A ce moment, la douleur de Jacques fut plus forte que sa volonté : il fondit en larmes.

L'abbé changea de ton :

— « Je savais bien que tu n'étais pas gâté jusqu'au fond du cœur, mon enfant. J'ai dit ce matin ma messe pour toi. Eh bien, va comme l'Enfant prodigue, va-t'en trouver ton père, et il sera touché de compassion. Et il dira, lui aussi : *Réjouissons-nous, car mon fi, que voici, était perdu, mais il est retrouvé!* »

Alors Jacques se souvint que le lustre du vestibule était illuminé pour son retour, que M. Thibault avait gardé sa redingote; et l'idée qu'il avait peut-être déçu les préparatifs d'une fête l'attendrit davantage.

— « Je veux te dire encore autre chose », reprit le prêtre, en caressant la petite tête rousse. « Ton père a pris à ton sujet une grave détermination... » Il hésita, et tout en choisissant ses mots, il passait et repassait la main sur les oreilles décollées, qui pliaient le long de la joue et se redressaient comme des ressorts, et devenaient brûlantes; Jacques n'osait bouger. « ...une détermination que j'approuve », appuya l'abbé, posant son index sur ses lèvres et cherchant avec insistance le regard du petit. « Il veut t'envoyer quelque temps loin de nous. »

— « Où? » s'écria Jacques, d'une voix étranglée.

— « Il te le dira, mon enfant. Mais, quoi que tu puisses en penser d'abord, il faut accepter cette sanction d'un

cœur contrit, comme une mesure prise pour ton bien.
Peut-être, au début, sera-ce un peu dur quelquefois de
te trouver des heures entières isolé en face de toi-même :
souviens-toi, à ces moments-là, qu'il n'y a pas de solitude
pour un bon chrétien, et que Dieu n'abandonne pas ceux
qui mettent leur confiance en lui. Allons, embrasse-moi,
et viens demander pardon à ton père. »

Quelques instants plus tard, Jacques rentrait dans sa
chambre, la figure tuméfiée par les larmes, le regard en
feu. Il s'avança vers la glace et se dévisagea férocement
jusqu'au fond des yeux, comme s'il lui fallait l'image
d'un être vivant à qui hurler sa haine, sa rancune. Mais
il entendit marcher dans le couloir : sa serrure n'avait
plus de clef : il entassa une barricade de chaises contre
la porte. Puis, se précipitant à sa table, il griffonna
quelques lignes au crayon, enfouit le feuillet dans une
enveloppe, écrivit l'adresse, mit un timbre, et se leva. Il
était comme égaré. A qui confier cette lettre? Il n'avait
autour de lui que des ennemis! Il entrouvrit la fenêtre.
Le matin était gris; la rue déserte. Mais, là-bas, une
vieille dame et un enfant venaient sans se presser.
Jacques laissa tomber la lettre, qui tournoya, tournoya,
et vint se poser sur le trottoir. Il recula précipitamment.
Lorsqu'il hasarda de nouveau la tête au dehors, la lettre
avait disparu; la dame et l'enfant s'éloignaient.

Alors, à bout de forces, il poussa un gémissement de
bête au piège, et se rua sur son lit, s'arc-boutant des pieds
au bois, les membres secoués de colère impuissante, mordant l'oreiller pour étouffer ses cris : il lui restait juste
assez de conscience pour vouloir priver les autres du
spectacle de son désespoir.

Dans la soirée, Daniel reçut le billet suivant :

    « Mon am,
« Mon Amour unique, la tendresse, la beauté de ma
vie!
    « Je t'écris ceci comme un testament.
    « Ils me séparent de toi, ils me séparent de tout, ils

vont me mettre dans un endroit, je n'ose pas te dire quoi, je n'ose pas te dire où! J'ai honte pour mon père!

« Je sens que je ne te reverrai jamais plus, toi mon Unique, toi qui seul pouvais me rendre bon.

« Adieu, mon ami, adieu!

« S'ils me rendent trop malheureux et trop méchant, je me suiciderai. Tu leur diras alors que je me suis tué exprès, à cause d'eux! Et pourtant, je les aimais!

« Mais ma dernière pensée au seuil, de l'au-delà, aura été pour toi, mon ami!

« Adieu! »

Juillet 1920-mars 1921.

DEUXIÈME PARTIE

Depuis ce jour de l'année dernière où Antoine avait ramené les deux écoliers fugitifs, il n'était jamais retourné chez Mme de Fontanin; mais la femme de chambre le reconnut, et, bien qu'il fût neuf heures du soir, l'introduisit sans façons.

Mme de Fontanin se tenait dans sa chambre, et ses deux enfants auprès d'elle. Assise devant la cheminée, le buste droit, sous la lampe, elle lisait un livre à haute voix; Jenny, tapie au fond d'une bergère, tortillait sa natte, et, les yeux fixés sur le feu, écoutait; Daniel, à l'écart, les jambes croisées, un carton sur le genou, achevait un croquis de sa mère, au fusain. Sur le seuil, Antoine, une seconde arrêté dans l'ombre, sentit combien sa venue était intempestive; mais il n'était plus temps de reculer.

L'accueil de Mme de Fontanin fut un peu froid; elle semblait surtout étonnée. Laissant là les enfants, elle conduisit Antoine dans le salon; et dès qu'elle eut compris ce qui l'amenait, elle se leva pour chercher son fils.

Daniel paraissait maintenant avoir dix-sept ans, bien qu'il en eût quinze : une ombre de moustache accusait la ligne de la bouche. Antoine, intimidé, regardait le jeune homme bien en face, de son air un peu provocant, qui semblait dire : « Moi, vous savez, je vais au but sans détours. » Et, comme autrefois, un secret instinct lui faisait exagérer un peu cette allure de franchise, dès qu'il se trouvait en présence de Mme de Fontanin.

— « Voici », fit-il. « C'est pour vous que je viens. Notre rencontre, hier, m'a fait réfléchir. » Daniel parut surpris.

« Oui », reprit Antoine, « nous avons à peine échangé quelques mots, vous étiez pressé, moi aussi; mais il m'a semblé... Je ne sais comment dire... Et puis, vous ne m'avez demandé aucune nouvelle de Jacques : j'en ai conclu qu'il vous écrivait. N'est-ce pas? Je soupçonne même qu'il vous écrit des choses, des choses que, moi, je ne sais pas et que j'ai besoin de savoir. Non, attendez, écoutez-moi. Jacques a quitté Paris depuis juin dernier; nous allons être en avril; cela fait bientôt neuf mois qu'il est là-bas. Je ne l'ai pas revu, il ne m'a pas écrit; mais mon père le voit souvent : il me dit que Jacques se porte bien, travaille; que l'éloignement, la discipline ont déjà produit d'excellents effets. Se trompe-t-il? Le trompe-t-on? Depuis notre rencontre d'hier, je suis inquiet tout à coup. L'idée m'est venue qu'il est peut-être malheureux, là où il est, et que, n'en sachant rien, je ne puis lui venir en aide; cette idée m'est intolérable. Alors j'ai pensé à venir vous trouver, franchement. Je fais appel à votre affection pour lui. Il ne s'agit pas de trahir des confidences. Mais, à vous, il doit écrire ce qui se passe là-bas. Vous êtes le seul qui puissiez me rassurer, — ou me faire intervenir. »

Daniel écoutait, impassible. Son premier mouvement avait été de se refuser à cet entretien. Il tenait la tête levée et fixait sur Antoine son regard que le trouble durcissait. Puis, embarrassé, il se tourna vers sa mère. Elle le considérait, curieuse de ce qu'il allait faire. L'attente se prolongeait. Elle sourit enfin :

— « Dis la vérité, mon grand », fit-elle, avec un geste aventureux de la main. « On ne se repent jamais de ne pas mentir. »

Alors Daniel, avec le même geste, avait pris le parti de parler. Oui, il avait reçu de temps à autre des lettres de Thibault; lettres de plus en plus courtes, de moins en moins explicatives. Daniel savait bien que son camarade était pensionnaire chez un brave professeur de province, mais où? Ses enveloppes étaient timbrées d'un wagon postal, sur le réseau du Nord. Une sorte de four-à-bachot, peut-être?

Antoine s'efforçait de ne pas laisser paraître sa stu-

péfaction. Avec quel souci Jacques dissimulait la vérité
à son plus intime ami! Pourquoi? Par honte? La même,
sans doute, qui poussait M. Thibault à maquiller aux
yeux du monde la colonie pénitentiaire de Crouy, où il
avait incarcéré son fils, en une « institution religieuse au
bord de l'Oise »? Le soupçon que peut-être ces lettres
étaient dictées à son frère, traversa soudain l'esprit d'Antoine. On le terrorisait peut-être, ce petit? Il se souvint
d'une campagne entreprise par un journal révolution-
naire de Beauvais, et des terribles accusations portées
contre l'*Œuvre de Préservation sociale* : mensonges dont
M. Thibault avait fait justice, au cours d'un procès en
diffamation qu'il avait gagné sur toute la ligne; mais
enfin?

Antoine ne s'en rapportait vraiment qu'à lui-même :
— « Vous ne voulez pas me montrer une de ces
lettres? » demanda-t-il. Et voyant Daniel rougir, il
s'excusa par un sourire tardif : « Une seule, pour voir?
N'importe laquelle... »

Sans répondre, sans consulter sa mère des yeux, Daniel se leva et sortit de la pièce.

Resté seul avec Mme de Fontanin, Antoine retrouva
des impressions qu'il avait éprouvées jadis : dépaysement,
curiosité, attirance. Elle regardait devant elle et semblait
ne penser à rien. Mais on eût dit que sa présence suffisait à activer la vie intérieure d'Antoine, sa perspicacité.
Autour de cette femme l'air possédait une conductibilité
particulière. En ce moment, sans pouvoir s'y méprendre,
Antoine y sentait flotter une désapprobation. Il ne se
trompait guère. Sans blâmer précisément Antoine, ni
M. Thibault, puisqu'elle ignorait le sort de Jacques,
mais se souvenant de son unique visite rue de l'Université, elle avait l'impression que, souvent, ce qui se faisait
là, n'était pas bien. Antoine la devinait, l'approuvait
presque. Certes, si quelqu'un se fût permis de critiquer
la conduite de son père, il se fût récrié; mais, à cet instant
et dans le fond de lui-même, il était, avec Mme de Fontanin, contre M. Thibault. L'an dernier déjà, — et il ne
l'avait pas oublié, — lorsqu'il avait pour la première fois
traversé cette atmosphère où baignaient les Fontanin,

l'air familial, au retour, lui avait été plusieurs jours irrespirable.

Daniel revint. Il tendit à Antoine une enveloppe
d'aspect misérable.

— « C'est la première. C'est la plus longue », dit-il;
et il fut s'asseoir.

> « Mon cher Fontanin,
>
> « Je t'écris de ma nouvelle maison. Toi, ne cherche pas
> à m'écrire, c'est absolument défendu ici. A part cela,
> tout est très bien. Mon professeur est bien, il est gentil
> pour moi et je travaille beaucoup. J'ai un tas de cama-
> rades très gentils aussi. D'ailleurs mon père et mon frère
> viennent me voir le dimanche. Tu vois donc que je suis
> très bien. Je t'en prie, mon cher Daniel, au nom de notre
> amitié, ne juge pas sévèrement mon père, tu ne peux pas
> tout comprendre. Moi, je sais qu'il est très bon, et il a
> bien fait de m'éloigner de Paris où je perdais mon temps
> au lycée, j'en conviens moi-même maintenant, et je suis
> content. Je ne te donne pas mon adresse, pour être sûr
> que tu ne m'écriras pas, car ici ce serait terrible pour
> moi.
>
> « Je t'écrirai encore quand je pourrai, mon cher Da-
> niel.
>
> > « JACQUES. »

Antoine relut deux fois ce billet. S'il n'eût reconnu à
certains signes l'écriture de son frère, il eût douté que
la lettre fût de Jacques. L'adresse de l'enveloppe était
d'une autre main : une écriture de paysan, lâche, hésitante, malpropre. Forme et fond le déconcertaient également. Pourquoi ces mensonges? *Mes camarades!* Jacques
vivait en cellule, dans ce fameux « pavillon spécial » que
M. Thibault avait créé au pénitencier de Crouy pour les
enfants de bonne famille, et qui était toujours vide; il ne
parlait à aucun être vivant, si ce n'est au domestique
chargé de lui porter ses repas ou de le conduire en promenade, et au professeur, qui venait de Compiègne lui
donner deux ou trois leçons par semaine. *Mon père et
mon frère viennent me voir!* M. Thibault se rendait offi-

ciellement à Crouy le premier lundi de chaque mois
pour y présider le Conseil de Direction, et, ce jour·là
en effet, avant de repartir, il faisait comparaître quelques
instants son fils au parloir. Quant à Antoine, il avait bien
manifesté le désir d'aller faire visite à son frère à l'époque
des grandes vacances, mais M. Thibault s'y était opposé :
« Dans le régime de ton frère, » disait-il, « l'important,
c'est la régularité de l'isolement. »

Les coudes sur les genoux, il tournait le papier entre
ses doigts. Il avait pour longtemps perdu le repos. Il se
sentit tout à coup si désemparé, si seul, qu'il fut sur le
point de tout confier à cette femme éclairée qu'un bon
hasard mettait sur sa route. Il leva les yeux vers elle :
les mains sur sa jupe, la figure pensive, elle semblait
attendre. Son regard était pénétrant :

— « Si nous pouvions vous aider à quelque chose? »
murmura-t-elle en souriant à demi. La blancheur de ses
cheveux légers faisait plus jeunes encore ce sourire et
tout son visage.

Cependant, au moment de s'abandonner, il hésita.
Daniel le contemplait de son air juste. Antoine craignit
de paraître irrésolu, et plus encore de donner à Mme de
Fontanin une fausse image de l'homme énergique qu'il
était. Mais il se donna une meilleure raison : ne pas divul-
guer le secret que Jacques prenait tant de soin à cacher.
Et, sans tergiverser davantage, se méfiant de lui-même,
il se leva pour partir, la main tendue, avec ce masque
fatal qu'il prenait volontiers et qui semblait dire à tous :
« Ne m'interrogez pas. Vous me devinez. Nous nous
comprenons. Adieu. »

Dehors, il se mit à marcher devant lui. Il se répétait :
« Du sang-froid. De la décision. » Cinq ou six années
d'études scientifiques l'obligeaient à raisonner avec une
apparence de logique : « Jacques ne se plaint pas, donc
Jacques n'est pas malheureux. » Et il pensait exactement
le contraire. Il se rappelait avec obsession cette campagne de presse menée jadis contre le pénitencier; il se
rappelait surtout un article intitulé *Bagnes d'enfants*, où
l'on décrivait par le menu la misère matérielle et morale

des pupilles, mal nourris, mal logés, soumis aux punitions
corporelles, abandonnés souvent à la brutalité des gar-
diens. Un geste de menace lui échappa : coûte que coûte,
il tirerait le pauvre enfant de là ! Un beau rôle à jouer ! Mais
comment ? Prévenir son père, discuter, il n'en était pas
question : en fait, c'était contre son père, contre l'Œuvre
fondée, administrée par lui, qu'Antoine s'insurgeait. Ce
mouvement de révolte filiale était si nouveau pour lui qu'il
en éprouva d'abord quelque gêne, puis de l'orgueil.

Il se souvint de ce qui s'était passé, l'an dernier, le
lendemain du retour de Jacques. Dès la première heure,
M. Thibault avait fait appeler Antoine dans son cabinet.
L'abbé Vécard venait d'arriver. M. Thibault criait : « Ce
vaurien ! Broyer sa volonté ! » Il ouvrait devant lui sa
grosse main velue et la refermait lentement, en faisant
craquer les jointures. Puis il avait dit, avec un sourire
satisfait : « Je crois tenir la solution. » Et après une pause,
soulevant enfin les paupières, il avait lancé : « Crouy. » —
« Jacques au pénitencier ? » s'était écrié Antoine. La
discussion avait été vive. « Il s'agit de broyer sa volonté »,
répétait M. Thibault, en faisant craquer ses phalanges.
L'abbé hésitait. Alors M. Thibault avait exposé le
régime particulier auquel serait soumis Jacques, et qui
semblait, à l'entendre, bienfaisant et paternel. Puis il avait
conclu, d'une voix pleine, en marquant les virgules :
« Ainsi, mis à l'abri des tentations pernicieuses, purgé
de ses mauvais instincts par la solitude, ayant pris goût
au travail, il atteindra sa seizième année, et je veux espérer qu'alors il pourra sans danger reprendre auprès de
nous la vie familiale. » L'abbé acquiesçait : « L'isolement
produit des cures merveilleuses », insinuait-il. Antoine,
ébranlé par l'argumentation de M. Thibault, par l'approbation du prêtre, avait fini par penser qu'ils avaient raison. Ce consentement, il ne le pardonnait aujourd'hui ni
à lui-même, ni à son père.

Il marchait vite, sans regarder son chemin. Devant le
Lion de Belfort, il fit volte-face et repartit à grands pas,
allumant cigarette sur cigarette et jetant sa fumée au vent
du soir. Il fallait frapper un coup droit : filer à Crouy,
apparaître en justicier...

Une femme l'accosta, lui glissa quelques mots d'une voix câline. Il ne répondit rien et continua à descendre le boulevard Saint-Michel. « En justicier! » répétait-il. « Démasquer la fourberie des directeurs, la cruauté des gardes-chiourme, faire un esclandre, ramener le petit! »

Mais son élan était coupé. Son esprit suivait une double piste : en marge du grand projet, un caprice avait surgi. Il traversa la Seine : il savait bien où sa distraction le menait. Et pourquoi non? N'était-il pas trop énervé pour rentrer dormir? Il aspira l'air, tendit le buste, sourit. « Etre fort, être un homme », pensa-t-il. Tandis qu'il s'engageait allégrement dans la ruelle obscure, un souffle généreux le souleva de nouveau : sa résolution lui apparut, en raccourci, lumineuse, déjà triomphante; sur le point d'exécuter l'un des deux desseins qui depuis un quart d'heure se disputaient son attention, l'autre, du coup, lui semblait presque réalisé; et ce fut en poussant d'un geste familier la porte à vitraux, qu'il précisa :

— « Demain, samedi, impossible de lâcher l'hôpital. Mais dimanche. Dimanche matin je serai au pénitencier! »

II

Le rapide du matin ne s'arrêtant pas à Crouy, Antoine avait dû descendre à Venette, la dernière station avant Compiègne. Il sauta du train avec une animation extrême. Durant le trajet, malgré l'examen qu'il avait à passer la semaine suivante, il n'avait pu fixer son esprit sur les livres de médecine qu'il avait emportés. L'heure décisive approchait. Depuis deux jours son imagination lui représentait avec tant de précision l'accomplissement de cette croisade, qu'il pensait déjà avoir mis fin à l'incarcération de Jacques, et ne songeait plus qu'à reconquérir son affection.

Il y avait deux kilomètres à parcourir sur une belle route plane, égayée de soleil. Pour la première fois de l'année, après des semaines pluvieuses, le printemps semblait s'offrir enfin, dans le frais parfum de cette matinée de mars. Antoine regardait avec ravissement de chaque côté du chemin les champs hersés, déjà verdissants, et, sous le ciel clair de l'horizon où s'étiraient de légères vapeurs, les coteaux de l'Oise étincelants de lumière. Il eut un instant la faiblesse de souhaiter s'être trompé; tant de calme l'environnait, tant de pureté! Etait-ce là le cadre d'un bagne d'enfants?

Il fallait traverser le village de Crouy en son entier avant d'arriver à la colonie pénitentiaire. Et tout à coup, au tournant des dernières maisons, il reçut un choc : sans l'avoir jamais vu, il reconnaissait de loin, isolé comme un cimetière neuf dans sa ceinture de murs crépis, au milieu d'une plaine crayeuse dénuée de toute végétation, le grand bâtiment couvert de tuiles, et ses rangées de fenêtres à barreaux, et son cadran qui luisait au soleil.

On eût dit une prison, si l'inscription philanthropique, gravée dans la pierre au-dessus du premier étage, ne se fût pas détachée en lettres d'or :

FONDATION OSCAR THIBAULT

Il s'engagea dans l'allée sans arbres qui menait au pénitencier. Les petites fenêtres regardaient de loin venir le visiteur. Il s'approcha du portail et tira la cloche qui tinta dans le silence dominical. Le battant s'ouvrit. Un molosse fauve, enchaîné à sa niche, aboya avec fureur. Antoine pénétra dans la cour : un jardinet plutôt, une pelouse entourée de graviers, et qui s'arrondissait devant le casernement principal. Il se sentait observé et n'apercevait aucun être vivant, si ce n'est le chien, qui, tirant sur sa chaîne, ne cessait de donner de la voix. A gauche de l'entrée s'élevait une petite chapelle surmontée d'une croix de pierre; à droite, une construction basse, sur laquelle il lut : *Administration.* C'est vers ce pavillon qu'il se dirigea. La porte fermée s'ouvrit au moment où il atteignait le perron. Le chien aboyait toujours. Il entra. Un vestibule carrelé, peint en ocre et garni de chaises neuves, comme un parloir de couvent. La pièce était surchauffée. Un buste en plâtre de M. Thibault, grandeur naturelle, mais qui sur ce mur bas prenait des proportions colossales, décorait le panneau de droite; un humble crucifix de bois noir, orné de buis, essayait de lui faire pendant sur le mur opposé. Antoine restait debout, dans une pause défensive. Ah non, il ne s'était pas trompé! Tout puait la prison!

Enfin, dans le mur du fond, un guichet s'ouvrit : un surveillant passa la tête. Antoine lui jeta sa carte avec celle de son père, et demanda, d'un ton sec, à parler au directeur.

Près de cinq minutes s'écoulèrent.

Antoine, exaspéré, s'apprêtait à pénétrer plus avant dans la maison, lorsqu'un pas léger glissa dans le couloir : un jeune homme à lunettes, vêtu de flanelle havane, tout blond, tout rond, accourait vers lui, sautillant sur ses babouches, avec un visage radieux et les deux mains tendues :

— « Bonjour, docteur! La bonne surprise! C'est votre frère qui va être ravi! Je vous connais bien, M. le Fondateur parle souvent de son grand fils médecin! D'ailleurs, il y a un air de famille... Si fait », fit-il en riant, « je vous assure! Mais entrez dans mon bureau, je vous en prie. Et excusez-moi. Je suis M. Faîsme, le directeur. »

Il poussait Antoine vers le cabinet directorial, traînant les pieds et le suivant de près, les bras levés, les mains ouvertes, comme s'il eût craint qu'Antoine ne fît un faux pas et qu'il eût voulu pouvoir le rattraper au vol.

Il obligea Antoine à s'asseoir et prit place à son bureau.

— « M. le Fondateur est en bonne santé? » questionnat-il de sa voix flûtée. « Il ne vieillit pas, il est extraordinaire! Quel dommage qu'il n'ait pas pu vous accompagner! »

Antoine inspectait les lieux d'un regard méfiant, et considérait sans complaisance cette figure de Chinois blond et ces lunettes d'or derrière lesquelles deux petits yeux bridés papillotaient sans cesse avec une expression joyeuse. Mal préparé à cet accueil volubile, et fort dérouté de trouver, sous l'aspect souriant d'un jeune homme en pyjama, ce directeur de bagne, qu'il imaginait sous les traits rébarbatifs d'un gendarme en civil, tout au plus d'un principal de collège, il eut besoin de faire un effort pour reprendre son aplomb.

— « Sapristi! » s'écria soudain M. Faîsme, « mais c'est que vous arrivez juste pendant la grand-messe! Tous nos enfants sont à la chapelle; votre frère aussi. Comment faire? » Il consulta sa montre. « Vingt minutes encore, une demi-heure peut-être, si les communions sont nombreuses. Et c'est possible. M. le Fondateur a dû vous le dire : nous possédons la crème des aumôniers, un prêtre jeune, allant, d'une adresse incomparable! Depuis qu'il est ici, les sentiments religieux de la Fondation sont transformés. Mais quel dommage, comment faire? »

Antoine se leva sans aménité. Le but de son enquête restait bien présent à son esprit.

— « Puisque vos locaux sont pour l'instant inoccupés »,

dit-il en regardant le petit homme, « serait-il indiscret de visiter la colonie? Je serais curieux de voir les choses de près; j'en entends si souvent parler depuis mon enfance... »

— « Vraiment? » fit l'autre surpris. « Rien n'est plus facile », reprit-il, mais il ne bougea pas de son siège. Il souriait, et, sans cesser de sourire, parut rêver un instant. « Oh, vous savez, la bâtisse n'a rien d'intéressant. C'est ni plus ni moins une petite caserne : et cela dit, vous la connaissez aussi bien que moi. »

Antoine restait debout.

— « Non, cela m'intéressait », déclara-t-il. Et comme le directeur l'examinait de ses petits yeux plissés, avec une expression amusée et incrédule : « Je vous assure », insista-t-il.

— « Eh bien, docteur, très volontiers. Le temps de passer un veston, des bottines, et je suis à vous. »

Il disparut. Antoine entendit un coup de sonnette. Puis une cloche, dans la cour, tinta cinq fois. « Ah, ah », pensa-t-il, « on donne l'alarme, l'ennemi est dans la maison! » Il ne pouvait rester assis. Il s'approcha de la croisée, mais les vitres étaient dépolies. « Du calme », se disait-il. « Ouvrir l'œil. Se faire une certitude. Agir. C'est mon affaire. »

M. Faîsme reparut enfin.

Ils descendirent.

— « Notre cour d'honneur! » présenta pompeusement le directeur; et il rit avec indulgence. Puis il courut au molosse qui recommençait à aboyer, et lui décocha dans le flanc un coup de pied brutal, qui fit rentrer l'animal dans sa niche.

— « Etes-vous un peu horticulteur? Mais si, un médecin ça se connaît en plantes, sapristi! » Il s'arrêtait avec complaisance au milieu du jardinet. « Conseillez-moi. Comment cacher ce pan de mur? Du lierre? Il faudra des années... »

Antoine, sans répondre, l'entraîna vers le bâtiment central. Ils parcoururent le rez-de-chaussée. Antoine marchait devant, l'œil tendu, ouvrant d'autorité la moindre porte close; rien ne lui échappait. Les murs

étaient blanchis dans leur partie haute et badigeonnés
de goudron noir jusqu'à deux mètres du sol. Toutes les
fenêtres étaient, comme celle du directeur, en carreaux
dépolis, et renforcées de barreaux. Antoine voulut tirer
l'une d'elles; mais il fallait une clef spéciale; le directeur
sortit l'outil de son gousset et fit jouer la croisée; Antoine
remarqua l'adresse de ses petites mains jaunes et potelées. Il plongea son regard de policier dans la cour
intérieure : elle était déserte : une grande esplanade
rectangulaire, en boue piétinée et séchée, sans un arbre
et enclose entre de hautes murailles hérissées de tessons.

M. Faîsme, avec entrain, détaillait la destination des
locaux : salles d'étude, ateliers de menuiserie, de serru-
rerie, d'électricité, etc. Les pièces étaient petites, proprement tenues. Dans les réfectoires, des garçons de
service achevaient d'essuyer les tables de bois blanc;
une odeur aigre montait des éviers placés dans les angles.

— « Chaque pupille vient là, à la fin du repas, laver
sa gamelle, son gobelet et sa cuillère. Jamais de couteaux,
bien entendu ni même de fourchettes... » Antoine le
regardait sans comprendre. Il ajouta, en clignant des
yeux : « Rien de pointu... »

Au premier étage, se succédaient d'autres salles
d'étude, d'autres ateliers, et une installation de douches,
qui ne devait pas servir souvent mais dont le directeur
semblait particulièrement fier. Il allait et venait gaiement
d'une pièce dans l'autre, les bras écartés, les mains en
avant, et, tout en parlant, d'un geste machinal, il repous-
sait un établi contre le mur, ramassait un clou à terre,
fermait à bloc un robinet, rangeait tout ce qui n'était
pas à sa place.

Au second, s'ouvraient les dortoirs. Ils étaient de
deux sortes. La plupart contenaient une dizaine de
couchettes alignées sous des couvertures grises, et ils
eussent, avec leurs planches à paquetages, ressemblé à
de petites chambrées militaires, sans une sorte de cage
de fer, munie d'un fin grillage, et qui en occupait le
centre.

— « Vous en enfermez là-dedans? » questionna Antoine.

M. Faîsme leva les bras d'une manière terrifiée et comique, puis se mit à rire.

— « Mais non! C'est là que couche le surveillant. Vous voyez : il place son lit bien au milieu, à égale distance des parois; il voit tout, entend tout, et ne risque rien. D'ailleurs, il a sa sonnerie d'alerte, dont les fils passent sous le plancher. »

D'autres dortoirs se composaient de logettes juxtaposées, en maçonnerie, fermées de grilles comme les stalles d'une ménagerie. M. Faîsme s'était arrêté sur le seuil. Son sourire prenait parfois une expression désabusée, pensive, qui prêtait un instant à sa figure poupine la mélancolie de certains bouddhas.

— « Ah, docteur », expliqua-t-il, « ici, ce sont nos *terribles!* Ceux qui sont arrivés chez nous trop tard pour être sérieusement amendés : ce n'est pas la crème... Il y en a d'un peu vicieux, pas vrai? On est bien obligé de les tenir isolés la nuit. »

Antoine approcha le visage d'une des grilles. Il distingua dans l'ombre un grabat défait, des murs chargés de dessins obscènes et d'inscriptions. Il fit un mouvement de recul.

— « Ne regardez pas, c'est trop triste », soupira le directeur en l'entraînant. « Vous voyez, voici l'allée centrale où le surveillant va et vient toute la nuit. Ici, le surveillant ne se couche pas, et l'on n'éteint pas l'électricité. Malgré qu'ils soient bien verrouillés, ces petits polissons-là seraient capables d'un mauvais coup... Parfaitement! » Il secouait la tête, et brusquement se mit à rire en bridant les yeux : toute expression chagrine avait disparu. « On en voit de toutes sortes! » conclut-il avec naïveté, en haussant les épaules.

Antoine était trop intéressé par ce qu'il voyait, pour songer à toutes les questions qu'il avait préparées. Il dit cependant :

— « Comment les punissez-vous? Je désirerais aussi voir vos cachots. »

M. Faîsme recula d'un pas, ouvrit les yeux tout ronds, et battit légèrement des mains :

— « Sapristi, les cachots! Mais, docteur, vous vous

croyez à la Roquette! Non, non, pas de cachots ici, grâce
à Dieu! Nos statuts nous l'interdisent, et vous pensez
bien que M. le Fondateur n'y consentirait jamais! »
     Antoine, interloqué, subissait l'ironie des petits yeux
plissés dont les cils battaient derrière les lunettes. Il
commençait à être fort embarrassé du personnage soupçonneux qu'il était venu jouer. Rien de ce qu'il voyait ne
l'incitait à soutenir ce rôle. Il se demanda même, avec
un peu de confusion, si le directeur n'avait pas déjà
démasqué la méfiance qui l'avait attiré à Crouy; mais il
était difficile de le savoir, tant la candeur de M. Faîsme
semblait réelle, malgré les éclairs de malice qui fusaient
par instants aux coins de ses paupières.
     Le directeur cessa de rire, s'approcha d'Antoine et
lui mit la main sur le bras :
     — « Vous vouliez plaisanter, pas vrai? Vous savez
aussi bien que moi le résultat des sévérités excessives :
la révolte, ou, ce qui est pire encore, l'hypocrisie... M. le
Fondateur a prononcé sur ce sujet de bien belles paroles
au Congrès de Paris, l'année de l'Exposition... »
     Il avait baissé la voix et regardait le jeune homme avec
une sympathie particulière, comme si Antoine et lui
avaient constitué une élite, seule capable de discuter ces
problèmes de pédagogie sans tomber dans les erreurs
du commun. Antoine se sentit flatté, et son impression
favorable s'accentua.
     — « Nous avons bien, dans la cour, comme dans les
casernes, un petit bâtiment que l'architecte avait baptisé
sur le plan *Locaux disciplinaires*... »
     — « ? »
     — « ...mais nous n'y mettons que notre provision de
charbon, et nos pommes de terre. A quoi bon des cachots? » reprit-il. « On obtient tellement davantage par
la persuasion! »
     — « Vraiment? » fit Antoine.
     Le directeur eut un fin sourire, et mit de nouveau la
main sur l'avant-bras d'Antoine :
     — « Entendons-nous », avoua-t-il. « Ce que j'appelle
la persuasion, j'aime mieux vous en prévenir tout de
suite, c'est la privation de certains aliments. Nos petits

sont tous gourmands. C'est de leur âge, pas vrai? Le
pain sec, docteur, a des vertus persuasives absolument
insoupçonnées... Mais il faut savoir l'employer : il est
essentiel de ne pas isoler l'enfant que l'on veut convaincre.
Vous voyez comme nous sommes loin de l'isolement du
cachot! Non! C'est dans un coin du réfectoire qu'il
faut lui faire manger sa croûte de pain rassis, à l'heure
du meilleur repas, celui de midi, avec l'odeur du bon
ragoût qui fume, avec la vue des autres qui se régalent.
Voilà, ça c'est irrésistible! Pas vrai? On maigrit si vite,
à cet âge-là! Quinze jours, trois semaines, jamais plus :
je suis toujours venu à bout des plus récalcitrants. La
persuasion! » conclut-il en arrondissant les yeux. « Et
jamais je n'ai eu à sévir autrement; jamais je n'ai seulement levé la main sur un de ces petits qui me sont
confiés! »
Son visage rayonnait de fierté, de tendresse. Il avait
vraiment l'air de les aimer, ces garnements, même ceux
qui lui donnaient du fil à retordre.
Ils redescendirent les étages. M. Faîsme tira sa montre.
— « Laissez-moi, pour terminer, vous offrir un spectacle bien édifiant. Vous raconterez cela à M. le Fondateur, je suis sûr qu'il sera content. »
Ils traversèrent le jardin et pénétrèrent dans la chapelle. M. Faîsme offrit l'eau bénite. Antoine vit de dos
une soixantaine de gamins en bourgerons écrus, alignés
au cordeau, agenouillés sur le pavé, immobiles; quatre
surveillants moustachus, en drap bleu liséré de rouge,
allaient et venaient, sans quitter les enfants de l'œil.
Le prêtre, à l'autel, servi par deux pupilles, terminait
son office.
— « Où est Jacques? » souffla Antoine.
Le directeur indiqua la tribune sous laquelle ils
étaient, et, sur la pointe des pieds, regagna la porte.
— « Votre frère a toujours sa place en haut », dit
M. Faîsme dès qu'ils furent dehors. « Il y est seul,
c'est-à-dire avec le garçon attaché à son service. A ce
propos, vous pourrez annoncer à M. votre père que
nous avons mis auprès de Jacques le nouveau domestique dont nous lui avions parlé. Voici une huitaine de

jours déjà. L'autre, le père Léon, était un peu âgé et
sera mieux placé à la surveillance d'un atelier. Le nouveau est un jeune Lorrain; ah, c'est la crème des braves
gens : il sort du régiment : ordonnance du colonel;
nous avons eu sur lui des renseignements parfaits. Ce
sera moins ennuyeux pour votre frère pendant les promenades, pas vrai? Mais, sapristi, je bavarde, et les
voilà qui sortent. »

Le chien se mit à aboyer furieusement. M. Faîsme le
fit taire, assujettit ses lunettes, et se planta au centre
de la cour d'honneur.

La porte de la chapelle s'était ouverte à deux battants, et les enfants, par trois, flanqués des surveillants,
défilèrent au pas cadencé, comme pour une parade militaire. Ils étaient nu-tête et chaussés d'espadrilles qui donnaient à leur marche le pas feutré des sociétés de gym-
nastique; les bourgerons étaient propres et serrés à la
taille par un ceinturon de cuir dont la plaque brillait
au soleil. Les plus âgés accusaient dix-sept ou dix-huit
ans; les plus jeunes dix ou onze. La plupart avaient le
teint pâle, les yeux baissés, une physionomie calme,
sans jeunesse. Mais Antoine, qui les examinait de toute
son attention, ne surprit pas un coup d'œil équivoque,
pas un mauvais sourire, pas même une expression sournoise : ces enfants-là n'avaient pas l'air d'être des *ter-*
ribles; Antoine dut s'avouer à lui-même qu'ils ne semblaient pas davantage être des martyrs.

Lorsque la petite colonne eut disparu dans le
casernement, dont l'escalier de bois résonna longtemps, il se tourna vers M. Faîsme qui semblait l'interroger :

— « Tenue excellente », constata-t-il.

Le petit homme ne répondit pas; mais il roulait doucement l'une dans l'autre ses mains grassouillettes,
comme s'il les eût savonnées, et, derrière ses lunettes,
ses yeux, brillant d'orgueil, disaient merci.

Alors seulement, la cour étant déserte, sur les marches
ensoleillées de la chapelle, Jacques parut.

Etait-ce lui? Il avait tellement changé, tellement grandi,

qu'Antoine le regardait, presque sans le reconnaître. Il ne portait pas l'uniforme, mais un complet de drap, un chapeau de feutre, un manteau jeté sur les épaules; et il était suivi par un garçon d'une vingtaine d'années, trapu, blond, qui n'avait pas la livrée des surveillants. Ils descendirent le perron. Ni l'un ni l'autre ne paraissaient avoir aperçu le groupe formé par Antoine et le directeur. Jacques marchait tranquillement, les yeux à terre, et ce fut seulement à quelques mètres de M. Faîsme, que, levant la tête, il s'arrêta, prit un air étonné, et se découvrit aussitôt. Son geste était parfaitement naturel; cependant Antoine eut le soupçon que cet étonnement était joué. D'ailleurs le visage de Jacques restait calme, et, bien qu'il fût souriant, ne témoignait aucune joie véritable. Antoine s'avança la main tendue; lui aussi feignait sa joie.

— « Voilà une heureuse surprise, Jacques, n'est-ce pas? » s'écria le directeur. « Mais je vais vous gronder : il faut mettre votre pardessus et le boutonner, quand vous êtes à la chapelle; la tribune est froide, vous attraperiez du mal! »

Jacques s'était détourné de son frère dès qu'il avait entendu M. Faîsme s'adresser à lui, et il regardait le directeur au visage, avec une expression respectueuse mais surtout inquiète, comme s'il eût cherché à comprendre tout le sens que ses paroles pouvaient receler. Puis, immédiatement, sans répondre, il enfila son paletot.

— « Tu as rudement grandi, tu sais... » balbutia Antoine. Il examinait son frère avec stupéfaction, s'efforçant d'analyser ce changement complet d'aspect, d'allure, de physionomie, qui paralysait son élan.

— « Voulez-vous rester un peu dehors, il fait si doux? » proposa le directeur. « Jacques vous mènera chez lui quand vous aurez fait ensemble quelques tours de jardin? »

Antoine hésitait. Il interrogea son frère dans les yeux :

— « Veux-tu? »

Jacques n'eut pas l'air d'entendre. Antoine supposa

qu'il ne se souciait guère de rester là, sous les fenêtres du pénitencier.

— « Non », fit-il; « nous serons mieux dans ta... chambre, n'est-ce pas? »

— « A votre guise », s'écria le directeur. « Mais auparavant, je veux encore vous montrer quelque chose : il faut que vous ayez vu tous nos pensionnaires. Venez avec nous, Jacques. »

Jacques suivit M. Faîsme, qui, les bras écartés, riant comme un écolier farceur, poussait Antoine vers un appentis accoté au mur de l'entrée. Il s'agissait d'une douzaine de clapiers. M. Faîsme adorait l'élevage.

— « Cette portée-là est née lundi », expliquait-il avec ravissement, « et déjà, voyez, ils ouvrent les yeux, ces amours! Par ici, ce sont mes mâles. Tenez, celui-là, docteur », fit-il, plongeant son bras dans une cage et soulevant par les oreilles un gros argenté de Champagne qui se détendait à brusques coups de reins, « celui-là, voyez-vous, c'est un terrible! »

Il n'y mettait pas malice et riait de son rire candide. Antoine songea au dortoir de là-haut, avec ses clapiers barrés de fer.

M. Faîsme se retourna; il eut un sourire d'incompris :

— « Sapristi, je bavarde, et je vois bien que vous m'écoutez par pure politesse, pas vrai? Je vous conduis jusque chez Jacques, et je vous laisse. Passez, Jacques, montrez-nous le chemin. »

Jacques partit en avant. Antoine le rejoignit et mit une main sur son épaule. Il faisait un effort pour se représenter le petit être malingre, nerveux, bas sur pattes, qu'il avait été cueillir à Marseille l'an dernier.

— « Tu es aussi grand que moi, maintenant. »

De l'épaule, sa main remonta jusqu'à la nuque, pareille au maigre cou d'un oiseau. Tous les membres paraissaient étirés jusqu'à la fragilité : les poignets allongés dépassaient les manches; le pantalon découvrait presque les chevilles; la démarche avait une raideur, une gaucherie, et en même temps une élasticité, une jeunesse, tout à fait nouvelles.

Le pavillon aménagé pour les pupilles spéciaux formait une dépendance du bâtiment directorial; l'on n'y avait accès que par les bureaux. Cinq chambres identiques donnaient sur un couloir peint en ocre. M. Faîsme expliqua que Jacques étant le seul *spécial*, et les autres chambres étant sans emploi, le garçon affecté au service de Jacques couchait dans l'une, tandis que les autres servaient de fourre-tout.

— « Et voici la cellule de notre prisonnier », fit le directeur, en donnant de son doigt potelé une chiquenaude à Jacques, qui le regarda d'un air hébété, puis s'effaça pour le laisser entrer.

Antoine fit avidement l'inspection de la pièce. On eût dit une chambre d'hôtel, modeste mais bien tenue. Elle était tapissée d'un papier à fleurettes, et assez éclairée, quoique ce fût de haut, par deux impostes à vitres dépolies, garnies de grillage et de barreaux; ces fenêtres étaient situées sous le plafond, et, la pièce étant élevée, elles étaient à plus de trois mètres de terre. Le soleil n'y donnait pas, mais la chambre était chauffée, surchauffée même, par le calorifère de l'administration. Le mobilier se composait d'une armoire de pitchpin, de deux chaises cannées et d'une table noire où les livres et les dictionnaires étaient rangés en bataille. Le petit lit, carré, uni comme un billard, laissait voir des draps qui n'avaient pas encore servi. La cuvette posait sur un linge propre, et plusieurs serviettes immaculées pendaient à l'essuie-mains.

Ce coup d'œil minutieux acheva de jeter le trouble dans les dispositions d'Antoine. Tout ce qu'il voyait depuis une heure était exactement l'opposé de ce qu'il avait prévu. Jacques vivait très isolé des autres pupilles; on le traitait avec d'affectueux égards; le directeur était un brave garçon, aussi peu garde-chiourme que possible; tous les renseignements donnés par M. Thibault étaient exacts. Si opiniâtre que fût Antoine, il était bien obligé d'abandonner un à un ses soupçons.

Il surprit le regard du directeur posé sur lui.

— « Tu es vraiment bien installé », fit-il aussitôt, en se tournant vers Jacques.

Celui-ci ne répondit pas. Il retirait son pardessus et

son chapeau, que le domestique lui prit des mains et
alla suspendre au portemanteau.

— « Votre frère vous dit que vous êtes bien installé », répéta le directeur.

Jacques fit rapidement volte-face. Il avait un air poli,
bien élevé, que son frère ne lui avait jamais vu.

— « Oui, Monsieur le Directeur, très bien. »

— « N'exagérons pas », reprit l'autre en souriant.
« C'est très simple, nous veillons seulement à ce que
ce soit propre. D'ailleurs, c'est Arthur qu'il faut compli-
menter », ajouta-t-il en s'adressant au garçon. « Voilà un
lit fait comme pour une revue... »

Le visage d'Arthur s'illumina. Antoine, qui le regardait, ne put s'empêcher de lui faire un signe amical.
Il avait une tête ronde, des traits mous, des yeux pâles,
quelque chose de loyal et d'avenant dans le sourire,
dans le regard. Il était resté près de la porte, et tortillait
sa moustache, qui semblait presque incolore tant son
teint était hâlé.

« Voilà ce geôlier que j'imaginais déjà dans l'ombre
d'un caveau, muni d'une lanterne sourde et d'un trousseau de clefs », se disait Antoine; et, riant malgré lui
de lui-même, il s'approcha des livres et les examina
gaiement.

— « Salluste? Tu fais des progrès en latin? » demanda-t-il, tandis qu'un sourire moqueur s'attardait
sur son visage.

Ce fut M. Faîsme qui répondit.

— « J'ai peut-être tort de le dire devant lui », fit-il,
en feignant d'hésiter et en clignant des yeux vers Jacques.
« Cependant, il faut reconnaître que son professeur est
satisfait de son application. Nous travaillons nos huit
heures par jour », continua-t-il plus sérieusement. Il alla
vers le tableau noir accroché au mur, et, tout en parlant,
le redressa. « Mais cela ne nous empêche pas de faire
chaque jour, quel que soit le temps, — Monsieur votre
père y tient beaucoup, — une grande marche de deux
heures, avec Arthur. Ils ont de bonnes jambes l'un et
l'autre, je les laisse libres de varier les itinéraires. Avec
le vieux Léon, c'était autre chose; je crois qu'ils ne

faisaient pas beaucoup de chemin; en revanche, ils faisaient la cueillette des simples, le long des haies. Pas
vrai? Il faut vous dire que le père Léon a été garçon
pharmacien dans son jeune temps et qu'il connaît un
tas de plantes avec leurs noms latins. C'était très ins-
tructif. Mais je préfère leur voir faire de longues ran-
données dans la campagne, c'est meilleur pour la santé. »

Antoine s'était plusieurs fois tourné vers son frère
pendant que M. Faîsme parlait. On eût dit que Jacques
écoutait dans un rêve, et que, par instants, il dût faire
effort pour être attentif; alors une expression d'angoisse
vague entrouvrait ses lèvres et ses cils tremblaient.

— « Sapristi, je bavarde, je bavarde, et voilà si longtemps que Jacques n'a pas vu son grand frère! » s'écria
M. Faîsme, en reculant vers la porte avec de petits
gestes familiers. « Vous reprenez le train de onze heures? »
demanda-t-il.

Antoine n'y avait pas songé. Mais le ton de M. Faîsme
impliquait que cela ne faisait pas de doute, et Antoine
fut incapable de résister à cette offre d'évasion; malgré
tout, la tristesse du lieu, l'indifférence de Jacques, le
rebutaient; n'était-il pas fixé dès maintenant? Il n'avait
plus rien à faire ici.

— « Oui », fit-il; « je dois malheureusement rentrer
de bonne heure, pour la contre-visite... »

— « Ne le regrettez pas : c'est le seul train avant celui
du soir. A tout à l'heure! »

Les deux frères restèrent seuls. Il y eut un court moment de gêne.

— « Prends la chaise », dit Jacques, s'apprêtant à
s'asseoir sur le lit. Mais apercevant la seconde chaise, il
se ravisa et l'offrit à Antoine, en répétant sur un ton
naturel : « Prends la chaise », comme il eût dit : « Assieds-
toi. » Et lui-même s'assit.

Rien n'avait échappé à Antoine, qui, aussitôt soupçonneux, demanda :

— « Tu n'as qu'une chaise, d'habitude? »

— « Oui. Mais Arthur nous a prêté la sienne, comme les jours où j'ai leçon. »

Antoine n'insista pas.

— « Tu n'es vraiment pas mal logé », remarqua-t-il, jetant un nouveau coup d'œil autour de lui. Puis, montrant les draps propres, les serviettes :

— « On change souvent le linge? »

— « Le dimanche. »

Antoine parlait de ce ton bref et gai qui lui était habituel, mais qui, dans cette pièce sonore et devant l'attitude passive de Jacques, semblait mordante, presque agressive.

— « Figure-toi », dit-il, « je craignais, je ne sais pourquoi, que tu ne sois pas bien traité ici... »

Jacques le considéra avec surprise, et sourit. Antoine ne quittait pas son frère des yeux :

— « Alors, vrai, entre nous, tu ne te plains de rien? »

— « De rien. »

— « Tu ne veux pas que je profite de ma visite pour obtenir quelque chose du directeur? »

— « Quoi donc? »

— « Je ne sais pas, moi. Cherche. »

Jacques parut réfléchir, sourit à nouveau et secoua la tête :

— « Mais non. Tu vois, tout est très bien. »

Sa voix n'était pas moins transformée que le reste : une voix d'homme, chaude et grave, bien timbrée quoique sourde, et assez inattendue dans ce corps d'adolescent.

Antoine le regardait.

— « Comme tu es changé... On ne peut même pas dire que tu aies changé : tu n'es plus le même, plus du tout, en rien... »

Il ne détachait pas son regard de Jacques, cherchant à retrouver, dans cette physionomie nouvelle, les traits d'autrefois. C'étaient bien les mêmes cheveux roux, plus foncés un peu et tirant sur le brun, mais toujours rudes et plantés bas; c'était le même nez mince et mal formé, les mêmes lèvres gercées, qu'ombrait maintenant un impalpable duvet blond; c'était la même mâchoire, massive, encore élargie; et c'étaient les mêmes oreilles décollées qui semblaient tirer sur la bouche et la tenir allongée. Mais rien de tout cela ne ressemblait plus à l'enfant d'hier. « On dirait que le tempérament même a changé », songeait-il; « lui, si mobile, toujours tourmenté : et maintenant ce visage plat, dormant... Lui, si nerveux, c'est maintenant un lymphatique... »

— « Lève-toi un peu! »

Jacques se prêtait à l'examen avec un sourire complaisant qui n'éclairait pas le regard. Il y avait comme une buée sur ses prunelles.

Antoine lui palpait les bras, les jambes.

— « Ce que tu as grandi! Tu ne te sens pas fatigué par cette croissance rapide? »

L'autre secoua la tête. Antoine le tenait devant lui, par les poignets. Il remarquait la pâleur de la peau, sur laquelle les taches de rousseur faisaient un semis foncé; et aussi le léger cerne qui se creusait sous les paupières inférieures.

— « Pas fameux, le teint », reprit-il avec une nuance de sérieux; il fronça les sourcils, fut sur le point de dire autre chose, et se tut.

Tout à coup, la physionomie soumise, inexpressive de Jacques, lui rappela le soupçon qui l'avait effleuré lorsque Jacques avait paru dans la cour.

— « On t'avait prévenu que je t'attendais après la messe? » lança-t-il sans préambule.

Jacques le considérait sans comprendre.

— « Quand tu es sorti de la chapelle », insista Antoine, « tu savais que j'étais là? »

— « Mais non. Comment? » Il souriait avec un étonnement naïf.

Antoine battit en retraite; il murmura :

— « Je l'avais cru... On peut fumer? » reprit-il pour changer la conversation.

Jacques le regarda avec inquiétude; et comme Antoine lui présentait son étui :

— « Non. Pas moi », répondit-il. Et sa figure se rembrunit.

Antoine ne savait plus que dire. Comme toujours lorsque l'on désire prolonger l'entretien avec un inter-

locuteur qui répond à peine, il s'épuisait à poser des
questions :

— « Alors, vraiment », recommença-t-il, « tu n'as besoin de rien? Tu as tout ce qu'il te faut? »

— « Mais oui. »

— « Es-tu bien couché? As-tu assez de couvertures? »

— « Oh oui, j'ai même trop chaud. »

— « Ton professeur? Il est gentil avec toi? »

— « Très. »

— « Ça ne t'ennuie pas trop de travailler comme ça,
toujours seul? »

— « Non. »

— « Les soirées? »

— « Je me couche après mon dîner, à huit heures. »

— « Et tu te lèves? »

— « A six heures et demie, à la cloche. »

— « L'aumônier vient te voir quelquefois? »

— « Oui. »

— « Il est bien? »

Jacques leva sur Antoine son regard voilé. Il ne
comprenait pas la question, et ne répondit pas.

— « Et le directeur, il vient aussi? »

— « Oui, souvent. »

— « Il a l'air agréable. Il est aimé? »

— « Je ne sais pas. Oui, sûrement. »

— « Tu ne rencontres jamais les... autres? »

— « Jamais. »

A chaque question, Jacques, qui gardait les yeux
baissés, avait un léger tressaillement, comme s'il eût
eu un effort à faire pour sauter ainsi d'un sujet à un
autre.

— « Et la poésie? Est-ce que tu fais encore des vers? »
demanda Antoine sur un ton enjoué.

— « Oh non. »

— « Pourquoi? »

Jacques eut un hochement de tête, puis un sourire
placide qui ne s'effaça pas tout de suite. Il n'eût pas
différemment souri si Antoine lui eût demandé : « Est-ce
que tu joues encore au cerceau? »

Alors, Antoine, à bout de ressources, se décida à

parler de Daniel. Jacques ne s'y attendait pas : un peu de rougeur lui vint aux joues.

— « Comment veux-tu que j'aie de ses nouvelles? » répondit-il, « on ne reçoit pas de lettres, ici. »

— « Mais toi », poursuivit Antoine, « tu ne lui écris pas? »

Il tenait son frère sous son regard. L'autre eut le même sourire que tout à l'heure, lorsque Antoine avait parlé de poésie. Il haussa doucement les épaules :

— « C'est de la vieille histoire, tout ça... Ne m'en parle plus. »

Qu'entendait-il par là? S'il eût répondu : « Non, je ne lui ai jamais écrit », Antoine l'eût brusqué, l'eût confondu; et avec un secret plaisir, car la passivité de son frère commençait à l'agacer. Mais Jacques éludait la question, sur un ton ferme et triste qui paralysa Antoine. Au même moment, il crut remarquer que le regard de Jacques se fixait tout à coup derrière lui, du côté de la porte; et, dans l'état d'animosité réflexe où il se trouvait, tous ses soupçons l'envahirent de nouveau. Cette porte était vitrée, afin sans doute que l'on pût surveiller du dehors ce qui se passait dans la chambre; et, au-dessus de la porte, il y avait un judas grillagé sans carreau, qui permettait aussi d'entendre ce que l'on disait à l'intérieur.

— « Il y a quelqu'un dans le couloir? » fit Antoine brutalement, mais en baissant la voix.

Jacques le regarda comme s'il était devenu fou.

— « Comment, dans le couloir? Oui, quelquefois... Pourquoi? Je viens justement de voir passer le père Léon. »

A ce moment, on frappa : le père Léon venait faire la connaissance du grand frère. Il s'assit familièrement sur le coin de la table.

— « Eh bien, vous lui trouvez bonne mine, j'espère? A-t-il forci, hein, depuis l'automne? »

Il riait. Il avait une face de vieux grognard à moustaches tombantes, et son rire de bon vivant congestionnait ses pommettes, les couvrait de petits vermicelles rouges, qui se ramifiaient jusque dans le blanc de ses yeux, et troublaient son regard, dont l'expression, le plus souvent, était paternelle, mais malicieuse.

— « Ils m'ont remis aux ateliers », expliqua-t-il en balançant les épaules. « Moi qui étais si bien habitué avec M. Jacques ! Enfin », fit-il en s'en allant, « faut pas bouder sa vie... Mes salutations à M. Thibault, sans vous commander : de la part du père Léon, il me connaît bien, allez! »

— « Quel vieux brave homme », dit Antoine lorsqu'il fut sorti.

Il voulut renouer l'entretien :

— « Je peux lui faire parvenir une lettre de toi, si tu veux », reprit-il. Et comme Jacques ne comprenait pas : « Tu n'as pas envie d'écrire un mot à Fontanin ? »

Il s'obstinait à guetter sur ces traits tranquilles un indice d'émotion, un rappel du passé; en vain. Le jeune homme secouait la tête, sans sourire cette fois :

— « Non, merci. Je n'ai rien à lui dire. C'est de l'histoire ancienne. »

Antoine s'en tint là. Il était excédé. D'ailleurs le temps passait; il tira sa montre :

— « Dix heures et demie : dans cinq minutes, il faudra que je parte. »

Jacques sembla troublé tout à coup, désireux de dire quelque chose. Il interrogea son frère sur sa santé, sur l'heure du train, sur ses examens. Et lorsque Antoine se leva, il fut frappé de l'accent avec lequel Jacques soupira :

— « Déjà? Attends encore un peu... »

Antoine eut l'idée que l'enfant avait été déçu par sa froideur, et que peut-être cette visite lui avait causé plus de plaisir qu'il n'en avait laissé voir.

— « Tu es content que je sois venu? » murmura-t-il gauchement.

Jacques semblait absent, préoccupé; il tressaillit, s'étonna, et répondit, avec un sourire poli :

— « Mais oui, très content, je te remercie. »

— « Eh bien, je tâcherai de revenir; au revoir », fit Antoine, vexé. Il regardait encore une fois son cadet, bien en face; toute sa perspicacité était en éveil; sa tendresse aussi s'émut :

— « Je pense souvent à toi, mon petit », hasarda-t-il.
« Je crains toujours que tu ne sois pas heureux ici?... »
Ils étaient près de la porte. Antoine saisit sa main : « Tu
me le dirais, n'est-ce pas? »

Jacques prit un air gêné. Il se penchait, comme s'il
eût voulu faire une confidence. Il se décida enfin, très
vite :

— « Tu devrais donner quelque chose à Arthur, au
garçon... Il est si complaisant... » Et comme Antoine
hésitait, interdit : « Tu veux bien? »

— « Mais », fit Antoine, « ça ne va pas faire d'histoires? »

— « Non, non. En t'en allant, dis-lui au revoir, gen-
timent, et glisse-lui un petit pourboire... Tu veux? »
Son attitude était presque suppliante.

— « Bien sûr. Et toi, vraiment, réponds, tu n'as
envie de rien? Réponds... tu n'es pas malheureux? »

— « Mais non! » répliqua Jacques avec une imperceptible nuance d'humeur. Puis, baissant encore la
voix : « Combien lui donneras-tu? »

— « Je ne sais pas. Combien? Dix francs, est-ce bien?
Veux-tu vingt francs? »

— « Oh, oui, vingt francs! » fit Jacques, avec une
sorte de joie confuse. « Merci, Antoine. » Et il serra
très fort la main que son frère lui tendait.

Le garçon passait dans le couloir, comme Antoine
sortait de la chambre. Il accepta le pourboire sans hésiter, et sa figure franche, un peu enfantine encore, rougit
de plaisir. Il conduisit Antoine au bureau du directeur.

— « Onze heures moins le quart », constata M. Faîsme.
« Vous avez tout votre temps, mais il faut partir. »

Ils traversèrent le vestibule où trônait le buste de
M. Thibault. Antoine le considérait maintenant sans
ironie. Il comprenait ce qu'il y avait de légitime dans
l'orgueil que son père tirait de cette Œuvre, entièrement
créée par lui; il ressentit quelque fierté d'être son fils.

M. Faîsme l'accompagna jusqu'au portail, le char-
geant de tous ses respects pour M. le Fondateur; il ne
cessait de rire tout en parlant, plissant les yeux derrière

ses lunettes d'or, et il tenait la main d'Antoine familièrement enfermée entre les siennes, qui étaient douces et
potelées comme des mains de femme. Enfin Antoine se
dégagea. Le petit bonhomme restait sur la route, nu-
tête au soleil, les bras soulevés, riant toujours et dodeli-
nant la tête en signe d'amitié.

« Je me suis monté la tête comme une midinette », se
disait Antoine en marchant. « Cette boîte est bien tenue
et, somme toutes, Jacques n'y est pas malheureux. »
« Le plus bête », songea-t-il tout à coup, « c'est d'avoir
perdu mon temps à jouer au juge d'instruction, au lieu
de causer avec Jacques, en ami. » Il n'était pas loin de
croire que son frère l'avait vu partir sans regret. « C'est
un peu sa faute », pensa-t-il avec humeur; « il s'est
montré si indifférent! » Malgré tout il regrettait de ne
pas avoir mis plus de chaleur à faire les premières
avances.

Antoine vivait sans maîtresse, et se contentait des rencontres que lui offrait le hasard; mais son cœur de vingt-
quatre ans lui pesait quelquefois : il eût aimé prendre en
pitié un être faible, prêter à quelqu'un l'appui de sa force.
Son affection pour le petit augmentait à mesure qu'il
s'éloignait de lui. Quand le reverrait-il maintenant?
Pour un rien il fut revenu en arrière.

Il marchait le front baissé, à cause du soleil. Lorsqu'il
releva la tête, il vit qu'il s'était trompé de chemin. Des
enfants lui indiquèrent un raccourci à travers champs.
Il hâta le pas. « Si je manquais mon train », se dit-il par
jeu, « qu'est-ce que je ferais? » Il imagina son retour au
pénitencier. Il passerait la journée auprès de Jacques; il
lui raconterait ses craintes chimériques, son voyage en
cachette du père; il se montrerait confiant, camarade;
il rappellerait au petit la scène du fiacre, au retour de
Marseille, et comme il avait cru sentir ce soir-là qu'ils
pourraient devenir de vrais amis. Le désir de manquer
son train devint si impérieux qu'il ralentit sa marche, ne
sachant que décider. Tout à coup il entendit le sifflet de

la locomotive; un panache de fumée s'élevait, à sa gauche, au-dessus d'un bouquet d'arbres; et, sans plus réfléchir, il prit sa course. Il apercevait la gare. Il avait son billet en poche, n'avait qu'à sauter dans un wagon, fût-ce à contre-voie. Les coudes au corps, la tête en arrière, la barbe au vent, il aspirait l'air à pleins poumons; il était fier de ses muscles; il était sûr d'arriver.

Mais il avait compté sans le talus de la voie. Pour atteindre la station, la route faisait un crochet, passait sous un petit pont. Il eut beau accélérer l'allure, donner son maximum, il déboucha hors du pont lorsque le train, qui était en gare, s'ébranlait déjà. Il le manquait à cent mètres près.

Son orgueil était tel qu'il ne consentit pas à sa défaite. Il voulut l'avoir préférée : « Je pourrais encore sauter dans le fourgon, si je voulais », se dit-il en l'espace d'une seconde ; « mais alors, je ne pourrais plus choisir, je serais parti sans avoir revu Jacques. » Il s'arrêta, satisfait de lui.

Et aussitôt, ce qu'il avait imaginé tout à l'heure prit corps : déjeuner à l'auberge, retourner au pénitencier, consacrer la journée à son frère.

III

Il était moins d'une heure, lorsque Antoine se retrouva devant la Fondation Thibault. M. Faîsme sortait. Il fut si surpris qu'il demeura quelques secondes pétrifié, les yeux dansant derrière ses lunettes. Antoine conta sa mésaventure. Alors seulement M. Faîsme éclata de rire et redevint loquace.

Antoine s'offrit à promener Jacques tout l'après-midi.

— « Sapristi... », fit le directeur perplexe. « Notre règlement... »

Mais Antoine insista si bien qu'il obtint gain de cause.

— « Vous expliquerez le cas à M. le Fondateur... Je vais vous chercher Jacques. »

— « Je vous accompagne », dit Antoine.

Il s'en repentit : ils arrivaient mal à propos. A peine eut-il pénétré dans le couloir, qu'Antoine aperçut son frère, accroupi en belle vue dans le réduit que l'administration nommait *les vatères*, et dont la porte était maintenue grande ouverte par Arthur, qui fumait sa pipe, adossé au battant.

Antoine se hâta d'entrer dans la chambre. Le directeur se frottait les mains et semblait jubiler :

— « Vous voyez ? » s'écria-t-il; « les enfants dont nous avons la garde sont gardés, même là. »

Jacques revint. Antoine s'attendait à ce qu'il parût gêné; mais il se boutonnait tranquillement, et ses traits n'exprimaient rien, pas même l'étonnement de revoir Antoine. M. Faîsme expliqua qu'il autorisait Jacques à sortir avec son frère jusqu'à six heures. Jacques le regardait au visage, comme s'il cherchait à bien comprendre; mais il ne souffla mot.

— « Là-dessus je me sauve, excusez-moi », reprit

M. Faîsme, de sa voix flûtée. « Réunion de mon conseil municipal. Car je suis maire! » cria-t-il de la porte, en pouffant de rire, comme si c'eût été du dernier comique; et Antoine sourit, en effet.

Jacques s'habillait sans se presser. Avec une prévenance qu'Antoine remarqua, Arthur lui passait ses vêtements; il voulut même lustrer les bottines; Jacques se laissait faire.

La chambre avait perdu cet aspect très soigné, qui, le matin, avait agréablement surpris Antoine. Il en chercha la cause. Le plateau du déjeuner était resté sur la table : une assiette sale, un gobelet vide, des miettes de pain. Le linge propre avait disparu : un torchon, rude et taché, pendait au porte-serviettes; sous la cuvette, un bout de toile cirée, usé et sale; les draps blancs étaient remplacés par de gros draps écrus, fripés. Ses soupçons se réveillèrent soudain. Mais il ne posa aucune question.

Lorsqu'ils furent tous deux sur la route :

— « Où allons-nous? » fit Antoine gaiement. « Tu ne connais pas Compiègne? Il y a un peu plus de trois kilomètres, par le bord de l'Oise. Ça te va? »

Jacques accepta. Il semblait s'appliquer à ne contrarier son frère en rien.

Antoine passa son bras sous celui du cadet et prit son pas.

— « Qu'est-ce que tu dis du coup des serviettes? » fit-il. Il regardait Jacques en riant.

— « Le coup des serviettes? » répéta l'autre, qui ne comprenait pas.

— « Oui : ce matin, pendant qu'on me promenait dans tout l'établissement, on a eu le temps de mettre chez toi de beaux draps blancs, de belles serviettes neuves. Mais la malchance a voulu que je revienne quand on ne m'attendait plus, et... »

Jacques s'arrêta, avec un demi-sourire contraint :

— « On dirait que tu veux à toutes forces trouver mal ce qui se fait à la Fondation », finit-il par dire, de sa voix grave qui tremblait un peu. Il se tut, se remit à marcher, et reprit, presque aussitôt, avec effort, comme s'il éprouvait un ennui sans bornes à s'étendre sur un sujet aussi vain : « C'est bien plus simple que tu ne supposes. On change le linge les premiers et troisièmes dimanches du mois. Arthur, qui s'occupe de moi depuis une dizaine de jours seulement, avait changé les draps et les serviettes dimanche dernier; et il a cru bien faire en recommençant ce matin, parce que c'était dimanche. Mais, à la lingerie, on a dû lui dire qu'il s'était trompé, et on lui a fait rapporter le linge propre. Je n'y ai pas droit avant la semaine prochaine. » Il se tut de nouveau et regarda la campagne.

La promenade débutait mal. Antoine s'employa aussitôt à changer le tour de la conversation; mais le regret de sa maladresse l'obsédait et ne lui permettait pas de prendre le ton simple et enjoué qu'il eût voulu. Jacques répondait par oui ou non, lorsque la phrase d'Antoine était interrogative; mais sans le moindre intérêt. Il dit enfin à l'improviste :

— « Je t'en prie, Antoine, ne parle pas de cette histoire de linge au directeur : ça ferait gronder Arthur pour rien. »

— « Bien entendu. »

— « Ni à papa? » ajouta Jacques.

— « Mais à personne, sois tranquille! Je n'y pensais même plus. Ecoute », reprit-il, « je vais te dire la vérité : figure-toi que je m'étais mis en tête, je ne sais pourquoi, que tout allait mal ici, et que tu n'étais pas heureux... »

Jacques se tourna légèrement et examina son frère avec une expression sérieuse.

— « J'ai passé la matinée à fureter », continua Antoine. « J'ai compris enfin que je m'étais trompé. Alors j'ai fait semblant de manquer mon train. Je ne voulais pas partir sans avoir eu le temps de causer un peu avec toi, tu comprends? »

Jacques ne répondit rien. La perspective de cette causerie lui était-elle agréable? Antoine n'en était pas sûr; il craignit de faire fausse route, et se tut.

La pente du chemin, qui descendait vers la berge, rendait leur marche plus allègre. Ils atteignirent un bras de la rivière, qui était canalisé. Un petit pont en fer enjambait une écluse. Trois grosses péniches vides flottaient

de toute la hauteur de leur coque brune sur l'eau presque
immobile.

— « Tu aimerais faire un voyage en péniche? » demanda gaiement Antoine. « Glisser en douce sur les canaux,
entre les peupliers, avec les arrêts aux écluses, et les
brouillards du matin, et, le soir, au soleil couchant, fumer
sa cigarette à l'avant, sans penser à rien, les pieds ballants au-dessus de l'eau... Est-ce que tu dessines toujours? »

Cette fois Jacques eut un tressaillement très net et
Antoine fut certain de le voir rougir.

— « Pourquoi? » demanda-t-il d'une voix mal assu-
rée.

— « Pour rien », reprit Antoine, intrigué. « Parce qu'il
y aurait un croquis amusant à prendre, ces trois péniches,
l'écluse, la passerelle... »

Le chemin de halage s'élargissait, devenait une route.
Ils arrivaient au grand bras de l'Oise, dont le cours gonflé
roulait vers eux.

— « Voilà Compiègne », dit Antoine.

Il s'était arrêté, et pour s'abriter du soleil, il avait mis
la main au front. Il reconnut dans le ciel lointain, pardessus des frondaisons vertes, les pointes en faisceau du
beffroi, le clocheton arrondi de l'église; il s'apprêtait à
les nommer, lorsqu'en jetant les yeux sur son frère, qui,
à côté de lui, la main en visière, semblait comme lui
inspecter l'horizon, il s'aperçut que Jacques regardait le
sol à ses pieds; il avait l'air d'attendre qu'Antoine se
remît en marche; ce qu'Antoine fit, sans rien dire.

Tout Compiègne, ce dimanche, semblait être dehors.
Antoine et Jacques se mêlèrent à la foule. Il avait dû y
avoir conseil de révision, car des grappes de gars endi-
manchés achetaient aux marchands ambulants des flots
de rubans tricolores, et, se tenant par le bras, barrant les
trottoirs, titubaient en chantant des refrains de caserne.
Sur le Cours, parmi les filles en robes claires et les dra-
gons échappés du quartier, des familles se croisaient en
saluant.

Jacques, désorienté, assourdi, contemplait tous ces
gens avec un malaise grandissant.

— « Allons ailleurs, Antoine... », supplia-t-il.

Ils prirent, au milieu du Cours, une rue encaissée qui montait, sombre et silencieuse. L'arrivée sur la place du Palais fut un éblouissement. Jacques clignait des yeux. Ils s'arrêtèrent et s'assirent sous les quinconces qui ne donnaient pas encore d'ombre.

— « Ecoute », dit Jacques en posant la main sur les genoux d'Antoine. Les cloches de Saint-Jacques s'ébranlaient pour les vêpres; leurs vibrations semblaient ne faire qu'un avec la lumière du soleil.

Antoine s'imagina que l'enfant subissait à son insu l'ivresse de ce premier dimanche de printemps. Il hasarda :

— « A quoi penses-tu, mon vieux? »

Mais, au lieu de répondre, Jacques se leva. Ils se dirigèrent en silence vers le parc.

Jacques ne prêtait aucune attention à la somptuosité du paysage. Il paraissait surtout préoccupé de fuir les endroits où il y avait du monde. Le calme qui régnait autour du château, sur les terrasses à balustres, l'attira. Antoine le suivait, parlant de ce qu'il voyait, des buis taillés tranchant sur le vert des pelouses, des ramiers qui se posaient sur l'épaule des statues. Mais il n'obtenait que des réponses évasives.

Jacques questionna, tout à coup :

— « Tu lui as parlé? »

— « A qui? »

— « A Fontanin. »

— « Mais oui : je l'ai rencontré au Quartier Latin. Tu sais qu'il est maintenant externe à Louis-le-Grand? »

— « Ah? » fit l'autre. Mais il ajouta, avec un tremblement de la voix, qui, pour la première fois, rappelait un peu le ton de menace qu'il prenait si souvent autrefois : « Tu ne lui as pas dit où j'étais? »

— « Il ne m'a rien demandé. Pourquoi? Tu ne veux pas qu'il le sache? »

— « Non. »

— « Pourquoi? »

— « Parce que. »

— « Excellente raison. Mais tu en as bien une autre? »

Jacques le considéra stupidement; il n'avait pas
compris qu'Antoine plaisantait. Il ne se dérida pas, et
se remit à marcher. Il ajouta, tout à coup :

— « Et Gise? Est-ce qu'elle sait? »

— « Où tu es? Non, je ne crois pas. Mais avec les
enfants on ne peut être sûr de rien... » Et s'accrochant
à ce sujet que Jacques lui-même avait amorcé, il continua : « Certains jours, elle a déjà l'air d'une grande
fille, elle écoute tout ce qui se dit avec ses beaux yeux
bien ouverts. Et puis, d'autres jours, ce n'est qu'un
bébé. Crois-tu qu'hier soir Mademoiselle la cherchait
partout, elle jouait à la poupée sous la table du vestibule? A onze ans bientôt! »

Ils descendaient vers le berceau de glycines, et Jacques
s'était arrêté au bas de l'escalier, près d'un sphinx en
marbre rose moucheté, dont il caressait le front poli
qui luisait au soleil. Songeait-il à Gise, à Mademoiselle? Revoyait-il tout à coup la vieille table du vestibule, avec son tapis à franges et le plateau d'argent
où traînaient des cartes? Antoine le crut. Il poursuivit
gaiement :

— « Je ne sais fichtre pas où elle prend toutes les
idées qu'elle a! La maison n'est pas gaie pour une
enfant! Mademoiselle l'adore; mais tu sais comment
elle est : elle s'effraye de tout, lui défend tout, ne la
quitte jamais une seconde... »

Il s'était mis à rire et regardait son frère avec une
complicité joyeuse, tant il sentait que ces détails de vie
familiale étaient leur trésor fraternel, n'avaient de sens
que pour eux, ne cesseraient jamais de constituer pour eux
quelque chose d'unique, d'irremplaçable : les souvenirs
d'enfance. Mais Jacques n'eut qu'un bref sourire forcé.

Antoine continua cependant :

— « Les repas ne sont pas drôles non plus, je t'assure. Père ne dit rien; ou bien il refait pour Mademoiselle les discours de ses Commissions et raconte par le
menu l'emploi de sa journée. A propos, tu sais, ça
marche très bien, la candidature à l'Institut!

— « Ah? » Un peu de tendresse adoucit les traits de
Jacques. Il réfléchit un instant et sourit : « Tant mieux! »

— « Tous les amis s'agitent », reprit Antoine. « L'abbé est prodigieux, il a des relations dans les quatre Académies... L'élection a lieu dans trois semaines. » Il ne riait plus; il murmura : « Ça ne fait rien, membre de l'Institut, c'est quelque chose tout de même. Et père l'a bien gagné, tu ne trouves pas? »

— « Oh, si! » Et, spontanément : « Papa est bon, tu sais, dans le fond... » Il s'arrêta, rougit, voulut ajouter quelque chose, et ne s'y décida pas.

— « J'attends que père soit confortablement assis sous sa coupole, pour faire un coup d'Etat », reprit Antoine avec animation. « Je suis vraiment à l'étroit dans la chambre du bout; je ne sais plus où mettre mes livres. Tu sais qu'on a installé Gise dans ton ancienne chambre? Je voudrais décider père à louer le petit logement du rez-de-chaussée, celui du vieux beau; il déménage le 15. Trois pièces; j'aurais un vrai cabinet de travail où je pourrais recevoir des clients, et même une espèce de laboratoire que j'installerais dans la cuisine... »

Il eut honte tout à coup d'exposer ainsi au reclus sa vie libre, ses désirs de confort; il s'aperçut qu'il venait de parler de la chambre de Jacques, comme si celui-ci ne dût jamais y revenir. Il se tut. Jacques avait repris son air indifférent.

— « Et maintenant », dit Antoine pour faire diversion, « si nous allions goûter, veux-tu? Tu dois avoir faim? »

Il avait perdu tout espoir de rétablir entre Jacques et lui un contact fraternel.

Ils rentrèrent en ville. Les rues, pleines de monde, bourdonnaient comme des ruches. Les pâtisseries étaient prises d'assaut. Jacques, arrêté sur le trottoir, s'immobilisait devant les cinq étages de gâteaux vernissés de sucre, bavant de crème; cette vue semblait l'étouffer.

— « Eh bien, entre! » fit Antoine en souriant.

Les deux mains de Jacques tremblaient en prenant l'assiette qu'Antoine lui tendit. Ils s'installèrent au fond de la boutique, devant une pyramide de gâteaux choisis. Des bouffées de vanille, de pâte chaude, venaient d'une porte de service entrouverte. Jacques, sans un

mot, tassé sur sa chaise, les yeux congestionnés comme
s'il allait pleurer, mangeait vite, s'arrêtant après chaque
gâteau, attendant qu'Antoine le servît, et aussitôt se re-
mettant à manger. Antoine fit verser deux portos. Jacques
prit le verre entre ses doigts qui tremblaient toujours;
il y trempa les lèvres, se brûla au vin alcoolisé, et toussa.
Antoine buvait à petits coups, sans paraître faire attention à son frère. Jacques s'enhardit, reprit une gorgée,
la laissa descendre en lui comme une boule de feu, puis
une autre, puis tout le contenu du verre, jusqu'au fond.
Et lorsque Antoine lui remplit une seconde fois son
verre, il feignit de ne pas s'en apercevoir, et fit, trop
tard, un geste pour l'en empêcher.

Lorsqu'ils sortirent de la boutique, le soleil décli-
nait, la température avait baissé. Mais Jacques ne sentait pas la fraîcheur. Il avait les joues brûlantes, et,
dans tout le corps, une sensation de bien-être factice,
presque douloureuse.

— « Nous avons encore nos trois kilomètres à faire »,
dit Antoine; « il faut revenir ».

Jacques fut sur le point de pleurer. Il ferma les poings
au fond de ses poches, serra les mâchoires, et baissa la
tête. Antoine, le regardant à la dérobée, remarqua un
tel changement sur ses traits, qu'il eut peur :

— « Cette longue promenade t'a fatigué? » demanda-
t-il.

Le ton de cette voix parut à Jacques d'une tendresse
nouvelle; incapable de prononcer un mot, il tourna vers
son frère son visage crispé; et cette fois ses yeux s'emplirent de larmes.

Antoine, stupéfait, le suivit en silence. Lorsqu'ils
eurent redescendu la ville, traversé le pont, et qu'ils
se trouvèrent sur le chemin de halage, il se rapprocha
de son frère et prit son bras.

— « Tu ne regrettes pas ta promenade habituelle? »
fit-il en souriant.

Jacques ne répondit rien. Mais, tout à coup, ces

attentions, et cette voix affectueuse, et ces bouffées
de liberté qui le grisaient depuis des heures, et ce
porto, et cette fin d'après-midi si douce, si triste...
L'émotion excédait ses forces : il éclata en sanglots.
Antoine l'entoura de son bras, le soutint, l'assit contre
lui sur le talus. Il ne songeait plus à découvrir dans la
vie de Jacques de ténébreux secrets; mais il éprouvait
une délivrance à voir fondre enfin cette indifférence
contre laquelle il se heurtait, depuis le matin.

Ils étaient seuls sur la rive déserte, seuls avec l'eau
fuyante, sous un ciel brumeux où s'éteignait le couchant; devant eux, un bachot que le courant berçait
au bout de sa chaîne, froissait les roseaux secs.

Ils avaient du chemin à faire, ils ne pouvaient s'éter-
niser là. Antoine voulut forcer l'enfant à relever la tête :

— « A quoi penses-tu? Qu'est-ce qui te fait pleurer? »
Jacques se serra davantage contre lui.

Antoine chercha à se souvenir des mots qui avaient
déclenché cet accès de larmes.

— « C'est de penser à ta promenade habituelle, qui
te fait pleurer? »

— « Oui », avoua le petit, pour répondre quelque
chose.

— « Pourquoi? » insista l'autre. « Où donc te pro-
mènes-tu le dimanche? »

Pas de réponse.

— « Tu n'aimes pas sortir avec Arthur? »

— « Non. »

— « Pourquoi ne le dis-tu pas? Si tu regrettes ton
vieux père Léon, c'est bien facile d'obtenir... »

— « Oh, non! » interrompit Jacques, avec une violence imprévue. Il s'était redressé et montrait un visage
de rancune si expressif et si inattendu, qu'Antoine en
fut saisi.

Jacques, comme s'il fût incapable de rester immobile,
s'était levé et entraînait son frère à grands pas. Il ne
disait rien; et Antoine, après quelques minutes d'attente, au risque d'être maladroit, désireux avant tout
de débrider cette plaie, comme il pensait, reprit réso-
lument :

— « Alors, tu n'aimais pas non plus sortir avec le père Léon ? »

Jacques continuait à marcher, les yeux grands ouverts, les dents serrées, sans prononcer une parole.

— « Il a pourtant l'air d'être gentil avec toi, le père Léon ? » hasarda Antoine.

Pas de réponse. Il eut peur que Jacques ne se repliât de nouveau ; il voulut reprendre son bras ; mais l'enfant se dégagea, et hâta le pas. Antoine le suivait, perplexe, ne sachant comment ressaisir sa confiance, lorsque, tout à coup, Jacques eut un brusque sanglot, et, cessant de forcer l'allure, se mit à pleurer, sans tourner la tête :

— « Ne le dis pas, Antoine, ne le dis jamais à personne... Avec le père Léon, je ne me promenais pas, presque pas... »

Il se tut. Antoine ouvrait la bouche pour questionner : un instinct l'avertit qu'il ne fallait pas proférer un son. En effet, la voix de Jacques, un peu hésitante et rauque, reprit :

— « Les premiers jours, oui... C'est même en promenade qu'il a commencé à... à me raconter des choses. Et il me prêtait des livres, — je ne croyais pas que ça existait ! Et après, il m'a proposé de faire partir des lettres, si je voulais... et c'est à ce moment-là que j'ai écrit à Daniel. Car je t'ai menti : j'ai écrit... Mais je n'avais pas d'argent pour les timbres. Alors, tu ne sais pas... Il avait vu que je savais un peu dessiner. Tu devines... C'est lui qui me disait comment il fallait faire... En échange, il a payé le timbre pour Daniel. Mais il montrait les dessins le soir aux surveillants, et tous en voulaient d'autres, de plus en plus compliqués... Alors, à partir de ce moment-là, le père Léon ne s'est plus gêné, il a cessé de me promener. Au lieu d'aller dans les champs, il me faisait tourner derrière la Fondation pour traverser le village... Les gamins nous couraient après... On prenait la ruelle, pour entrer dans l'auberge par la cour du fond. Lui, il allait boire, jouer aux cartes, faire je ne sais quoi ; et pendant tout le temps qu'il restait là, on me cachait... dans une buanderie... avec une vieille couverture... »

— « On te cachait? »

— « Oui... dans une buanderie vide... fermée à clef... pendant deux heures... »

— « Mais pourquoi? »

— « Je ne sais pas. Tu comprends, les aubergistes avaient peur. Un jour, il y avait du linge à sécher dans la buanderie, alors on m'a mis dans un couloir. La femme a dit... a dit... » Il sanglotait.

— « Qu'est-ce qu'elle a dit? »

— « Elle a dit : " On ne sait jamais avec ces graines... " » Il sanglotait si fort qu'il ne put continuer.

— « ...ces graines? » répéta Antoine, en se penchant.

— « ...ces graines... d'escrocs... », acheva enfin le petit, et il se mit à sangloter de plus belle.

Antoine écoutait; la curiosité d'en apprendre davantage était pour l'instant plus forte que sa pitié.

— « Et alors? » fit-il. « Raconte donc! »

Jacques s'arrêta net, et vint s'accrocher au bras de son aîné :

— « Antoine, Antoine », cria-t-il, « jure-moi que tu ne diras rien, dis? Jure-le-moi! Si jamais papa se doutait de quelque chose, il... Papa m'aime, au fond, il serait malheureux. Ce n'est pas de sa faute s'il ne comprend pas les choses comme nous... » Et, tout à coup : « Ah, toi, Antoine, tu... Ne me quitte pas, Antoine, ne me quitte pas! »

— « Mais non, mon petit, mais non, aie confiance, je suis là... Je ne dirai rien, je ferai tout ce que tu voudras. Mais dis-moi la vérité. » Et comme Jacques ne se décidait pas à continuer : « Il te battait? »

— « Qui? »

— « Le père Léon. »

— « Oh non! » Il était si surpris, qu'il ne put s'empêcher de sourire dans ses larmes.

— « On ne te bat pas? »

— « Oh non! »

— « Bien vrai? Jamais, personne? »

— « Mais non, personne! »

— « Alors? »

Silence.

— « Et le nouveau, Arthur? Il n'est pas bien? »
Jacques secouait la tête.
— « Mais quoi? Il va aussi au café, lui? »
— « Non. »
— « Ah! Avec lui, tu te promènes? »
— « Oui. »
— « Alors, qu'est-ce que tu lui reproches? Il est dur
avec toi? »
— « Non. »
— « Alors quoi? Il ne te plaît pas? »
— « Non. »
— « Pour quelle raison? »
— « Parce que. »
Antoine hésitait :
— « Mais pourquoi diable ne te plains-tu pas? »
reprit-il enfin. « Pourquoi ne vas-tu pas expliquer tout
ça au directeur? »
Jacques pressait son corps fébrile contre celui d'An-
toine, et suppliait :
— « Non, non... Antoine, tu m'as juré, tu sais, tu
m'as juré que tu ne dirais rien! Rien, rien, à personne! »
— « Mais oui, je ferai comme tu voudras. Je te
demande seulement : Pourquoi ne t'es-tu pas plaint du
père Léon au directeur? »
Jacques secouait la tête, sans desserrer les dents.
— « Tu supposes peut-être que le directeur sait tout
ça, et qu'il le tolère? » suggéra Antoine.
— « Oh! non. »
— « Qu'est-ce que tu penses du directeur? »
— « Rien. »
— « Crois-tu qu'il rende les autres enfants malheu-
reux? »
— « Non, pourquoi? »
— « Il a l'air gentil; mais je ne sais plus, moi : le père
Léon aussi avait l'air d'un brave bonhomme! Est-ce
que tu as entendu dire des choses contre le directeur? »
— « Non. »
— « Les surveillants, en ont-ils peur? Le père Léon,
Arthur, est-ce qu'ils ont peur de lui? »
— « Oui, un peu. »

— « Pourquoi? »

— « Je ne sais pas. Parce que c'est le directeur. »

— « Mais toi? Avec toi, est-ce que tu as remarqué des choses? »

— « Quelles choses? »

— « Quand il vient te voir, comment est-il avec toi? »

— « Je ne sais pas. »

— « Tu n'oses pas lui parler librement? »

— « Non. »

— « Mais si tu lui avais dit que le père Léon allait au café au lieu de te promener, et qu'on t'enfermait dans la buanderie, qu'est-ce que tu crois qu'il aurait fait? »

— « Il aurait mis le père Léon à la porte! » répondit Jacques avec effroi.

— « Alors, qu'est-ce qui te retenait de lui parler? »

— « Mais ça, Antoine! »

Antoine s'épuisait à démêler cet écheveau de complicités, dans lequel il sentait son frère prisonnier.

— « Est-ce que tu ne veux pas me dire ce qui te retenait? Ou bien, vraiment, est-ce que tu n'en sais rien toi-même? » demanda-t-il.

— « Il y a des... dessins... qu'ils m'ont forcé à... signer », murmura Jacques, en baissant la tête. Il hésita, se tut, puis tout à coup : « Mais ce n'est pas seulement ça... On ne peut rien dire à M. Faîsme parce que c'est le directeur. Tu comprends? »

L'accent était las, mais sincère. Antoine n'insista pas; il se méfiait de lui-même : il savait qu'il avait une tendance à toujours deviner trop, et trop vite.

— « Au moins », reprit-il, « travailles-tu bien? »

Ils arrivaient en vue de l'écluse, près des péniches, dont les petites fenêtres étaient éclairées déjà. Jacques continuait à marcher, les yeux à terre.

Antoine répéta :

— « Alors, le travail non plus, ça ne va pas? »

Jacques fit signe que non, sans lever la tête.

— « Pourtant le directeur affirme que ton professeur est content de toi? »

— « Parce que le professeur le lui dit. »

— « Mais pourquoi le dirait-il, si ce n'était pas vrai? »

Jacques semblait suivre ce questionnaire avec effort.

— « Tu comprends », fit-il mollement, « lui, le professeur, il est vieux, il ne demande pas que je travaille; il vient là parce qu'on lui a dit qu'il vienne, voilà tout. Il sait bien que personne ne vérifiera. Lui aussi, il aime mieux n'avoir pas de devoirs à corriger. Il reste une heure, on cause, il est très copain avec moi, il me raconte Compiègne, ses élèves, et tout... Ça n'est pas un type heureux, lui non plus... Il me raconte sa fille, qui a des maladies dans le ventre et qui se dispute avec sa femme... Parce qu'il est remarié. Et son fils, qui est adjudant, qui a été cassé parce qu'il fait des dettes pour une caissière... On fait semblant, avec les cahiers, les leçons; mais on ne fait rien pour de vrai... »

Il se tut. Antoine ne trouvait rien à répondre. Il se sentait presque intimidé devant ce gamin qui avait déjà subi cette expérience de la vie... D'ailleurs il n'eut rien à demander. De lui-même l'enfant s'était remis à parler, d'une voix monotone et basse, sans que l'on pût, dans ce chaos, comprendre l'association de ses idées, ni même ce qui, après une si obstinée réserve, le poussait tout à coup à ce débordement :

— « ... C'est comme pour l'abondance, tu sais, l'eau rougie... Je la leur laisse, tu comprends? Le père Léon me l'avait demandé, au début; moi je n'y tiens pas, j'aime autant l'eau du broc... Mais ce qui m'ennuie c'est qu'ils rôdent tout le temps dans le couloir. Avec leurs chaussons, on ne les entend pas. Quelquefois, même ils me font peur. Non, ce n'est pas que j'aie peur, c'est surtout que je ne peux pas faire un mouvement sans qu'ils me voient, sans qu'ils m'entendent... Toujours seul et jamais vraiment seul, tu comprends, ni en promenade, ni nulle part! Ça n'est rien, je sais bien, mais à la longue, tu sais, tu n'as pas idée de l'effet que ça fait, c'est comme si on était sur le point de se trouver mal... Il y a des jours où je voudrais me cacher sous le lit pour pleurer... Non, pas pour pleurer, mais pour pleurer *sans qu'on me voie*, tu comprends?... C'est comme ton arrivée, ce matin : ils m'avaient prévenu, à la chapelle. Le directeur avait envoyé le secrétaire inspecter ma tenue, et on m'avait apporté mon pardessus, et aussi mon chapeau, parce que j'étais nu-tête... Oh, ne crois pas qu'ils ont fait ça pour te tromper, Antoine... Non, pas du tout : c'est l'habitude. Ainsi, le lundi, le premier lundi du mois, quand papa vient pour le Conseil, on fait toujours des choses comme ça, des riens, pour que papa soit content... C'est comme le linge : ce que tu as vu ce matin, c'est du linge blanc qui est toujours dans mon armoire pour arranger la chambre, si jamais il venait quelqu'un... Oh, ce n'est pas qu'ils me laissent avec du linge sale, non, ils le changent bien assez souvent, et même si je demande une serviette propre en plus, on me la donne. Mais c'est l'habitude, tu comprends, pour que ça ait plus d'œil quand on entre...

« J'ai tort de te raconter tout ça, Antoine, tu vas encore croire des choses qui ne sont pas. Je t'assure que je n'ai à me plaindre de rien, que le régime est très doux pour moi, qu'on ne fait rien pour m'être désagréable, au contraire. Mais c'est justement cette douceur, tu comprends?... Et puis, rien à faire! Toute la journée, attaché là, et rien, absolument rien à faire! Au début les heures me paraissaient longues, longues, tu n'as pas idée; et puis j'ai cassé le remontoir de ma montre, et à partir de ce jour-là ça a été mieux, et peu à peu je m'y suis fait. Mais je ne sais pas comment dire, c'est comme si on s'endormait dans le fond de soi, tout au fond... On ne souffre pas vraiment, puisque c'est comme si on dormait... C'est pénible tout de même, tu comprends?»

Il se tut un moment, et reprit, d'une voix saccadée, en hésitant davantage :

— « Et puis, Antoine, je ne peux pas tout te dire... Mais tu sais bien... Seul comme ça, on finit par avoir un tas d'idées qu'on ne devrait pas... Surtout que... Ainsi, les histoires du père Léon, tu sais... et les dessins... Eh bien, au fond, c'est un peu une distraction, tu comprends? J'en fais d'avance... Et la nuit, j'y repense... Je sais bien qu'il ne faudrait pas... Mais, tout seul, tu comprends? Toujours tout seul... Oh, j'ai tort de raconter tout ça... Je sens que je le regretterai... Mais je suis si fatigué ce

soir... Je ne peux pas me retenir... » Et il se mit tout
à·coup à pleurer plus fort.

Il éprouvait un malaise étrange : il lui semblait mentir
malgré lui, et que, plus il cherchait à dire la vérité,
moins il y parvenait. Pourtant, rien de ce qu'il racontait
n'était inexact; mais, par le ton, par l'exagération de son
trouble, par le choix des aveux, il avait conscience qu'il
présentait de sa vie une image un peu falsifiée,—et qu'il
ne pouvait pas faire autrement.

Ils n'avançaient guère; la moitié du trajet restait à
parcourir. Cinq heures et demie. Le jour était encore
clair; une buée montait de la rivière, débordait sur la
campagne, les ensevelissait.

Antoine, soutenant le petit qui trébuchait, réfléchissait
de toutes ses forces. Non à ce qu'il devait faire : il était
bien résolu : arracher l'enfant de là! Mais il cherchait le
moyen d'obtenir son consentement. Ce n'était pas facile.
Aux premiers mots, Jacques se suspendit à son bras,
sanglotant, lui rappelant qu'il avait fait le serment de
ne rien dire, de ne rien faire.

— « Mais non, mon petit, c'est juré, je ne ferai rien
contre ta volonté. Seulement, écoute-moi. Cette solitude
morale, cette paresse, cette promiscuité! Moi qui, ce
matin, avais cru que tu étais heureux! »

— « Mais je le suis! » En un instant, tout ce dont il
venait de se plaindre s'effaça : il ne vit plus que les bons
côtés de sa réclusion, l'oisiveté, l'absence de contrôle,
l'éloignement des siens.

— « Heureux? Si tu l'étais, ce serait une honte! Toi!
Non, mon petit, non, je ne peux pas croire que tu te
plaises à croupir là-dedans. Tu te dégrades, tu t'abêtis;
ça n'a que trop duré. Je t'ai promis de n'agir qu'avec ton
assentiment, je tiendrai ma parole, sois tranquille; mais,
réfléchis, regardons froidement les choses en face, toi et
moi, comme deux amis... Est-ce que nous ne sommes
pas deux amis maintenant? »

— « Oui. »

— « Tu as confiance en moi? »

— « Oui. »

— « Alors? Qu'est-ce que tu crains? »

— « Je ne veux pas retourner à Paris ! »

— « Mais voyons, mon petit, après le tableau que tu m'as fait de ton existence ici, la vie de famille ne peut pas être pire ! »

— « Oh si ! »

Devant ce cri, Antoine se tut, atterré.

Sa perplexité augmentait. « Nom de Dieu », se répétait-il, sans pouvoir penser à rien. Le temps pressait. Il lui semblait marcher dans les ténèbres. Tout à coup le voile se déchira. Il tenait la solution ! En une seconde tout un plan s'échafauda dans sa tête. Il riait.

— « Jacques ! » s'écria-t-il, « écoute-moi, ne m'interromps pas ! Ou plutôt, réponds : si nous nous trouvions tout à coup, toi et moi, seuls au monde, est-ce que tu ne voudrais pas venir auprès de moi, vivre avec moi ? »

L'enfant ne comprit pas tout de suite.

— « Ah, Antoine », fit-il enfin, « comment veux-tu ? Il y a papa... »

Le père se dressait en travers de l'avenir. Une même idée les effleura : « Comme tout s'arrangerait, si subitement... » Antoine eut honte de sa propre pensée, dès qu'il en eut surpris le reflet dans le regard de son frère ; il détourna les yeux.

— « Ah, bien sûr », disait Jacques, « si j'avais pu être avec toi, rien qu'avec toi, je serais devenu tout autre ! J'aurais travaillé... Je travaillerais, je deviendrais peut-être un poète... un vrai... »

Antoine l'arrêta d'un geste :

— « Eh bien, écoute : si je te donnais ma parole que personne d'autre que moi ne s'occupera de toi, est-ce que tu accepterais de sortir d'ici ? »

— « Ou...i... » C'était par besoin d'affection et pour ne pas contrarier son frère, qu'il acquiesçait.

— « Mais t'engagerais-tu à me laisser organiser ta vie, tes études, et te surveiller en tout, comme si tu étais mon fils ? »

— « Oui. »

— « Bon », fit Antoine, et il se tut. Il réfléchissait. Ses désirs étaient toujours si impérieux qu'il ne doutait jamais

de leur exécution; et, en fait, il avait jusqu'à présent
mené à bout tout ce qu'il avait ainsi voulu avec opiniâ-
treté. Il se tourna vers son cadet, et sourit :

— « Je ne rêve pas », reprit-il, sans cesser de sourire,
mais d'une voix résolue. « Je sais à quoi je m'engage.
Avant quinze jours, tu m'entends, avant quinze jours...
Aie confiance! Tu vas rentrer dans ta boîte, courageusement, sans avoir l'air de rien. Et avant quinze jours, je
te le jure, tu seras libre! »

Jacques, sans bien entendre, se serrait contre Antoine,
avec un appétit soudain de tendresse; il eût voulu
se blottir près de lui, et rester là, longtemps, sans bouger, dans la tiédeur fraternelle de son corps.

— « Confiance! » répéta Antoine.

Il se sentait lui-même réconforté, et comme ennobli;
il avait plaisir à se trouver maintenant si joyeux et si fort.
Il comparait sa vie à celle de Jacques : « Pauvre bougre,
il lui arrive toujours des choses qui n'arrivent à personne! » Il voulait dire : « des choses comme il ne m'en
est jamais arrivé ». Il le plaignait; mais il éprouvait surtout une jouissance très vive à être Antoine, cet Antoine
équilibré, si bien organisé pour être heureux, pour devenir un grand homme, un grand médecin! Il eut envie
d'accélérer l'allure, de siffler gaîment. Mais Jacques
traînait la jambe et semblait épuisé. D'ailleurs ils arrivaient à Crouy.

— « Confiance! » murmura-t-il encore une fois, en
pressant le bras de Jacques sous le sien.

M. Faîsme fumait son cigare devant le portail. Du
plus loin qu'il les vit, il sautilla vers eux.

— « Eh bien, j'espère! Quelle promenade! Vous avez
été voir Compiègne, je parie! » Il riait d'aise, et levait
les bras. « Par le bord de l'eau? Ah, la jolie route! Quel
beau pays que le nôtre, pas vrai? » Il tira sa montre :
« Ce n'est pas pour vous commander, docteur, mais si
vous voulez ne pas manquer de nouveau votre train... »

— « Je me sauve », dit Antoine. Il se tourna vers son
frère et sa voix s'émut : « Au revoir, Jacques. »

La nuit tombait. Il aperçut à contre-jour un visage

soumis, des paupières battues, un regard rivé au sol. Il
répéta :
— « Au revoir! »

Arthur attendait dans la cour. Jacques eût voulu
prendre congé du directeur; mais M. Faîsme lui tournait
le dos : il poussait lui-même, ainsi que chaque soir, les
verrous du portail. Au milieu des aboiements du chien,
Jacques entendit la voix d'Arthur :
— « Eh bien, vous venez? »
Il le suivit.
Il retrouva sa cellule avec une impression de soulagement. La chaise d'Antoine était là, près de la table.
L'affection du frère aîné l'enveloppait encore. Il endossa
ses vêtements de travail. Le corps était las, mais le cerveau alerte; il y avait en lui, outre le Jacques de tous les
jours, un autre être, immatériel, né d'aujourd'hui, qui
regardait agir le premier, qui le dominait.
Il ne put demeurer assis, et se mit à tourner en rond
dans la chambre. Un sentiment neuf et puissant le tenait
debout : la conscience d'une force. Il s'était approché de
la porte, et il restait là, le front au carreau, l'œil fixé sur
la lampe du couloir désert. L'atmosphère suffocante du
calorifère augmentait sa fatigue. Il dormait presque.
Tout à coup, de l'autre côté de la vitre, une ombre se
dressa. La porte, fermée à double tour, s'ouvrit : Arthur
apportait le dîner.
— « Allons, dépêche, petite grapule! »
Avant d'entamer les lentilles, Jacques retira du plateau le morceau de gruyère et le gobelet d'eau rougie.
— « Pour moi? » dit le garçon. Il sourit, prit le bout de
fromage et s'en fut le manger près de l'armoire, afin de
n'être pas vu de la porte. C'était l'heure où, avant son
dîner, M. Faîsme venait, en pantoufles, faire un tour
dans le couloir; et le plus souvent on ne s'apercevait de
sa visite qu'après son passage, à l'odeur écœurante du
cigare qui pénétrait par le treillage de l'imposte.
Jacques achevait son pain en trempant de grosses mies

dans l'eau noire des lentilles. Lorsqu'il eut terminé :

— « Maintenant, au plumard », dit Arthur.

— « Mais il n'est pas huit heures. »

— « Allons, dépêche! C'est dimanche. Les copains m'attendent. »

Jacques ne répondit rien et commença à se déshabiller. Arthur, les mains dans les poches, le regardait. Il y avait, sur cette face un peu bestiale et dans ce corps trapu de blond déménageur, quelque chose d'assez doux.

— « Le frangin », fit-il sentencieusement, « voilà un bonhomme qui sait vivre. » Il fit le geste de glisser une pièce dans son gousset, sourit, prit le plateau vide, et sortit.

Lorsqu'il revint, Jacques était au lit.

— « Ça y est déjà? » Du bout des pieds le garçon poussa les bottines sous la toilette. « Dis donc, tu ne pourrais pas ranger un peu tes affaires avant de te coucher? » Il s'approcha du lit. « Tu entends, petite grapule?... » Il appuyait ses deux mains sur les épaules de Jacques et riait bizarrement. Un sourire de plus en plus pénible déformait le visage de l'enfant. « Tu ne caches rien sous le polochon, au moins? Pas de bougie? Pas de bouquin? »

Il avançait la main sous les draps. Mais, d'un mouvement qu'Arthur ne put ni prévoir ni retenir, le petit se dégagea et se jeta en arrière, le dos au mur. Ses yeux étaient pleins de haine.

— « Oh, oh », fit l'autre, « on est chatouilleux ce soir. » Il ajouta : « Je pourrais causer, moi aussi... »

Il parlait bas et surveillait de l'œil la porte du couloir. Puis, sans plus faire attention à Jacques, il alluma le quinquet qui restait toute la nuit en veilleuse pour la surveillance, ferma le commutateur avec son passe-partout, et sortit en sifflotant.

Jacques entendit la clef tourner deux fois dans la serrure, et l'homme s'éloigner en traînant sur le carreau ses semelles de corde. Alors il revint au milieu du lit, allongea les jambes, et resta étendu sur le dos. Ses dents claquaient. Toute confiance l'abandonna. Se rappelant sa journée, ses aveux, il eut un sursaut de rage, suivi d'un découragement qui le déchira : il entrevit Paris, Antoine, la maison, les disputes, le travail, le contrôle familial... Ah, il avait commis la faute irréparable, il s'était livré à ses ennemis ! « Mais qu'est-ce qu'ils me veulent, qu'est-ce qu'ils me veulent tous ? » Ses larmes coulaient. Il se cramponna à cette pensée que le mystérieux projet d'Antoine était irréalisable, que M. Thibault s'y opposerait. Son père lui apparut comme un sauveur. Oui, tout cela échouerait, et on finirait bien par le laisser en repos, par le laisser ici. Ici, c'était la solitude, l'engourdissement, le bonheur dans la paix.

Sur le plafond, le reflet de la veilleuse tournoyait, tournoyait au-dessus de sa tête.

Ici, c'était la paix, le bonheur.

IV

Dans la pénombre de l'escalier, Antoine croisa le secrétaire de son père, M. Chasle, qui glissait le long du mur comme un rat, et, le voyant, s'arrêta, l'œil effaré :

— « Ah, c'est vous ? » Il avait pris à son patron cette manie d'apostrophe. « Mauvaise nouvelle ! » chuchotat-il. « Le clan des universitaires a mis en avant la candidature du Doyen de la Faculté des Lettres : quinze voix de perdues, pour le moins; avec celles des juristes, cela fera vingt-cinq. Quoi! C'est ce qu'on appelle la déveine. Le patron vous expliquera. » Il toussotait sans cesse par timidité, et, se croyant victime d'un catarrhe chronique, tout le long du jour, suçait des pastilles de gomme. « Je me sauve, maman doit s'inquiéter », reprit-il, voyant qu'Antoine ne répondait pas. Il tira sa montre, l'écouta avant de regarder l'heure, releva son col et disparut.

Depuis sept ans, ce petit homme à lunettes était le collaborateur quotidien de M. Thibault, et Antoine ne le connaissait guère mieux qu'au premier jour. Il parlait peu, à voix basse, et n'exprimait que des idées répandues, en accumulant des synonymes. Il se montrait ponctuel, occupé de minimes habitudes. Il vivait avec sa mère, pour laquelle il semblait avoir de touchantes prévenances. Ses bottines crissaient toujours. Son prénom était Jules; mais M. Thibault, par considération pour lui-même, appelait son secrétaire « Monsieur Chasle ». Antoine et Jacques l'avaient surnommé « Boule de gomme » ou « l'Ennuyeux ».

Antoine entra tout droit dans le cabinet de son père, qui mettait en ordre son bureau avant d'aller au lit.

— « Ah, c'est toi! Mauvaises nouvelles! »

— « Oui », interrompit Antoine, « M. Chasle m'a ra‑
conté. »

M. Thibault tira d'un coup sec le menton hors de son
col; il n'aimait pas qu'on sût ce qu'il s'apprêtait à dire.
Antoine, pour l'instant, ne s'en souciait point; il songeait
à ce qu'il venait faire, et sentait déjà la paralysie le gagner.
Il en eut conscience à temps, et fonça :

— « Moi aussi, je t'apporte de très mauvaises nou‑
velles : Jacques ne peut pas rester à Crouy. » Il reprit
haleine, et continua d'un trait : « J'en arrive. Je l'ai vu.
Je l'ai confessé. J'ai découvert des choses lamentables.
Je viens en causer avec toi. Il est urgent de le sortir au
plus tôt de là. »

M. Thibault demeura quelques secondes immobile.
Sa stupeur ne fut perceptible que dans sa voix :

— « Tu...? A Crouy? Toi? Quand? Pourquoi faire?
Sans me prévenir? Es-tu fou? Explique-toi. »

Quoique soulagé d'avoir du premier bond franchi
l'obstacle, Antoine était fort mal à l'aise et bien inca‑
pable de parler. Il y eut un silence étouffant. M. Thi‑
bault avait ouvert les yeux; ils se refermèrent lentement,
comme malgré lui. Alors il s'assit et posa ses poings sur
le bureau.

— « Explique-toi, mon cher », reprit-il. Il martelait
avec solennité chaque syllabe : « Tu dis que tu as été à
Crouy? Quand? »

— « Aujourd'hui. »

— « Comment? Avec qui? »

— « Seul. »

— « Est-ce que... on t'a reçu? »

— « Naturellement. »

— « Est-ce que... on t'a laissé voir ton frère? »

— « J'ai passé toute la journée auprès de lui. Seul avec
lui. »

Antoine avait une façon provocante de faire sonner la
fin de ses phrases, qui fouetta la colère de M. Thibault,
mais l'avertit qu'il y avait lieu d'être circonspect.

— « Tu n'es plus un enfant », proclama-t-il, comme s'il
eût constaté l'âge d'Antoine au son de sa voix. « Tu dois
comprendre l'inconvenance d'une pareille démarche, à

mon insu. Est-ce que tu avais une raison particulière pour aller à Crouy sans me le dire? Est-ce que ton frère t'avait écrit, t'avait appelé? »

— « Non. J'ai été pris de doute, tout à coup. »

— « De doutes? Sur quoi? »

— « Mais sur tout... Sur le régime... Sur les effets du régime auquel Jacques est soumis depuis neuf mois. »

— « Vraiment, mon cher, tu... tu me surprends! » Il hésitait, choisissant des termes mesurés, que démentaient ses grosses mains fermées et ses coups de tête en avant. « Cette... méfiance, à l'égard de ton père... »

— « Tout le monde peut se tromper. La preuve! »

— « La preuve? »

— « Ecoute, père, inutile de se fâcher. Je pense que nous voulons l'un et l'autre la même chose : le bien de Jacques. Quand tu sauras dans quel état de déchéance je l'ai trouvé, tu décideras, tout le premier, que Jacques doit quitter le pénitencier au plus tôt. »

— « Ça, non! »

Antoine s'efforça de ne pas entendre le ricanement de M. Thibault.

— « Si, père. »

— « Je te dis : non! »

— « Père, quand tu sauras... »

— « Est-ce que tu me prendrais pour un imbécile, par hasard? Est-ce que tu supposes que j'ai attendu tes renseignements pour savoir ce qui se fait à Crouy, où, depuis plus de dix ans, je passe tous les mois une inspection générale, suivie d'un rapport? Où rien ne se décide sans avoir d'abord été discuté en séance d'un Conseil dont je suis le président? Voyons? »

— « Père, ce que j'ai vu là-bas... »

— « Assez là-dessus. Ton frère a pu te débiter tous les mensonges qu'il a voulu; avec toi, il avait beau jeu! Mais avec moi, ce sera une autre affaire. »

— « Jacques ne s'est plaint de rien. »

M. Thibault parut interloqué.

— « Eh bien, alors? » lança-t-il.

— « Au contraire, et c'est le plus grave : il dit qu'il est tranquille, il dit même qu'il est heureux, qu'il se plaît

là-bas ! » Et comme M. Thibault faisait entendre un petit
rire satisfait, Antoine lâcha sur un ton blessant : « Le
pauvre grosse a de tels souvenirs de la vie de famille, qu'il
préfère encore sa prison ! »

L'offense manqua son but :

— « Eh bien, c'est parfait, nous sommes donc tous
d'accord. Que veux-tu d'autre ? »

Antoine n'était plus assez certain d'obtenir la liberté
de Jacques pour dévoiler à M. Thibault tout ce que les
aveux de l'enfant lui avaient appris; il résolut de s'en
tenir à des griefs généraux et de dissimuler le reste.

— « Je vais te dire la vérité, père », commença-t-il, en
fixant sur M. Thibault un regard attentif. « J'avais soup-
çonné des privations, des mauvais traitements, des cachots. Oui, je sais. Rien de tout cela n'est fondé, heureusement. Mais j'ai constaté dans l'existence de Jacques
une misère morale cent fois pire. On te trompe quand
on te dit que l'isolement lui fait du bien. Le remède est
bien plus dangereux que le mal. Ses journées se passent
dans une oisiveté pernicieuse. Son professeur, n'en parlons pas : la vérité est que Jacques ne fait rien, et il est
visible que déjà son intelligence devient incapable du
moindre effort. Prolonger l'épreuve, crois-moi, c'est
compromettre à jamais l'avenir. Il est tombé dans un tel
état d'indifférence, et sa faiblesse est telle, que s'il restait
quelques mois encore dans cette torpeur, il serait trop
tard pour lui rendre jamais la santé. »

Antoine ne quittait pas son père de l'œil; il semblait
peser de tout son regard sur cette face inerte pour en
faire jaillir une lueur d'acquiescement. M. Thibault,
ramassé sur lui-même, gardait une immobilité massive;
il faisait songer à ces pachydermes dont la puissance
reste cachée tant qu'ils sont au repos; de l'éléphant
d'ailleurs, il avait les larges oreilles plates, et aussi, par
éclairs, l'œil rusé. Le plaidoyer d'Antoine le rassurait.
Il y avait eu déjà quelques embryons de scandales à
la Fondation, quelques surveillants qu'il avait fallu
congédier, sans ébruiter les motifs de leur renvoi, et
M. Thibault avait craint un moment que les révélations
d'Antoine fussent de cette nature : il respirait.

— « Est-ce que tu crois m'apprendre quelque chose ? » fit-il d'un air bonasse. « Tout ce que tu dis là fait honneur à ta générosité naturelle, mon cher : mais permets-moi de te dire, en toute conscience, que ces questions de correction sont fort complexes, et qu'en ces matières on ne s'improvise pas une compétence du jour au lendemain. Crois-en mon expérience et celle des spécialistes. Tu dis : faiblesse, torpeur. Dieu merci ! Tu sais ce que valait ton frère : crois-tu que l'on puisse broyer une pareille volonté de mal faire, sans d'abord la réduire ? En affaiblissant avec mesure un enfant vicieux, ce sont ses mauvais instincts qu'on affaiblit, et l'ont peut alors en venir à bout : c'est la pratique qui apprend ça. Et vois : est-ce que ton frère n'est pas transformé ? Il n'a plus jamais de colères ; il est discipliné, poli avec tous ceux qui l'approchent. Tu dis toi-même qu'il en est arrivé déjà à aimer l'ordre, la régularité de sa nouvelle existence. Hé mais, est-ce qu'il n'y a pas lieu d'être fier d'un tel résultat, en moins d'un an ? »

Il effilait entre ses doigts boudinés la pointe de sa barbiche ; et lorsqu'il eut terminé, il glissa vers son fils un coup d'œil oblique. L'organe sonore, le débit majestueux, prêtaient une apparence de force à ses moindres paroles ; et Antoine avait une telle habitude de s'en laisser imposer par son père, qu'au fond de lui-même, il faiblit. Mais M. Thibault commit une maladresse d'orgueil :

— « D'ailleurs je me demande pourquoi je prends la peine de défendre l'opportunité d'une sanction qui n'est pas et ne sera pas remise en question. Je fais ce que je crois devoir faire, en toute conscience, et n'ai de compte à rendre à qui que ce soit. Tiens-le-toi pour dit, mon cher. »

Antoine se cabra :

— « Ce n'est pas le moyen de me réduire au silence, père ! Je te répète que Jacques ne peut pas rester à Crouy. »

M. Thibault eut de nouveau un petit rire acerbe. Antoine fit un effort pour demeurer maître de lui.

— « Non, père, ce serait un crime que de laisser

Jacques là-bas. Il y a, en lui, une valeur que l'on ne doit pas laisser perdre. Laisse-moi te dire, père : tu t'es souvent trompé sur son caractère : il t'agace et tu ne vois pas ses... »

— « Qu'est-ce que je ne vois pas? Nous ne vivons tranquilles ici que depuis son départ. Est-ce vrai? Eh bien, quand il sera corrigé, nous verrons à le faire revenir. D'ici là... » Son poing se souleva, comme s'il allait le laisser retomber de tout son poids; mais il ouvrit la main, et posa doucement sa paume à plat sur le bureau. Sa colère couvait. Celle d'Antoine éclata :

— « Jacques ne restera pas à Crouy, père, je t'en réponds ! »

— « Oh, oh... », fit M. Thibault sur un ton persifleur. « Est-ce que tu n'oublies pas un peu trop, mon cher, que tu n'es pas le maître? »

— « Non, je ne l'oublie pas. Aussi je te demande : Qu'est-ce que tu comptes faire? »

— « Moi? » murmura M. Thibault avec lenteur; il eut un sourire froid et entrouvrit une seconde les paupières : « Cela ne fait pas de doute : semoncer vertement M. Faîsme pour t'avoir reçu sans mon autorisation; et t'interdire à jamais l'accès de la colonie. »

Antoine croisa les bras :

— « Alors, tes brochures, tes conférences! Toutes tes belles paroles! Dans les congrès, oui! Mais devant une intelligence qui sombre, fût-ce celle d'un fils, rien ne compte : pas de complications, vivre tranquille, et advienne que pourra? »

— « Imposteur! » cria M. Thibault. Il se mit debout. « Ah, ça devait arriver! Je te voyais venir depuis longtemps. Certains mots qui t'échappent à table, *tes* livres, *tes* journaux... Ta froideur à accomplir tes devoirs... Tout se tient : l'abandon des principes religieux, et bientôt l'anarchie morale, et la révolte pour finir! »

Antoine secoua les épaules :

— « N'embrouillons pas les histoires. Il s'agit du petit, et ça presse. Père, promets-moi que Jacques... »

— « Je t'interdis dorénavant de me parler de lui! Cette fois, est-ce clair? »

Ils se toisèrent.

— « C'est ton dernier mot? »

— « Va-t'en! »

— « Ah, père, tu ne me connais pas », murmura Antoine avec un rire plein de défi. « Je te jure que Jacques sortira de ce bagne! Et que rien, rien ne m'arrêtera! »

Le gros homme, avec une violence soudaine, marchait sur son fils, la mâchoire serrée :

— « Va-t'en! »

Antoine avait ouvert la porte. Il se retourna sur le seuil pour lancer d'une voix sourde :

— « Rien! Dussé-je mener moi-même une nouvelle campagne dans *mes* journaux! »

V

Le lendemain, de bonne heure, Antoine, qui n'avait pu fermer l'œil, attendait, dans une sacristie de l'archevêché, que l'abbé Vécard eût terminé sa messe. Il fallait que le prêtre fût mis au courant de tout et pût intervenir. Jacques n'avait plus d'autre chance.

L'entretien fut long. L'abbé avait fait asseoir le jeune homme près de lui, comme pour une confession; et il l'écoutait avec recueillement, le buste en arrière, la tête inclinée sur l'épaule gauche, à son habitude. Pas une fois il ne l'interrompit. Son visage incolore, au nez long, n'était guère expressif; mais, par instants, il posait sur Antoine un regard doux et insistant qui cherchait à comprendre au-delà des paroles. Bien qu'il eût moins fréquenté Antoine que les autres membres de la famille, il lui manifestait toujours une estime particulière; le piquant est qu'il subissait en ceci l'influence de M. Thibault, dont la vanité était fort sensible aux succès d'Antoine, et qui se plaisait à faire l'éloge de son fils.

Antoine ne chercha pas à convaincre l'abbé par une adroite argumentation; il lui fit le récit détaillé de la journée qu'il avait passée à Crouy et qui s'était terminée par la scène avec son père : ce dont l'abbé lui fit reproche, sans mot dire, par un geste significatif des mains, qu'il tenait presque toujours levées à la hauteur de la poitrine; deux mains de prélat, que les poignets arrondis laissaient retomber mollement, et qui, sans changer de place, s'animaient soudain, comme si la nature leur eût réservé cette faculté d'expression qu'elle avait refusée au visage.

— « Le sort de Jacques est maintenant entre vos

mains, Monsieur l'abbé », conclut Antoine. « Vous seul pouvez faire entendre raison à mon père. »

L'abbé ne répondit pas. Il tourna vers Antoine un regard si morne, si distrait, que le jeune homme ne sut que penser. Il sentit alors son impuissance, et les insurmontables difficultés de ce qu'il avait entrepris.

— « Et après? » fit doucement l'abbé.

— « Après? »

— « Je suppose que votre père rappelle Jacques à Paris : qu'en fera-t-il, après? »

Antoine se troubla. Il avait bien son projet, mais il ne savait comment l'exposer, tant il lui semblait difficile d'en faire admettre le principe à l'abbé : quitter l'appartement familial; s'installer, Jacques et lui, au rez-de-chaussée de leur maison; soustraire presque entièrement l'enfant à l'autorité paternelle; se charger, à lui seul, de diriger l'éducation, de contrôler le travail et de surveiller la conduite de son cadet. Cette fois le prêtre ne put s'empêcher de sourire; mais son sourire était sans ironie.

— « Vous assumeriez là une tâche bien lourde, mon ami. »

— « Ah », répliqua Antoine avec feu, « j'ai tellement la conviction que ce petit a besoin d'une très grande liberté! Qu'il ne se développera jamais dans la contrainte! Moquez-vous de moi, Monsieur l'abbé, mais je reste convaincu que si j'étais vraiment tout seul à m'occuper de lui... »

Il n'obtint du prêtre qu'un nouveau hochement de tête, suivi d'un de ses regards fixes et pénétrants qui semblaient venir de très loin et pénétrer fort avant. Il s'en alla désespéré : après le violent refus de son père, l'accueil nonchalant de l'abbé ne lui laissait guère d'espérance. Il eût été bien surpris de savoir que l'abbé avait résolu d'aller trouver M. Thibault ce jour même.

Il n'eut pas à se déranger.

Lorsqu'il rentra, comme il faisait chaque matin après sa messe, boire sa tasse de lait froid, dans l'appartement qu'il occupait avec sa sœur à deux pas de l'archevêché, il aperçut M. Thibault qui l'attendait dans la salle à manger. Le gros homme, affalé sur une chaise, les mains sur les cuisses, cuvait encore sa colère. L'arrivée de l'abbé le fit lever.

— « Ah, vous voilà », grommela-t-il. « Ma visite vous surprend? »

— « Pas tant que vous supposez », répliqua l'abbé. Par moments, un sourire furtif, ou bien une lueur malicieuse du regard, illuminaient son calme visage. « Ma police est bien faite : je suis au courant de tout. Vous permettez? » ajouta-t-il en s'approchant du bol qui l'attendait sur la table.

— « Au courant? Est-ce que vous auriez déjà vu...? » L'abbé buvait son lait, à petites gorgées :

— « J'ai su dès hier matin l'état d'Astier, par la duchesse. Mais je n'ai appris qu'hier soir le retrait de votre adversaire. »

— « L'état d'Astier? Est-ce que... Je ne comprends pas. Je ne sais rien, moi. »

— « Pas possible? » fit l'abbé. « C'est à moi qu'est réservé le plaisir de vous apprendre la bonne nouvelle? » Il prit un temps. « Eh bien, le vieux père Astier vient d'avoir une quatrième attaque : cette fois, le pauvre homme est perdu. Alors, le Doyen, qui n'est pas un sot, se retire, et vous laisse seul candidat aux Sciences Morales. »

— « Le Doyen... se retire? » balbutia M. Thibault. « Mais pourquoi? »

— « Parce qu'il a réfléchi qu'un Doyen de la Faculté des Lettres sera mieux à sa place aux Inscriptions, et qu'il préfère attendre quelques semaines un fauteuil qui ne lui sera pas disputé, plutôt que de risquer sa chance contre vous! »

— « En êtes-vous bien sûr? »

— « C'est officiel. J'ai rencontré le Secrétaire perpétuel à une réunion de l'Institut catholique, hier soir. Le Doyen venait d'apporter lui-même sa lettre de désistement. Une candidature qui aura duré moins de vingt-quatre heures! »

— « Mais alors...! » bredouilla M. Thibault. La surprise, la joie l'essoufflaient. Il fit quelques pas au hasard, les bras derrière le dos, puis vint au prêtre et faillit le saisir aux épaules. Il lui prit seulement les mains.

— « Ah, mon cher abbé, je n'oublierai jamais. Merci. Merci. »

Tant de bonheur venait d'entrer en lui que tout le reste était submergé; sa colère fuyait à la dérive. Au point qu'il dut faire un appel à sa mémoire pour répondre, lorsque l'abbé, l'ayant, sans qu'il y prît garde, conduit dans son cabinet de travail, lui demanda, du ton le plus naturel :

— « Et qu'est-ce donc qui vous amenait de si bonne heure, mon cher ami? »

Alors il se souvint d'Antoine, et retrouva d'emblée son emportement. Il venait demander conseil sur la conduite à tenir vis-à-vis de son fils aîné, qui avait beaucoup changé ces derniers temps, et que l'on sentait travaillé par un esprit de doute et de révolte. Continuait-il seulement à accomplir ses pratiques religieuses? Assistait-il même à la messe dominicale? Il se montrait de moins en moins assidu à la table de famille, sous le prétexte de ses malades; et lorsqu'il y paraissait, son attitude y était tout autre que jadis : il y tenait tête à son père; il se permettait d'inconcevables libertés d'opinion : lors des récentes élections municipales, la discussion avait pris plusieurs fois si âpre tournure, qu'il avait fallu lui imposer silence, comme à un gamin. Bref, si l'on voulait maintenir Antoine dans la bonne voie, il était urgent d'adopter à son égard des dispositions nouvelles, pour lesquelles l'appui et peut-être l'intervention de l'abbé Vécard semblaient indispensables. Puis, à titre d'exemple, M. Thibault relata l'acte d'indiscipline dont Antoine s'était rendu coupable en allant à Crouy, les stupides conjectures qu'il en avait rapportées, et la scène inqualifiable qui s'en était suivie. Toutefois, la considération qu'il portait à Antoine, augmentée même à son insu par ces actes d'indépendance qu'il lui reprochait, ne cessait d'être sensible à travers ses paroles; et l'abbé le nota.

Nonchalamment assis à son bureau, il donnait de temps à autre de petits signes approbateurs avec ses mains levées de chaque côté de son rabat. Mais dès qu'il fut question de Jacques, il dressa la tête, et son attention parut redoubler. Par une suite d'interrogations habiles, dont on ne pouvait deviner le lien, il se fit confirmer par le père tous les renseignements que venait de lui apporter le fils.

— « Mais... mais... mais! » fit-il, comme se parlant à lui-même. Il se recueillit un moment. M. Thibault attendait, surpris. Enfin l'abbé prit la parole, avec décision : « Ce que vous me rapportez de l'attitude d'Antoine ne me préoccupe pas autant que vous, mon cher ami. Il fallait s'y attendre. Le premier effet des études scientifiques sur une intelligence curieuse et passionnée, est d'exalter l'orgueil et de faire vaciller la foi; un peu de science éloigne de Dieu; beaucoup y ramène. Ne vous effrayez pas. Antoine est à l'âge où l'on se précipite d'un extrême à l'autre. Vous avez bien fait de me prévenir : je ferai en sorte de le voir plus souvent, de causer avec lui. Tout cela n'est pas grave, patientez : il nous reviendra.

« Mais ce que vous m'apprenez de l'existence de Jacques m'inquiète bien davantage. J'étais loin de supposer que son isolement fût à ce point rigoureux! C'est une vie de prisonnier qu'il mène là! Je ne puis croire qu'elle soit sans danger. Mon cher ami, j'avoue que j'en suis très troublé. Y avez-vous bien réfléchi? »

M. Thibault sourit.

— « En toute conscience, mon cher abbé, je vous dirai ce que j'ai répondu hier à Antoine : est-ce que vous supposez que nous n'avons pas, et mieux que personne, l'expérience de ces choses-là? »

— « Je ne le nie pas », prononça le prêtre sans la moindre humeur. « Mais les enfants que vous avez coutume de traiter n'ont pas tous besoin des ménagements que nécessite le tempérament particulier de votre fils. Et leur régime est différent, si j'ai bien compris, puisqu'ils vivent en commun, ont des heures de récréation, s'exercent à des travaux manuels. J'étais, vous vous en souvenez, partisan d'infliger à Jacques un châtiment sévère, et ce simulacre de réclusion me semblait bien fait pour l'obliger à réfléchir, à s'amender. Mais, que diantre, je n'avais jamais songé que ce dût être une véritable incarcération ni surtout qu'elle pût lui être imposée si longtemps. Songez-y! Depuis neuf mois, un enfant de quinze ans à peine, seul, en cellule, sous la surveillance d'un gardien sans instruction et sur l'honorabilité duquel vous n'avez que des renseignements officiels? Il prend quelques leçons, soit; mais ce professeur de Compiègne, qui lui consacre trois ou quatre heures en toute une semaine, que vaut-il? Vous n'en savez rien. D'autre part vous alléguez votre expérience. Permettez-moi de rappeler que j'ai vécu douze années avec des écoliers, et que je n'ignore pas tout à fait ce qu'est un garçon de quinze ans. L'état de délabrement physique, et surtout moral, dans lequel a pu tomber ce pauvre petit, sans qu'il y paraisse à vos yeux, mais c'est à faire frémir! »

— « Vous aussi? » répliqua M. Thibault. « Je vous croyais l'esprit plus solide », ajouta-t-il avec un petit rire sec. « D'ailleurs, il ne s'agit pas de Jacques en ce moment... »

— « Pour moi, il ne peut s'agir d'autre chose », interrompit l'abbé sans élever la voix. « Après ce que je viens d'apprendre, j'estime que la santé physique et morale de cet enfant court les plus grands dangers »; il parut réfléchir, puis articula, sans hâte : « — et qu'il ne doit pas demeurer un jour de plus là où il est. »

— « Quoi? » fit l'autre.

Il y eut un silence. C'était la seconde fois en douze heures qu'on frappait M. Thibault au point sensible. La rage le gagnait; mais il se contint.

— « Nous en reparlerons », concéda-t-il, en se redressant.

— « Pardon, pardon », fit le prêtre, avec une vivacité inattendue. « Le moins que l'on puisse dire, c'est que vous avez agi avec une imprudence... bien coupable. » Il avait une manière ferme et douce de traîner la voix sur certains mots, sans que son visage s'animât, et de

dresser en même temps son index devant ses lèvres,
comme pour dire : Attention! Ce qu'il fit en répétant :
« Bien coupable... » Puis, après une pause : « Il s'agit de
réparer le mal au plus tôt. »

— « Quoi? Qu'est-ce que vous me voulez? » cria
M. Thibault, qui, cette fois, ne se retenait plus. Il tourna
vers le prêtre un nez agressif : « Vais-je interrompre sans
raison un traitement qui produit déjà d'excellents effets?
Reprendre chez moi ce garnement? Pour être de nouveau à la merci de ses incartades? Merci bien! » Il crispait ses poings à faire craquer les jointures, et sa mâchoire
serrée lui faisait une voix rauque : « En toute conscience,
je dis non, non et non! »

D'un geste calme de ses deux mains, l'abbé sembla
dire : « Comme vous voudrez. »

M. Thibault, d'un coup de reins, s'était levé. Le sort
de Jacques se décidait une seconde fois.

— « Mon cher abbé », reprit-il, « je vois qu'il n'y a
pas à causer sérieusement avec vous ce matin, et je m'en
vais. Mais laissez-moi vous dire que vous vous montez
l'imagination ni plus ni moins qu'Antoine. Est-ce que
j'ai l'air d'un père dénaturé? Est-ce que je n'ai pas tout
fait pour ramener cet enfant au bien, par l'affection,
l'indulgence, le bon exemple, l'influence de la vie familiale? Est-ce que je n'ai pas supporté de lui, durant des
années, tout ce qu'un père peut supporter de son fils?
Et nierez-vous que toutes mes bontés soient restées sans
effet? Par bonheur j'ai compris à temps que mon devoir
était autre, et, si pénible qu'il m'ait paru, je n'ai pas
hésité à sévir. Vous m'approuviez alors. Le bon Dieu
m'avait du reste donné quelque expérience, et j'ai toujours pensé qu'en m'inspirant l'idée de fonder à Crouy
ce pavillon spécial, la Providence m'avait permis de
préparer d'avance le remède à un mal personnel. N'ai-je
pas su accepter courageusement cette épreuve? Est-ce
que beaucoup de pères auraient agi comme moi? Ai-je
quelque chose à me reprocher? Grâce à Dieu, j'ai
la conscience tranquille », affirma-t-il, tandis qu'une
obscure protestation assourdissait légèrement sa voix.
« Je souhaite à tous les pères d'avoir la conscience

DEUXIÈME PARTIE, V   183

aussi tranquille que moi! Et là-dessus, je m'en vais. »

Il ouvrit la porte : un sourire suffisant parut sur son visage; son accent prit une intonation sarcastique, qui n'était pas sans saveur et sentait le terroir normand :

— « Heureusement, j'ai la tête plus solide que vous tous », fit-il.

Il avait traversé le vestibule suivi de l'abbé silencieux.

— « Allons, à bientôt, mon cher », lança-t-il avec rondeur lorsqu'il fut sur le palier.

Il se retournait pour une poignée de main, lorsque, soudain, sans autre préambule :

— « *Deux hommes montèrent au temple pour prier* », commença l'abbé d'une voix songeuse. « *L'un était pharisien et l'autre publicain. Le pharisien, se tenant debout, faisait cette prière en lui-même : " Mon Dieu, je vous rends grâce de ce que je ne suis pas comme le reste des hommes. Je jeûne deux fois la semaine et je distribue aux pauvres le dixième de mon bien. " Le publicain, de son côté, se tenant à l'écart, n'osait pas lever les yeux vers le ciel, mais se frappait la poitrine, disant : " Mon Dieu, ayez pitié de moi, car je ne suis qu'un pécheur ". »*

M. Thibault entrouvrit les paupières : il aperçut son confesseur, debout dans l'ombre du vestibule, et qui portait son index à ses lèvres :

— « *Celui-ci, je vous assure, s'en alla justifié, et non pas l'autre : car quiconque s'élève sera humilié, et quiconque s'humilie sera élevé.* »

Le gros homme reçut le choc sans sourciller; il demeurait immobile, les yeux clos. Comme le silence se prolongeait, il hasarda un second coup d'œil : l'abbé, sans bruit, avait poussé le battant : M. Thibault se trouvait seul devant la porte refermée. Il eut un haussement d'épaules, vira sur lui-même et s'en alla. Mais, à mi-étage il fit halte; son poing serrait la rampe; sa respiration était courte; il tirait le menton en avant, comme un cheval qu'impatiente le caveçon.

— « Non », murmura-t-il.

Et sans hésiter davantage, il rentra chez lui.

Tout le jour, il s'efforça d'oublier ce qui s'était passé.
Mais, dans l'après-midi, comme M. Chasle tardait à
lui donner un dossier dont il avait besoin, il eut un
brusque emportement, qu'il eut peine à réprimer.
Antoine était de service à l'hôpital. Le dîner fut silencieux. Sans attendre que Gisèle eût fini son dessert,
M. Thibault plia sa serviette et regagna son bureau.

Huit heures sonnaient. « J'aurais le temps d'y retourner ce soir », songea-t-il en s'asseyant, bien résolu à n'en
rien faire. « Il me reparlerait de Jacques. J'ai dit non,
c'est non. »

« Mais qu'est-ce qu'il a voulu dire, avec son histoire
de pharisien ? » se demanda-t-il pour la centième fois.
Tout à coup sa lèvre inférieure se mit à trembler. M. Thibault avait toujours eu peur de la mort. Il se dressa, et
par-dessus les bronzes qui encombraient la cheminée,
il chercha son image dans la glace. Ses traits avaient
perdu cette assurance satisfaite qui avait peu à peu
modelé son visage, et dont il ne se départissait jamais,
fût-ce dans la solitude, fût-ce dans la prière. Un frisson
le secoua. Les épaules basses, il se laissa retomber sur
son siège. Il se voyait à son lit de mort et se demandait
avec épouvante s'il ne s'y présenterait pas les mains vides.
Il s'accrochait désespérément à l'opinion des autres sur
lui : « Je suis pourtant un homme de bien ? » se répétait-il;
mais le ton restait interrogatif; il ne pouvait plus se payer
de mots, il était à une de ces rares minutes où l'intros-
pection descend jusqu'à des bas-fonds qu'elle n'a jamais
éclairés encore. Les poings crispés sur les bras de son
fauteuil, il se penchait sur son existence et n'y découvrait
pas un acte qui fût pur. Des souvenirs lancinants sur-
gissaient de l'oubli. L'un d'eux, plus pénible que tous
les autres ensemble, l'assaillit avec une précision si
brutale qu'il prit son front entre ses mains. Pour la première fois de sa vie peut-être, M. Thibault avait honte.
Il connaissait enfin ce suprême dégoût de soi, si intolérable qu'aucun sacrifice ne paraît trop cher, pourvu qu'il

soit une réhabilitation, qu'il achète le pardon divin, qu'il rende à l'âme désolée la paix, l'espérance du salut éternel. Ah, retrouver Dieu... Mais retrouver d'abord l'estime du prêtre, mandataire de Dieu... Oui... Ne pas vivre une heure de plus dans cet isolement maudit, sous cette réprobation...

Le grand air l'apaisa. Il prit une voiture pour arriver plus vite. L'abbé Vécard vint lui ouvrir; sa figure, éclairée par la lampe qu'il souleva pour reconnaître le visiteur, était impassible.

— « C'est moi », fit M. Thibault; il tendit machinalement la main, se tut et se dirigea vers le cabinet de travail. « Je ne viens pas pour reparler de Jacques », déclara-t-il d'emblée, dès qu'il fut assis. Et comme les mains du prêtre ébauchaient un geste conciliant : « Croyez-moi, n'y revenons plus. Vous faites fausse route. D'ailleurs, si le cœur vous en dit, allez à Crouy, rendez-vous compte; vous verrez que j'ai raison. » Puis, avec un mélange de brusquerie et de naïveté : « Pardonnez-moi ma mauvaise humeur de ce matin. Vous me connaissez, je suis vif, je ne... Mais au fond... C'est qu'aussi, pour ce pharisien, vous avez été dur, vous savez. Trop dur. J'ai le droit de protester, que diable! Voilà tout de même trente ans que je donne aux œuvres catholiques tout mon temps, toutes mes forces; mieux encore, la plus grosse partie de mes revenus. Est-ce pour m'entendre dire, par un prêtre, par un ami, que je... que je ne... Non, avouez, ce n'est pas juste! »

L'abbé regarda son pénitent : il semblait dire : « L'orgueil éclate malgré vous dans la moindre de vos paroles... »

Il y eut une assez longue pause.

— « Mon cher abbé », reprit M. Thibault d'un ton mal assuré, « j'admets que je ne sois pas tout à fait... Eh bien, oui, j'en conviens : trop souvent, je... Mais c'est ma nature, pour ainsi dire... Est-ce que vous ne savez pas comme je suis? » Il mendiait un peu d'indulgence. « Ah, le chemin du salut est difficile... Vous êtes le seul à pouvoir me relever, me diriger... »

« Je vieillis, j'ai peur... », balbutia-t-il tout à coup.

L'abbé fut remué par le changement de cette voix. Il sentit qu'il ne devait plus prolonger son silence, et approcha sa chaise.

— « C'est moi qui maintenant hésite... », dit-il. « Et d'ailleurs, cher ami, que dirais-je de plus, après que la parole sainte est entrée si avant? » Il se recueillit un instant. « Je sais bien que Dieu vous a donné un poste difficile : en travaillant pour Lui vous acquérez de l'autorité sur les hommes, des honneurs; et il le faut; mais comment ne pas confondre un peu sa gloire avec la vôtre? Et comment ne pas céder à la tentation de préférer peu à peu la vôtre à la sienne? Je sais bien... »

M. Thibault avait ouvert les yeux et il ne les refermait plus; son regard pâle avait une expression effrayée, et en même temps puérile, innocente.

— « Mais pourtant! » continua l'abbé. « *Ad majorem Dei gloriam.* Cela seul importe, et tout le reste n'est pas bien. Vous êtes, mon cher ami, de la race des forts, c'est-à-dire des orgueilleux. Je sais combien il est malaisé de la tenir courbée dans le bon sens, cette force d'orgueil! Combien il est difficile de ne pas vivre pour soi, de ne pas oublier Dieu, lors même que l'on est tout occupé d'œuvres pies! De ne pas être parmi ceux dont Notre-Seigneur a si tristement dit un jour : *Ce peuple m'honore des lèvres, mais leur cœur est bien éloigné de moi!* »

— « Ah », dit M. Thibault avec exaltation, sans baisser la tête, « c'est terrible... Je suis même seul à savoir jusqu'à quel point c'est terrible! »

Il éprouvait un apaisement délicieux à s'humilier; il sentait confusément que c'était par là qu'il pourrait reconquérir le prêtre, et sans rien avoir à céder sur la question du pénitencier. Une force le poussait à faire davantage encore, à surprendre l'abbé par la profondeur de sa foi, par l'étalage d'une générosité inattendue : forcer sa considération, à n'importe quel prix.

— « L'abbé! » fit-il soudain, et son regard eut un instant cette expression fatale que prenait fréquemment celui d'Antoine. « Si jusqu'ici je n'ai été qu'un pauvre orgueilleux, est-ce que Dieu ne m'offre pas justement aujourd'hui une occasion de... de réparer? » Il hésita et

parut lutter contre lui-même. Il luttait, en effet. L'abbé
lui vit esquisser avec le gras du pouce un rapide signe
de croix sur son gilet, à la place du cœur. « Je veux dire
cette candidature, vous comprenez? Il y aurait bien
vraiment sacrifice, et sacrifice d'orgueil, puisque vous
m'avez annoncé ce matin que l'élection était certaine. Eh
bien, je... Tenez, il y a encore de la vanité là-dedans :
est-ce que je ne devrais pas me taire et faire ça sans en
parler, même à vous? Mais tant pis. Eh bien, l'abbé : je
fais le serment de retirer demain et pour toujours ma
candidature à l'Institut. »

L'abbé fit un geste des mains que M. Thibault ne vit
pas, car il s'était tourné vers le crucifix suspendu à la
muraille.

— « Mon Dieu », murmura-t-il, « ayez pitié de moi car
je ne suis qu'un pécheur. »

Il mit dans ce mouvement un reste de suffisance qu'il
ne soupçonnait pas lui-même; l'orgueil a de telles racines, qu'au moment du plus fervent repentir, c'était
avec une prodigieuse jouissance d'orgueil qu'il savourait
son humilité. L'abbé l'enveloppa d'un regard pénétrant :
jusqu'à quel point cet homme pouvait-il être sincère?
Pourtant, à cette minute, la face de M. Thibault rayonnait de renoncement et de mysticité, au point que l'on
n'en apercevait plus les bouffissures ni les rides, au point
que cette figure de vieillard avait la candeur d'un visage
d'enfant. Le prêtre en fut bouleversé. Il eut honte de la
satisfaction mesquine qu'il avait prise, dans la matinée,
à confondre le gros publicain. Les rôles se renversaient.
Il fit un retour vers sa propre vie. Etait-ce bien pour la
seule gloire de Dieu qu'il avait quitté avec tant d'empressement ses élèves, qu'il avait brigué, à l'archevêché, cette
place près du soleil? Et ne tirait-il pas chaque jour un
coupable plaisir personnel à exercer cette finesse de
diplomate qu'il avait mise au service de l'Eglise?

— « En toute conscience, est-ce que vous croyez que
Dieu me pardonnera? »

Cette voix anxieuse rappela l'abbé Vécard à sa fonc-
tion de directeur spirituel. Il joignit les mains sous son
menton, inclina la tête et sourit avec effort.

— « Je vous ai laissé aller jusqu'au bout », fit-il. « Je vous ai laissé boire le calice. Et je suis bien sûr que la miséricorde divine vous tiendra compte de cette heure-ci. Mais », ajouta-t-il en levant son index, « l'intention suffit; et votre vrai devoir n'est pas d'aller jusqu'au bout du sacrifice. Ne protestez pas. C'est moi, votre confesseur, qui vous délie de votre engagement. En vérité votre renoncement serait moins utile à la gloire de Dieu que ne sera votre élection. Votre situation de famille, de fortune, a des exigences que vous ne devez pas méconnaître. Ce titre de membre de l'Institut vous conférera parmi ces grands républicains d'extrême-droite, qui sont la sauvegarde de notre pays, une autorité nouvelle et que nous estimons nécessaire à la bonne cause. Vous avez de tout temps su mettre votre vie sous la tutelle de l'Eglise. Eh bien, laissez-la, une fois de plus, par mon ministère, vous indiquer le chemin. Dieu refuse votre sacrifice, mon cher ami : si dur que cela soit, inclinez-vous. *Gloria in excelsis! Gloire à Dieu au plus haut des cieux, et paix sur la terre aux hommes de bonne volonté!* »

L'abbé, tout en parlant, voyait les traits de M. Thibault se rassembler et reprendre peu à peu leur équilibre ancien. Lorsqu'il eut terminé, le gros homme avait rebaissé les paupières, et il n'était plus possible de lire ce qui se passait en lui. Le prêtre, en lui rendant ce fauteuil, ambition de vingt ans, lui avait rendu la vie. Mais il demeurait encore amolli par le formidable effort qu'il avait fait sur sa nature, et pénétré d'une gratitude surhumaine. Ils eurent ensemble la même pensée : le prêtre, courbant le front, commença de réciter à mi-voix une prière d'actions de grâces. Lorsqu'il releva la tête, M. Thibault s'était laissé glisser à genoux; sa face d'aveugle, levée vers le ciel, était éclairée de joie; un balbutiement agitait ses lèvres mouillées; et sur le bureau, ses deux mains velues, si bouffies qu'on les eût dit piquées par des guêpes, enchevêtraient leurs doigts avec une ferveur touchante. Pourquoi cet édifiant spectacle fut-il soudain insupportable aux yeux de l'abbé? À tel point qu'il ne put se retenir d'avancer le bras, jusqu'à heurter presque son pénitent? Il corrigea aussitôt son geste, et mit affectueusement sa main sur l'épaule de M. Thibault, qui se releva pesamment.

— « Tout n'est pas encore dit », fit alors le prêtre, avec cette inflexible douceur qui lui était particulière. « Vous devez prendre une décision au sujet de Jacques. »

M. Thibault eut un redressement de tout le corps. L'abbé s'assit.

— « Ne soyez pas comme ceux qui se croient quittes parce qu'ils ont fait face à un devoir difficile, et négligent le devoir immédiat, celui qui est tout près d'eux. Même si l'épreuve à laquelle vous avez soumis cet enfant n'est pas aussi préjudiciable que je puis le craindre, ne la prolongez pas. Songez au serviteur qui enfouit le talent que son Maître lui a confié. Allons, mon ami, ne partez pas d'ici sans avoir pris conscience de votre responsabilité entière. »

M. Thibault restait debout et secouait la tête, mais sa physionomie n'avait plus la même obstination. L'abbé se leva.

— « Le difficile », murmura-t-il, « c'est de ne pas avoir l'air de céder à Antoine. » Il vit qu'il avait touché juste, fit quelques pas, et, tout à coup sur un ton dégagé : « Savez-vous ce que je ferais à votre place, mon cher ami? Je lui dirais : " Tu veux que ton frère quitte le pénitencier? Oui? Tu y tiens toujours? Eh bien, je te prends au mot, va le chercher : mais garde-le. Tu as voulu qu'il revienne : occupe-toi de lui! " »

M. Thibault ne bougea pas. L'abbé reprit :

— « J'irais même plus loin encore! Je lui dirais : " Je ne veux pas de Jacques à la maison. Arrange-toi comme tu voudras. Tu as toujours l'air de penser que nous ne savons pas le prendre. Eh bien, essaye donc, toi! " Et je lui mettrais son frère sur les bras. Je les installerais quelque part, tous les deux, — à proximité de chez vous, bien entendu, pour qu'ils puissent prendre leurs repas avec vous; mais j'abandonnerais à Antoine la direction complète de son frère. Ne vous récriez pas, mon cher ami », ajouta-t-il, bien que M. Thibault n'eût pas fait un geste, « attendez, laissez-moi finir : mon idée n'est pas aussi chimérique qu'elle paraît... »

Il revint à son bureau et s'assit, les coudes sur la table :

— « Suivez-moi bien », dit-il.

« *Primo :* Il y a fort à parier que Jacques supportera mieux l'autorité de son aîné que la vôtre, et je ne suis pas éloigné de croire qu'en jouissant d'une plus grande liberté, il cessera d'avoir cet esprit de résistance et d'indiscipline que nous lui avons connu autrefois.

« *Secundo :* Pour Antoine, son sérieux vous offre toutes les garanties. Pris au mot, je suis convaincu qu'il ne refusera pas ce moyen de délivrer son frère. Et quant à ces fâcheuses tendances que nous déplorions ce matin, une petite cause peut avoir de grands effets : j'estime qu'en lui imposant ainsi charge d'âme vous lui donneriez le meilleur des contrepoids, et vous le ramèneriez infailliblement à une conception moins... anarchiste de la société, de la morale, de la religion.

« *Tertio :* Votre autorité paternelle, mise ainsi à l'abri des frottements quotidiens qui l'usent et la dispersent, garderait tout son prestige pour exercer de haut, sur vos deux fils, cette direction générale, qui est son apanage, et, comme dire? sa principale utilité.

« Enfin », — et le ton devint confidentiel, — « je vous avoue qu'au moment de votre élection, il me paraît désirable que Jacques ait quitté Crouy, et qu'il ne puisse plus être question de cette affaire. La notoriété attire toutes sortes d'interviews et d'enquêtes; vous serez en butte aux indiscrétions de la presse... Considération tout à fait secondaire, je sais; mais enfin... »

M. Thibault laissa échapper un coup d'œil qui trahissait l'inquiétude. Sans qu'il se l'avouât à lui-même, cette levée d'écrou libérait sa conscience, et la combinaison de l'abbé n'avait que des avantages, puisqu'elle sauvegardait son amour-propre vis-à-vis d'Antoine, et rendait à Jacques une situation régulière, sans que M. Thibault eût à s'occuper de l'enfant.

— « Si j'étais sûr », finit-il par dire, « que ce garnement, une fois relâché, ne nous attirera pas de nouveaux scandales... »

La partie, cette fois, était gagnée.

L'abbé s'engagea à exercer un contrôle discret sur l'existence des deux enfants, au moins pendant les pre-

miers mois. Puis il accepta de venir dîner le lendemain
rue de l'Université, et de prendre part à l'entretien que le
père voulait avoir avec son aîné.

M. Thibault se leva pour partir. Il s'en allait avec une
âme légère, remise à neuf. Pourtant, lorsqu'il serra avec
effusion les mains de son confesseur, un doute l'effleura
de nouveau.

— « Que le bon Dieu me pardonne d'être comme je
suis », fit-il piteusement.

L'autre l'enveloppa d'un regard heureux :

— « *Qui d'entre vous* », murmura-t-il, « *ayant cent brebis, s'il en perd une, ne laisse pas les quatre-vingt-dix-neuf
autres dans le désert, et ne va pas chercher celle qui s'est
perdue, jusqu'à ce qu'il la trouve.* » Et levant le doigt avec
un sourire fugitif : « *Je vous dis qu'il y aura plus de joie
dans le ciel pour un pécheur qui fait pénitence...* »

VI

Un matin, il était neuf heures à peine, la concierge de l'avenue de l'Observatoire fit demander Mme de Fontanin. En bas une « personne » désirait la voir, mais qui ne voulait ni monter à l'appartement, ni donner son nom.

— « Une personne ? Une femme ? »

— « Une jeune fille. »

Mme de Fontanin eut un mouvement de recul. Une aventure de Jérôme sans doute. Un chantage ?

— « Et si jeune ! » ajouta la concierge : « Une enfant. »

— « J'y vais. »

Une enfant, en effet, qui se dissimulait dans l'ombre de la loge, qui leva enfin la tête...

— « Nicole ? » s'écria Mme de Fontanin, en reconnaissant la fille de Noémie Petit-Dutreuil. Nicole fut sur le point de se jeter dans les bras de sa tante, mais elle réprima cet élan. Elle avait le teint gris, le visage défait. Elle ne pleurait pas : elle tenait ses yeux grands ouverts et ses sourcils levés; elle semblait surexcitée, résolue, et tout à fait maîtresse d'elle-même.

— « Tante, je voudrais vous parler. »

— « Viens. »

— « Pas là-haut. »

— « Pourquoi ? »

— « Non, pas là-haut. »

— « Mais pourquoi ? Je suis toute seule. » Elle devina que Nicole hésitait : « Daniel est au lycée, Jenny à son cours de piano : je te dis que je suis seule jusqu'au déjeuner. Allons, viens. »

Nicole la suivit, sans une parole. Mme de Fontanin la fit entrer dans sa chambre.

— « Qu'est-ce qu'il y a? » Elle ne pouvait dissimuler sa méfiance : « Qui t'envoie? D'où viens-tu? »

Nicole la regardait sans baisser les yeux; ses cils battirent :

— « Je me suis sauvée. »

— « Ah... », fit Mme de Fontanin, avec une expression de souffrance. Elle se sentait soulagée, cependant. « Et c'est ici que tu es venue? »

Nicole fit un mouvement d'épaules qui semblait dire : « Où aller? Je n'ai personne. »

— « Assieds-toi, ma chérie. Voyons... Tu as l'air bien fatiguée. Tu n'as pas faim? »

— « Un peu. » Elle souriait pour s'excuser.

— « Mais pourquoi ne le dis-tu pas? » s'écria Mme de Fontanin, en entraînant Nicole dans la salle à manger. Quand elle vit comment la petite mordait dans son pain beurré, elle tira du buffet un reste de viande froide et des confitures. Nicole mangeait, sans rien dire, honteuse de son appétit, incapable de le masquer. Le sang montait à ses joues. Elle but coup sur coup deux tasses de thé.

— « Depuis quand n'avais-tu rien mangé? » demanda Mme de Fontanin, dont le visage était plus bouleversé que celui de l'enfant. « Tu as froid? »

— « Non. »

— « Mais si, tu frissonnes. »

Nicole fit un geste d'impatience : elle s'en voulait de ne pas pouvoir cacher ses faiblesses.

— « J'ai voyagé toute la nuit, c'est ça qui donne un peu froid... »

— « Voyagé? D'où viens-tu donc? »

— « De Bruxelles. »

— « De Bruxelles, mon Dieu! Et seule? »

— « Oui », articula la jeune fille. Son accent suffisait à prouver la fermeté de sa détermination. Mme de Fontanin saisit sa main.

— « Tu es gelée. Viens dans ma chambre. Veux-tu te coucher, dormir? Tu m'expliqueras plus tard. »

— « Non, non, tout de suite. Pendant que nous sommes seules. D'ailleurs je n'ai pas sommeil. Je vous assure, laissez-moi. »

On était encore au début d'avril. Mme de Fontanin alluma le feu, enveloppa la fugitive dans un châle et l'assit de force près de la cheminée. L'enfant résistait, puis cédait, agacée, avec deux yeux brillants et fixes, qui ne voulaient pas s'attendrir. Elle consultait la pendule; elle avait hâte de parler, et, maintenant qu'elle était installée, ne se décidait pas à le faire. Sa tante, pour ne pas accroître son malaise, évitait de la regarder. Quelques minutes s'écoulèrent; Nicole ne commençait pas.

— « Quoi que tu aies fait, chérie », dit alors Mme de Fontanin, « personne ici ne te demandera rien. Garde ton secret, si tu veux. Je te sais gré d'avoir pensé à venir près de nous. Tu es ici comme une enfant de la maison. »

Nicole se redressa. Est-ce qu'on la soupçonnait d'avoir commis quelque faute pénible à confesser? Dans le mouvement qu'elle fit, le châle glissa de ses épaules, et découvrit un buste, plein de santé, qui contrastait avec son visage maigri et l'extrême jeunesse de ses traits.

— « Au contraire », dit-elle, avec un regard flamboyant, « je veux tout dire. » Et aussitôt elle commença avec une sorte de sécheresse provocante : « Ma tante... Le jour où vous êtes venue rue de Monceau... »

— « Ah », fit Mme de Fontanin; et, de nouveau, sa figure prit une expression de souffrance.

— « ...j'ai tout entendu », acheva Nicole, très vite, en battant des paupières.

Il y eut un silence.

— « Je le savais, ma chérie. »

La petite étouffa un sanglot, et plongea son visage entre ses mains, comme si elle fondait en larmes. Mais elle releva la tête presque aussitôt; ses yeux étaient secs et ses lèvres serrées, ce qui changeait son expression habituelle et jusqu'au son de sa voix :

— « Ne *la* jugez pas mal, tante Thérèse! *Elle* est très malheureuse, vous savez... Vous ne me croyez pas? »

— « Si », répondit Mme de Fontanin. Une question lui brûlait les lèvres; elle regarda la jeune fille avec un calme qui ne pouvait tromper personne : « Est-ce que, là-bas, il y a aussi... ton oncle Jérôme? »

— « Oui. » Elle ajouta, après une pause, en levant les sourcils : « C'est même lui qui m'a donné l'idée de me sauver... de venir ici... »

— « Lui? »

— « Non, c'est-à-dire... Pendant ces huit jours, il est venu chaque matin. Il me donnait un peu d'argent pour que je puisse vivre, puisque j'étais restée là, toute seule. Et avant-hier, il m'a dit : " Si une âme charitable pouvait te prendre chez elle, tu serais mieux qu'ici. " Il a dit " une âme charitable ". Mais j'ai tout de suite pensé à vous, tante Thérèse. Et je suis sûre que lui aussi il y pensait. Vous ne croyez pas? »

— « Peut-être... », murmura Mme de Fontanin. Elle éprouvait soudain un tel sentiment de bonheur qu'elle faillit sourire. Elle se hâta de parler.

— « Mais, comment étais-tu seule? Où donc étais-tu? »

— « Chez nous. »

— « A Bruxelles? »

— « Oui. »

— « Je ne savais pas que ta maman s'était installée à Bruxelles. »

— « Il a bien fallu, à la fin de novembre. Tout était saisi rue de Monceau. Maman n'a pas de chance, toujours des ennuis, des huissiers qui réclament de l'argent. Mais maintenant on a payé les dettes, elle pourra revenir. »

Mme de Fontanin leva les yeux. Elle voulut demander : « Qui, *on?* » Son regard posait si nettement la question, qu'elle lut la réponse sur les lèvres de l'enfant. De nouveau, elle ne put se retenir :

— « Et... il est parti en novembre, avec elle? »

Nicole ne répondit pas. La voix de tante Thérèse avait tremblé si douloureusement!

— « Tante », dit-elle enfin, avec effort, « il ne faut pas m'en vouloir, je ne veux rien vous cacher, mais c'est difficile d'expliquer tout, comme ça, en une fois. Vous connaissez M. Arvelde? »

— « Non. Qui est-ce? »

— « Un grand violoniste de Paris, qui me donnait des leçons. Oh, un grand, grand artiste : il joue dans les concerts. »

— « Eh bien? »

— « Il habitait Paris, mais il est Belge. C'est pour
ça, quand il a fallu se sauver, il nous a emmenées en
Belgique. Il a une maison à lui, à Bruxelles, où on s'est
installé. »

— « Avec lui? »

— « Oui. » Elle avait compris la question et ne s'y
dérobait pas; elle semblait même prendre un sauvage
plaisir à surmonter toute réticence. Mais elle n'osa plus
rien dire et se tut.

Mme de Fontanin reprit, après une pause assez longue.

— « Mais, où étais-tu ces derniers jours, quand tu
étais seule et que l'oncle Jérôme venait te voir? »

— « Là. »

— « Chez ce monsieur? »

— « Oui. »

— « Et... ton oncle y venait? »

— « Bien sûr. »

— « Mais comment te trouvais-tu seule? » continua
Mme de Fontanin sans se départir de sa douceur.

— « Parce que M. Raoul fait une tournée en ce moment, à Lucerne, à Genève. »

— « Qui ça, Raoul? »

— « M. Arvelde. »

— « Et ta maman t'avait laissée seule à Bruxelles,
pour aller avec lui en Suisse? » L'enfant eut un geste
si désespéré que Mme de Fontanin rougit. « Chérie, je
te demande pardon », balbutia-t-elle. « Ne parle plus de
tout ça. Tu es venue, c'est bien. Reste auprès de nous. »

Mais Nicole secoua violemment la tête :

— « Non, non, c'est presque fini. » Elle fit une forte
aspiration, et tout d'un trait : « Ecoutez, tante : M. Arvelde, lui, il est en Suisse. Mais sans maman. Parce
qu'il avait obtenu pour maman un engagement dans un
théâtre de Bruxelles, pour chanter un rôle d'opérette, à
cause de sa voix, qu'il lui a fait travailler. Même qu'elle
a eu un grand, grand succès dans les journaux; j'en ai
des coupures dans ma poche, que vous pourrez voir. »
Elle s'arrêta, ne sachant plus où elle en était : « Alors »,
reprit-elle avec un regard étrange, « c'est justement parce

que M. Raoul partait en Suisse que l'oncle Jérôme est
venu. Mais trop tard. Quand il est arrivé, maman n'était
plus là. Un soir, elle m'a embrassée... Non », fit-elle
en baissant la voix et en fronçant durement les sourcils, « elle m'a presque battue parce qu'elle ne savait
plus que faire de moi. » Elle releva la tête et se contrai-
gnit à sourire : « Oh, elle ne m'en voulait pas pour de
vrai, au contraire. » Son sourire s'étrangla dans sa gorge.
« Elle était si malheureuse, tante Thérèse, vous ne pouvez pas savoir : il fallait bien qu'elle parte, puisque
quelqu'un l'attendait en bas. Et elle savait que l'oncle
Jérôme allait arriver, parce qu'il était déjà plusieurs
fois venu nous voir, il faisait même de la musique avec
M. Raoul; mais la dernière fois il avait dit qu'il ne
reviendrait plus tant que M. Arvelde serait là. Alors,
avant de partir, maman m'a dit de dire à l'oncle
Jérôme qu'elle était partie pour longtemps, qu'elle me
laissait, et qu'il s'occupe de moi. Ça, je suis sûre qu'il
l'aurait fait, mais je n'ai pas osé le lui dire, quand je
l'ai vu arriver. Il était en colère, j'ai eu peur qu'il ne
parte à leur poursuite; alors je lui ai menti exprès :
je lui ai dit que maman allait revenir le lendemain; et
tous les jours je lui disais que je l'attendais. Lui, il la
cherchait partout, il la croyait encore à Bruxelles. Mais
moi, tout ça était trop, je ne voulais plus rester; d'abord,
parce que le domestique de M. Raoul, je le déteste! »
Elle frissonna. « C'est un homme, tante Thérèse, qui
a des yeux!... Je le déteste! Alors, le jour où l'oncle
Jérôme m'a parlé de l'âme charitable, tout d'un coup
je me suis décidée. Et hier matin, dès qu'il m'a eu
donné un peu d'argent, je suis sortie pour que le domestique ne me le prenne pas, je me suis cachée dans les
églises jusqu'au soir, et j'ai pris le train omnibus de
nuit. »

Elle avait parlé vite, le front baissé. Quand elle redressa la tête, le visage si doux de Mme de Fontanin
exprimait une telle révolte, une telle sévérité, que Nicole
joignit les mains :

— « Tante Thérèse, ne jugez pas mal maman, je vous
assure que rien de tout ça n'est sa faute. Moi non plus

je ne suis pas toujours gentille, et je suis tellement
gênante pour elle, ça se comprend! Mais je suis grande
maintenant, je ne peux plus vivre comme ça. Non, je
ne peux plus », reprit-elle en serrant les lèvres. « Je
veux travailler, gagner ma vie, ne plus être à la charge
de personne. Voilà pourquoi je suis venue, tante Thérèse. Je n'ai que vous. Comment voulez-vous que je
fasse? Aidez-moi seulement quelques jours, tante Thérèse? Vous seule pouvez m'aider. »

Mᵐᵉ de Fontanin était trop émue pour répondre.
Eût-elle jamais cru que cette enfant lui deviendrait un
jour si chère? Elle la considérait avec une tendresse
dont elle savourait elle-même la douceur, et qui calmait
ses propres souffrances. Moins jolie qu'autrefois peut-
être; la bouche abîmée par une éruption de petits bou-
tons de fièvre; mais ses yeux! des yeux d'un gris bleu
assez foncé, et qui étaient presque trop vastes, trop
ronds... Quelle loyauté, quel courage, dans leur limpidité!

Lorsqu'elle put sourire :

— « Ma chérie », dit-elle en se penchant, « je t'ai
comprise, je respecte ta décision, je te promets de t'aider. Mais pour l'instant tu vas t'installer ici, près de
nous : c'est de repos que tu as besoin. » Elle disait
« repos », et son regard disait « affection ». Nicole ne
s'y méprit pas; mais elle refusait encore de s'attendrir :

— « Je veux travailler, je ne veux plus être à charge. »

— « Et si ta maman revient te chercher? »

Le regard transparent se troubla et prit soudain une
incroyable dureté.

— « Ça, jamais plus! » fit-elle, d'une voix rauque.

Mᵐᵉ de Fontanin n'eut pas l'air d'avoir entendu. Elle
dit seulement :

— « Moi, je te garderais volontiers avec nous... toujours. »

La jeune fille se leva, parut chanceler, et, tout à coup,
se laissant glisser, vint poser sa tête sur les genoux de
sa tante. Mᵐᵉ de Fontanin caressait la joue de l'enfant,
et songeait à certaines questions qu'il fallait bien qu'elle
abordât encore :

— « Tu as vu bien des choses, mon enfant, que tu n'aurais pas dû voir à ton âge... », hasarda-t-elle.

Nicole voulut se redresser, mais elle l'en empêcha. Elle ne voulait pas que l'enfant la vît rougir. Elle maintenait le front de la jeune fille sur son genou, et enroulait distraitement une mèche de cheveux blonds autour de son doigt, cherchant ses mots :

— « Tu as deviné bien des choses... Des choses qui doivent rester... secrètes... Tu me comprends ? » Elle penchait maintenant ses yeux sur ceux de Nicole, qui eurent une lueur rapide.

— « Oh, tante Thérèse, soyez sûre... Personne... Personne ! Ils ne comprendraient pas, ils accuseraient maman. »

Elle désirait cacher la conduite de sa mère presque autant que Mme de Fontanin tenait à cacher celle de Jérôme à ses enfants. Complicité inattendue, qui s'affirma soudain, lorsque Nicole, après avoir réfléchi, se releva le visage animé :

— « Ecoutez, tante Thérèse. Voilà ce qu'il faudra leur dire : Que maman a été obligée de gagner sa vie, et qu'elle a trouvé une place à l'étranger. En Angleterre, par exemple... Une place qui l'empêcherait de m'emmener... Tenez, une place d'institutrice, voulez-vous ? » Elle ajouta, avec un sourire d'enfant : « Et puisque maman est partie, il n'y aura rien d'étonnant à ce que je sois triste, n'est-ce pas ? »

VII

Le vieux beau du rez-de-chaussée déménageait le 15 avril.

Le 16 au matin, Mlle de Waize, précédée des deux bonnes, de Mme Fruhling, la concierge, et d'un homme de peine, vint prendre possession de la garçonnière. Le vieux beau ne jouissait pas d'une bonne réputation dans l'immeuble, et Mademoiselle, serrant contre son buste sa pèlerine de mérinos noir, attendit pour franchir le seuil que toutes les fenêtres eussent été ouvertes. Alors elle pénétra dans l'antichambre, fit, en trottinant, le tour des pièces, puis, à demi rassurée par l'innocente nudité des murs, elle organisa le nettoyage comme s'il se fût agi d'un exorcisme.

La vieille demoiselle avait, à la surprise d'Antoine, accepté presque sans objection l'idée d'installer les deux frères hors du foyer paternel, bien qu'un tel projet dût troubler ses traditions domestiques et bouleverser sa conception de la famille et de l'éducation. Antoine s'expliqua l'attitude de Mademoiselle par la joie que lui apportait le retour de Jacques, et par le respect qu'elle portait aux décisions de M. Thibault, surtout lorsqu'elles étaient sanctionnées par l'abbé Vécard. Mais, à la vérité, l'empressement de Mademoiselle avait une autre cause : le soulagement qu'elle éprouvait à voir Antoine quitter l'appartement. Depuis qu'elle avait recueilli Gise, la pauvre demoiselle vivait dans la terreur des contagions. N'avait-elle pas, un printemps, tenu Gise emprisonnée pendant six semaines dans sa chambre, n'osant pas lui laisser prendre l'air ailleurs que sur le balcon, et retardant le départ de toute la famille pour

Maisons-Laffitte, parce que la petite Lisbeth Fruhling, une nièce de la concierge, avait attrapé la coqueluche, et qu'il eût fallu passer devant la loge pour sortir de la maison? Il va sans dire qu'Antoine, avec son relent d'hôpital, ses trousses et ses livres, lui semblait un danger permanent. Elle l'avait supplié de ne jamais prendre Gise sur ses genoux. Si, par inadvertance, il jetait, en rentrant, son paletot sur une chaise du vestibule au lieu de le porter chez lui, ou s'il arrivait en retard et se mettait à table sans aller se laver les mains, bien qu'elle sût qu'il ne portait pas de pardessus pour soigner ses malades, et qu'il ne quittait pas l'hôpital sans passer par le lavabo, elle ne mangeait plus, oppressée par ses craintes, et, sitôt le dessert, elle emmenait Gise dans sa chambre pour lui infliger un lavage antiseptique de la gorge et du nez. Installer Antoine au rez-de-chaussée, c'était créer entre Gisèle et lui une zone protectrice de deux étages et réduire autant que possible les risques quotidiens de contagion. Elle mit donc une intelligence particulière à organiser le lazaret du pestiféré. En trois jours, le logement fut gratté, lavé, tapissé, garni de rideaux et de meubles.

Jacques pouvait venir.

Dès qu'elle pensait à lui, son activité redoublait; ou bien elle cessait une seconde son travail, fixant de ses yeux languides le cher visage qu'elle évoquait. Sa tendresse pour Gise n'avait en rien dépossédé Jacques. Elle l'aimait depuis sa naissance, elle l'aimait de plus loin encore, puisqu'elle avait aimé et élevé, avant lui, cette mère qu'il n'avait pas connue, et qu'elle avait remplacée dès le berceau. C'est entre ses deux bras écartés, qu'un soir, trébuchant sur le tapis du couloir, Jacques avait fait vers elle son premier pas; et quatorze ans de suite, elle avait tremblé pour lui, comme elle tremblait maintenant pour Gisèle. Tant d'amour, et une incompréhension totale. Cet enfant qu'elle ne quittait presque pas des yeux restait pour elle une énigme. Certains jours elle se désespérait d'élever un monstre, et pleurait en songeant à l'enfance de Mme Thibault, qui était douce comme un Jésus. Elle ne se demandait pas de qui

Jacques pouvait tenir sa violence, et n'accusait que le Diable. Mais, à d'autres jours, un de ces gestes inattendus, subits, excessifs, où s'épanouissait soudain le cœur de l'enfant, l'attendrissait, et la faisait pleurer encore, mais de joie. Elle n'avait jamais pu s'habituer à son absence. Elle n'avait rien compris à son départ; mais elle voulait que son retour fût une fête, et que cette nouvelle chambre contînt tout ce qu'il aimait. Antoine avait dû s'opposer à ce qu'elle encombrât d'avance les placards de tous les jouets d'autrefois. Elle avait fait descendre, de sa chambre à elle, ce fauteuil qu'il aimait, dans lequel il venait toujours s'asseoir lorsqu'il boudait; et, sur le conseil d'Antoine, elle avait remplacé l'ancien lit de Jacques par un canapé-lit tout neuf, qui, replié dans le jour, donnait à la pièce la gravité d'un cabinet de travail.

Gisèle, délaissée depuis deux jours, enfermée dans sa chambre avec des devoirs à faire, ne pouvait fixer son attention sur ses cahiers. Elle mourait d'envie de voir ce qui se faisait en bas. Elle savait que son Jacquot allait revenir, que tout ce branle-bas avait lieu à cause de lui; et, pour calmer ses nerfs, elle tournait en rond dans sa prison.

Le troisième matin, le supplice devint intolérable et la tentation fut si forte, qu'à midi, voyant que sa tante ne remontait pas, sans réfléchir davantage, elle s'échappa et descendit l'escalier quatre à quatre. Justement Antoine rentrait. Elle éclata de rire. Il avait le don de provoquer chez elle, dès qu'il la regardait d'une certaine façon imperturbable et féroce, d'irrésistibles fous rires qui se prolongeaient d'autant qu'Antoine conservait plus longtemps son sérieux, et qui les faisaient gronder l'un et l'autre par Mademoiselle. Mais là, ils étaient seuls, et ils en profitèrent :

— « Pourquoi ris-tu? » fit-il enfin en lui saisissant les poignets. Elle se débattait et continuait de plus belle. Puis elle s'arrêta tout à coup.

— « Il faut que je me corrige de rire comme ça, tu comprends, sans quoi je ne pourrai jamais me marier. »

— « Tu veux donc te marier? »

— « Oui », dit-elle, en levant vers lui ses bons yeux de chien. Il regardait son petit corps potelé de sauvageonne, et songeait pour la première fois que cette gamine de onze ans deviendrait femme, se marierait. Il lâcha ses poignets.

— « Où courais-tu, seule, nu-tête, sans même un châle? On va déjeuner. »

— « Je cherche tante. J'ai un problème que je ne comprends pas... », fit-elle, en minaudant un peu. Elle avait rougi et montrait du doigt, dans l'ombre de l'escalier, la porte mystérieuse de la garçonnière, par où filtrait un rayon de lumière. Ses yeux brillaient.

— « Tu as envie d'entrer là? »

Elle prononça « oui » en remuant ses lèvres rouges, sans proférer un son.

— « Tu vas te faire gronder! »

Elle hésita et lui jeta un regard hardi, pour voir s'il plaisantait. Enfin elle déclara :

— « Mais non! D'abord, ça n'est pas un péché. »

Antoine sourit; c'était bien ainsi que Mademoiselle distinguait le bien et le mal. Il se demanda ce que valait pour l'enfant l'influence de la vieille demoiselle; un coup d'œil sur Gise le rassura : c'était une plante saine qui se développerait n'importe où, échapperait à toutes les tutelles.

Gisèle ne quittait pas des yeux la porte entrebâillée.

— « Eh bien, entre », fit Antoine.

Elle étouffa un cri de joie et se glissa comme une souris dans l'intérieur.

Mademoiselle était seule. Grimpée sur le canapé-lit et se dressant sur ses pointes, elle achevait de suspendre au mur le christ qu'elle avait donné à Jacques pour sa première communion, et qui devait continuer à protéger le sommeil de son enfant. Elle était gaie, heureuse, jeune, et chantonnait en travaillant. Elle reconnut le pas d'Antoine dans l'antichambre et songea qu'elle avait oublié l'heure. Pendant ce temps, Gisèle avait fait le tour des autres pièces, et, incapable de contenir sa joie, s'était mise à danser en battant des mains.

— « Dieu bon! » murmura Mademoiselle en sautant

à terre. Dans une glace elle aperçut, les cheveux flottant au vent des fenêtres ouvertes, sa nièce qui bondissait sur place comme un chevreau, en glapissant à tue-tête :
— « Vive les courants d'air-rrr-e! Vive les courants d'air-rrr-e! »

Elle ne comprit pas, ne chercha pas à comprendre. L'idée que la fillette avait pu être amenée là par la désobéissance ne lui vint même pas à l'esprit; elle avait depuis soixante-six ans l'habitude de se plier aux jeux de la fatalité. Mais, en un clin d'œil, elle dégrafa sa pèlerine, se précipita sur l'enfant, l'enveloppa tant bien que mal dans la capuche, et, l'entraînant sans un mot de reproche, lui fit remonter les deux étages plus vite que la petite ne les avait descendus. Elle ne reprit sa respiration qu'après avoir couché Gisèle sous une couverture et lui avoir fait boire un bol d'infusion bouillante.

Il faut dire que ses craintes n'étaient pas totalement dépourvues de fondement. La mère de Gisèle, une Malgache que le commandant de Waize avait épousée à Tamatave où il était en garnison, était morte de tuberculose pulmonaire, moins d'un an après la naissance de l'enfant; et deux ans plus tard, le commandant lui-même avait succombé à une maladie lente, mal déterminée, et qu'on pensa lui avoir été transmise par sa femme. Depuis que, seule parente de l'orpheline, Mademoiselle l'avait fait revenir de Madagascar et l'avait prise à sa charge, la menace de cette hérédité ne cessait de la hanter, bien que l'enfant n'eût jamais eu le moindre rhume inquiétant, et que sa solide constitution fût périodiquement reconnue et confirmée par tous les médecins et spécialistes qui l'examinaient chaque année.

Le vote de l'Institut devait avoir lieu dans la quinzaine, et M. Thibault semblait pressé de voir revenir Jacques. Il fut convenu que M. Faîsme se chargerait de le ramener à Paris le dimanche suivant.

La veille, le samedi soir, Antoine quitta l'hôpital à

sept heures, se fit servir à dîner dans un restaurant voisin pour n'avoir pas à prendre son repas en famille, et, dès huit heures, il pénétrait, seul et joyeux, dans son nouveau chez lui. Il devait y coucher, ce soir-là, pour la première fois. Il eut plaisir à faire jouer sa clef dans sa serrure, à claquer sa porte derrière lui; il alluma l'électricité partout et commença, à petits pas, une promenade à travers son royaume. Il s'était réservé le côté donnant sur la rue : deux grandes pièces et un cabinet. La première était peu meublée : quelques fauteuils disparates autour d'un guéridon; ce devait être un salon d'attente, lorsqu'il aurait à recevoir quelque client. Dans la seconde, la plus grande, il avait fait descendre les meubles qu'il possédait dans l'appartement de son père, sa large table de travail, sa bibliothèque, ses deux fauteuils de cuir, et tous les objets témoins de sa vie laborieuse. Dans le cabinet, qui contenait une toilette et une penderie, il avait fait mettre son lit.

Ses livres étaient empilés par terre, dans l'antichambre, près de ses malles non ouvertes. Le calorifère de l'immeuble donnait une douce chaleur, les ampoules neuves jetaient sur tout leur lumière crue. Antoine avait devant lui une longue soirée pour prendre possession; il fallait qu'en quelques heures tout fût déballé, rangé et prêt à encadrer dorénavant sa vie. Là-haut, le repas s'achevait sans doute : Gise s'endormait sur son assiette; M. Thibault pérorait. Comme Antoine se sentait tranquille, comme sa solitude lui paraissait savoureuse! La glace de la cheminée le reflétait à mi-corps. Il s'en approcha non sans complaisance. Il avait une manière à lui de se regarder dans les glaces, en carrant les épaules, en serrant les mâchoires, et toujours de face, avec un regard dur qu'il plongeait dans ses yeux. Il voulait ignorer son buste trop long, ses jambes courtes, ses bras grêles, et sur ce corps presque gringalet, la disproportion d'une tête trop forte, dont la barbe augmentait encore le volume. Il se voulait, il se sentait un vigoureux gaillard, à large encolure. Et il aimait l'expression contractée de son visage : car, à force de plisser le front comme s'il eût besoin de concentrer toute son attention sur chacun des instants de sa vie, un bourrelet s'était formé à la ligne des sourcils, et son regard, enchâssé dans l'ombre, avait pris un éclat têtu, qui lui plaisait comme un signe visible de son énergie.

« Commençons par les livres », se dit-il en retirant sa veste, et en ouvrant avec entrain les deux battants de la bibliothèque vide. « Voyons... Les cahiers de cours en bas... Les dictionnaires à portée de la main... Thérapeutique... Bon... Tra la la! Tout de même, me voici parvenu à mes fins. Le rez-de-chaussée, Jacques... Qui aurait cru, il y a seulement trois semaines?... *Ce bougre-là est doué d'une volonté in-domp-table* », reprit-il sur un ton flûté, comme s'il imitait la voix d'une autre personne. « *Persévérante et indomp-table!* » Il lança vers la glace un coup d'œil amusé et fit une pirouette qui faillit faire perdre l'équilibre à la pile de brochures qu'il tenait sous son menton. « Holà, doucement! Bon! Voilà les rayons qui reprennent vie... Aux paperasses, maintenant... Remettons pour ce soir les cartons dans le cartonnier, comme ils étaient... Mais il faudra bientôt procéder à une révision des notes, des observations... Je commence à en avoir une quantité respectable... Adopter un classement logique et clair, avec un répertoire bien à jour... Comme chez Philip... Un répertoire sur fiches... Tous les grands médecins, d'ailleurs... »

D'un pas léger, presque dansant, il faisait la navette de l'antichambre au cartonnier. Tout à coup il eut un rire puéril, vraiment inattendu. « *Le docteur Antoine Thibault* », annonça-t-il, s'arrêtant une seconde et redressant la tête. « *Le docteur Thibault... Thibault, vous savez bien, le spécialiste d'enfants...* » Il fit de côté un petit pas furtif, accompagné d'un bref salut, et reprit gravement ses allées et venues. « Passons à la malle d'osier... Dans deux ans je décroche la médaille d'or; chef de clinique... Et le concours des hôpitaux... Je m'installe donc ici pour trois ou quatre ans, pas davantage. Il me faudra alors un appartement convenable, comme celui du patron. » Il reprit sa voix flûtée : « *Thibault, un de nos plus jeunes médecins des hôpitaux... Le bras droit de Philip...* » J'ai eu du nez de me spécialiser tout de suite dans les maladies d'enfant... Quand je pense à Louiset, à Touron... Les imbéciles... »

« *Les im-bé-ciles...* », répéta-t-il sans avoir l'air de songer à ce qu'il disait. Il avait les bras chargés des objets les plus divers, pour chacun desquels il cherchait, d'un œil perplexe, une place appropriée. « Si Jacques voulait être médecin, je l'aiderais, je le guiderais... Deux Thibault médecins... Pourquoi pas? C'est bien une carrière pour des Thibault! Dure, mais quelles satisfactions quand on a un peu le goût de la lutte, un peu d'orgueil! Quels efforts d'attention, de mémoire, de volonté! Et jamais au bout! Et puis, quand on est arrivé! Un grand médecin... Un Philip, par exemple... Pouvoir prendre cet air doux, assuré... Très courtois, mais distant... M. le Professeur... Ah, être quelqu'un, être appelé en consultation par les confrères qui vous jalousent le plus!

« Et moi, j'ai choisi la plus difficile des spécialités, les enfants : ils ne savent pas dire, et quand ils disent, ils vous trompent. C'est bien là, vraiment, qu'on est seul, en tête à tête avec le mal à dénicher... Heureusement, la radio... Un médecin complet, aujourd'hui, devrait être un radiographe, et opérer lui-même. Dès mon doctorat, stage de radio. Et plus tard, à côté de mon cabinet, un atelier de radio... Avec une infirmière... Ou plutôt un aide, en blouse... Les jours de consultations, chaque cas un peu sérieux, hop, cliché...

« *Ce qui me donne confiance en Thibault, c'est qu'il commence toujours par un examen radiographique...* »

Il sourit au son de sa propre voix et cligna de l'œil vers la glace : « Eh bien, oui, je le sais bien, l'orgueil », songea-t-il avec un rire cynique. « L'abbé Vécard dit : " L'orgueil des Thibault. " Mon père, lui... Soit. Mais moi, eh bien oui, l'orgueil. Pourquoi non? L'orgueil, c'est mon levier, le levier de toutes mes forces. Je m'en sers. J'ai bien le droit. Est-ce qu'il ne s'agit pas avant tout d'utiliser ses forces? Et quelles sont-elles mes forces? » Un sourire découvrit ses dents. « Je les connais bien. D'abord, je comprends vite et je retiens; ça reste. Ensuite, faculté de travail. *Thibault travaille comme un*

bœuf! Tant mieux; laisse-les dire! Ils voudraient tous
pouvoir en faire autant. Et puis, quoi encore? Energie.
Ça, oui. *Une énergie ex-traor-di-naire* », prononça-t-il lentement, en se cherchant de nouveau dans la glace.
« C'est comme un potentiel... Un accumulateur bien
chargé, toujours prêt, et qui me permet n'importe quel
effort! Mais que vaudraient toutes ces forces, sans un
levier pour m'en servir, Monsieur l'abbé? » Il tenait à
la main une trousse plate, en nickel, qui brillait sous
la lumière du plafonnier, et qu'il ne savait trop où
mettre; il finit par la glisser sur le dessus de la bibliothèque. « *Et tant mieux* », lança-t-il, à pleine voix, avec
cet accent gouailleur, normand, que prenait quelquefois
son père. « *Et tra la la, et vive l'orgueil, Monsieur l'abbé!* »

La malle se vidait. Antoine retira du fond deux
petits cadres de peluche, qu'il regarda distraitement.
C'étaient les photographies de son grand-père maternel
et de sa mère : un beau vieillard, debout, en frac, la
main sur un guéridon chargé de livres; une jeune femme,
aux traits fins, au regard insignifiant, plutôt doux, avec
un corsage ouvert en carré et deux boucles molles tombant sur l'épaule. Il avait tellement l'habitude d'avoir
sous les yeux cette image de sa mère, que c'est ainsi
qu'il la revoyait, bien que ce portrait datât des fiançailles de Mme Thibault, et qu'il n'eût jamais connu
sa mère avec cette coiffure. Il avait neuf ans à la naissance de Jacques, lorsqu'elle était morte. Il se rappelait mieux le grand-père Couturier, l'économiste, l'ami
de Mac-Mahon, qui avait failli être Préfet de la Seine
à la chute de M. Thiers, qui avait été quelques années le
doyen de l'Institut, et dont Antoine n'avait jamais oublié
l'aimable figure, les cravates de mousseline blanche ni
le semainier de rasoirs à manches de nacre dans leur
étui de galuchat.

Il plaça les deux cadres sur la cheminée, parmi des
échantillons de roches et des fossiles. Restait à ranger
le bureau, encombré d'objets divers, de paperasses. Il
s'y mit gaiement. La pièce se transformait à vue d'œil.
Lorsqu'il eut fini, il promena autour de lui un regard
satisfait. « Quant au linge et aux vêtements, c'est l'af-

faire de la maman Fruhling », songea-t-il paresseuse-
ment. (Afin d'échapper sans réserves à la tutelle de
Mademoiselle, il avait obtenu que la concierge assumât
seule le ménage et le service du rez-de-chaussée.) Il
prit une cigarette et s'allongea dans un des fauteuils
de cuir. Il était rare qu'il eût ainsi une soirée entière
à lui, sans tâche précise; et il s'en trouvait presque gêné.
L'heure n'était pas avancée; qu'allait-il faire? Reste-
rait-il là, à rêvasser en fumant? Il avait bien quelques
lettres à écrire, mais baste!

« Tiens », songea-t-il tout à coup en se levant, « je
voulais regarder dans Hémon ce qu'il dit du diabète
infantile... » Il prit un gros volume broché et le feuilleta
sur ses genoux. « Oui... J'aurais dû savoir ça, c'est évident », fit-il en fronçant les sourcils. « Je me suis bien
trompé... Sans Philip, ce pauvre gosse était perdu, —
par ma faute... C'est-à-dire, par ma faute, non; mais
tout de même... » Il referma le livre et le jeta sur la
table. « Comme il est sec, le patron, dans ces cas-là!
Il est tellement vaniteux, jaloux de sa situation! " Le
régime que vous aviez prescrit ne pouvait qu'aggraver
son état, mon pauvre Thibault! " Devant les externes,
les infirmières, c'est malin! »

Il enfonça les mains dans ses poches, et fit quelques
pas. « J'aurais bien dû lui répondre. J'aurais dû lui
dire : " D'abord si vous faisiez votre devoir, vous!... "
Parfaitement. Il me répond : " M. Thibault, je crois
qu'à ce point de vue-là, personne... " Mais je lui rive
son clou : " Pardon! Si vous arriviez à l'heure, le matin,
et si vous attendiez la fin de la consultation, au lieu de
filer à onze heures et demie pour soigner votre clien-
tèle payante, je n'aurais pas besoin de faire votre besogne,
moi, et je ne risquerais pas de me tromper! " Vlan!
Devant tout le monde! Il me fera la tête pendant quinze
jours, mais je m'en fiche. A la fin! »

Son visage avait pris une subite expression de méchan-
ceté. Il haussa les épaules, et commença, sans y songer,
à remonter la pendule; mais il eut un frisson, remit sa
veste et vint se rasseoir à la place qu'il venait de quitter. Sa joie de tout à l'heure s'était évanouie; il lui res-

tait au cœur une impression de froid. « L'imbécile »,
murmura-t-il, avec un sourire rancunier. Il croisa ner-
veusement les jambes et alluma une nouvelle cigarette.
Mais tout en disant : « L'imbécile », il pensait à la
sûreté de l'œil, à l'expérience, à l'instinct surprenant
du docteur Philip; et, en cet instant, le génie du patron
lui semblait former un ensemble écrasant.

« Et moi, moi? » se demanda-t-il avec une sensation
d'étouffement. « Saurai-je jamais voir clair comme lui?
Cette perspicacité presque infaillible, qui, seule, fait les
grands cliniciens, est-ce que je?... Oui, la mémoire,
l'application, la persévérance... Mais ai-je autre chose,
moi, que ces qualités de subordonné? Ce n'est pas la
première fois que je bute devant un diagnostic... facile,
— oui, c'était un diagnostic très facile, en somme, un
cas classique, nettement caractérisé... Ah », fit-il en tendant brusquement le bras, « ça ne viendra pas tout
seul : travailler, acquérir, acquérir! » Il pâlit : « Et
demain, Jacques! » songea-t-il. « Demain soir, Jacques
sera là, dans la chambre qui est là, et moi je... je... »

Il s'était levé d'un bond. Soudain le projet qu'il avait
fait de vivre avec son frère lui apparut sous son véritable jour : la plus irréparable des folies! Il ne pensait
plus à la responsabilité qu'il avait acceptée; il ne pensait qu'à l'entrave qui dorénavant, quoi qu'il fît, para-
lyserait sa marche. Il ne comprenait plus par quelle
aberration il avait pu prendre ce sauvetage à sa charge.
Avait-il du temps à gaspiller? Avait-il seulement une
heure par semaine à détourner de son but? Imbécile!
C'était lui qui s'était attaché cette pierre au cou! Et
plus moyen de reculer!

Il traversa machinalement le vestibule, ouvrit la porte
de la chambre préparée pour Jacques, et resta sur le
seuil, pétrifié, cherchant à plonger son regard dans la
pièce obscure. Le découragement s'emparait de lui. « Où
fuir pour être tranquille, nom de Dieu? Pour travailler,
pour n'avoir à penser qu'à soi! Toujours des conces-
sions! La famille, les amis, Jacques! Tous conspirent
à m'empêcher de travailler, à me faire rater ma vie! »
Il avait le sang à la tête, la gorge sèche. Il fut à la cui-

sine, but deux verres d'eau glacée, et revint dans son bureau.

Il était sans courage et commença à se déshabiller. Dépaysé dans cette chambre où il n'avait pas encore d'habitudes, où les objets usuels avaient pris un air insolite, tout brusquement lui semblait hostile.

Il mit une heure à se coucher, et fut plus long encore à s'endormir. Il n'était pas accoutumé au bruit si proche de la rue; chaque passant dont la marche sonnait sur le trottoir le faisait tressaillir. Il pensait à des riens : à faire réparer son réveil; à la difficulté qu'il avait eue l'autre nuit, en rentrant d'une soirée chez Philip, pour trouver une voiture... Par moments la pensée du retour de Jacques lui revenait avec une pénétration lancinante, et il se retournait avec désespoir dans son lit étroit.

« Après tout », songeait-il rageusement, « j'ai ma vie à faire, moi! Qu'ils se débrouillent! Je l'installerai là, puisque c'est décidé. J'organiserai son travail, soit. Et puis, fais ce que tu veux! J'ai consenti à m'occuper de lui, oui. Mais halte-là! Que ça ne m'empêche pas d'arriver! J'ai ma vie à faire, moi! Et tout le reste... » De son affection pour l'enfant, ce soir, il ne restait pas trace. Il se souvint de la visite à Crouy. Il revit son frère, amaigri, usé par la solitude; qui sait, tuberculeux peut-être? Si cela était, il déciderait son père à envoyer Jacques dans un bon sanatorium : en Auvergne, ou dans les Pyrénées, plutôt qu'en Suisse; et lui, Antoine, il resterait seul, libre de son temps, libre de travailler tout à sa guise... Il se surprit même à songer : « Je prendrais sa chambre, j'en ferais ma chambre à coucher... »

VIII

Le lendemain, à son réveil, Antoine se trouvait dans une disposition d'esprit tout opposée, et pendant la matinée qu'il passa à l'hôpital, à plusieurs reprises il consulta sa montre avec une joyeuse impatience; il lui tardait d'aller recevoir son frère des mains de M. Faîsme. Il fut à la gare bien avant l'heure, et tout en faisant les cent pas, il se remémorait ce qu'il avait décidé de dire à M. Faîsme sur la Fondation. Mais, dès que le train fut à quai et qu'il eut aperçu dans la file des voyageurs la silhouette de Jacques et les lunettes du directeur, il oublia les paroles bien senties qu'il avait préparées, et courut à la rencontre des arrivants.

M. Faîsme avait une figure radieuse et semblait retrouver dans Antoine son ami le plus cher; il était vêtu avec recherche, ganté de clair, et rasé de si près qu'il avait dû s'enfariner le visage afin d'éteindre le feu de la lame. Il paraissait disposé à accompagner les deux frères jusque chez eux et les pressait d'accepter quelque chose à la terrasse d'un café. Antoine brusqua la séparation en hélant un taxi. M. Faîsme hissa lui-même le balluchon de Jacques sur le siège, et quand la voiture se mit en marche, au risque de laisser écraser le bout de ses souliers vernis, il passa encore une fois le buste dans la portière pour serrer avec effusion les mains des deux jeunes gens et charger Antoine de ses plus humbles salutations à l'adresse de M. le Fondateur.

Jacques pleurait.

Il n'avait pas encore dit un mot ni fait un geste pour répondre au cordial accueil de son frère. Mais cette prostration augmentait la pitié d'Antoine et les sentiments

nouveaux qui lui emplissaient le cœur. Si quelqu'un se
fût avisé de lui rappeler son animosité de la veille, il l'eût
niée et eût affirmé de bonne foi qu'il n'avait jamais cessé
de sentir que le retour de l'enfant donnait enfin un but
à son existence, jusque-là désespérément vide, stérile.

Lorsqu'il fit entrer son frère dans leur appartement et
qu'il referma la porte derrière eux, il avait l'âme en fête
d'un amant qui fait à sa première maîtresse les honneurs
d'un logis préparé pour elle seule. Il y songea et se
moqua de lui-même : mais peu lui importait qu'il fût
ridicule; il se sentait heureux et bon. Et bien qu'il guet-
tât, sans succès, une lueur de satisfaction sur le visage
de son frère, il ne doutait pas un instant de réussir dans
la tâche qu'il entreprenait.

La chambre de Jacques avait été visitée au dernier
moment par Mademoiselle : elle y avait allumé du feu,
afin que la pièce fût plus accueillante, et elle avait disposé
bien en vue une assiettée de gâteaux aux amandes sau-
poudrés de sucre vanillé, une spécialité du quartier pour
laquelle Jacques montrait jadis une prédilection. Sur la
table de nuit, dans un verre, trempait un petit bouquet
de violettes, d'où s'échappait une banderole de papier
découpé, sur laquelle Gisèle avait tracé en lettres multi-
colores :

Pour Jacquot.

Mais Jacquot ne remarqua aucun de ces préparatifs.
A peine entré, et tandis qu'Antoine se débarrassait de
son manteau, il s'assit près de la porte, son chapeau entre
les doigts.

— « Viens donc faire le tour du propriétaire! » cria
Antoine.

L'enfant le rejoignit sans hâte, jeta un regard distrait
dans les autres pièces, et revint s'asseoir. Il semblait
attendre et craindre.

— « Tu veux que nous montions *les* voir? » proposa
Antoine. Et il comprit, au frémissement de Jacques, que
celui-ci ne pensait pas à autre chose depuis son arrivée.
Sa physionomie devint livide. Il avait baissé les yeux,

mais il s'était levé aussitôt, comme s'il eût été en même
temps terrifié par l'approche du moment fatal et impa-
tient d'en finir.

— « Eh bien, allons. Nous ne ferons qu'entrer et
sortir », ajouta Antoine pour lui donner du courage.

M. Thibault les attendait dans son cabinet. Il était de
bonne humeur : le ciel était beau, le printemps proche ; et,
le matin, en assistant à la grand-messe paroissiale, dans
le banc d'œuvre, il avait pris plaisir à se répéter que le
dimanche suivant il y aurait sans doute, assis à cette même
place, un nouveau membre de l'Institut. Il vint au-devant
de ses fils et embrassa le cadet. Jacques sanglotait.
M. Thibault vit dans ces larmes une preuve de ses
remords, de ses bonnes résolutions ; il en fut ému plus
qu'il ne voulut le laisser paraître. Il fit asseoir l'enfant
sur un des fauteuils à hauts dossiers qui encadraient la
cheminée, et, debout, les mains au dos, allant, venant et
soufflant à son habitude, il prononça une brève admones-
tation, affectueuse et ferme à la fois, rappelant sous quelles
conditions Jacques avait le bonheur de réintégrer le
foyer paternel, et lui recommandant de témoigner à
Antoine autant de déférence et de soumission que s'il
se fût agi de lui-même.

Un visiteur inespéré écourta la péroraison ; c'était un
futur collègue, et M. Thibault, soucieux de ne pas le
laisser se morfondre dans le salon, congédia ses fils. Il les
reconduisit néanmoins jusqu'à la porte de son cabinet,
et tandis qu'il soulevait d'une main la portière, il posa
l'autre sur la tête du pupille repenti. Jacques sentit les
doigts paternels caresser ses cheveux et tapoter sa nuque
avec une familiarité si nouvelle pour lui, qu'il ne put
retenir son émotion, et, se retournant, saisit la grosse
main flasque pour la porter à ses lèvres. M. Thibault,
surpris, ouvrit un œil mécontent, et retira la main avec
un sentiment de gêne.

— « Allons, allons... » grommela-t-il en tirant plusieurs
fois de suite le cou hors du col. Cette sensiblerie ne lui
présageait rien de bon.

Ils trouvèrent Mademoiselle qui habillait Gisèle pour
les vêpres. En voyant entrer, à la place du petit diable

turbulent qu'elle attendait, ce grand garçon pâle, aux yeux rougis, Mademoiselle joignit les mains, et le ruban qu'elle nouait dans les cheveux de la fillette lui glissa des doigts. Son saisissement était tel qu'à peine d'abord elle osa l'embrasser.

— « Dieu bon! C'est donc toi? » fit-elle enfin, se jetant sur lui. Elle le serrait contre sa capuche, puis se reculait pour le regarder, et ses yeux brillants dévoraient le visage de Jacques, sans parvenir à y retrouver les traits qu'elle avait aimés.

Gise, plus déçue encore et fort intimidée, regardait le tapis, mordant ses lèvres pour ne pas éclater de rire. Ce fut elle qui obtint le premier sourire de Jacques :

— « Tu ne me reconnais pas? » fit-il en allant vers elle. La glace était rompue. Elle se jeta dans ses bras, puis se mit à sauter comme un cabri, sans lâcher la main qu'elle lui avait prise. Mais elle n'osa rien lui dire ce jour-là, pas même pour lui demander s'il avait vu ses fleurs.

Ils redescendirent tous ensemble. Gisèle ne lâchait toujours pas la main de son Jacquot et elle se collait silencieusement contre lui, avec la sensualité d'un animal jeune. Ils se séparèrent au bas de l'escalier. Mais, sous la voûte, elle se retourna et lui adressa, à travers la porte vitrée, un gros baiser des deux mains : qu'il ne vit pas.

Lorsqu'ils se retrouvèrent seuls, chez eux, Antoine, au premier coup d'œil qu'il jeta vers Jacques, comprit que son frère éprouvait un vif soulagement d'avoir revu les siens, et qu'il y avait déjà une amélioration dans son état.

— « Crois-tu pas que nous allons être bien ici, tous les deux? Réponds! »

— « Oui. »

— « Eh bien, assieds-toi, installe-toi : prends ce grand fauteuil, tu verras comme on y est bien. Je vais faire du thé. As-tu faim? Va nous chercher les gâteaux. »

— « Non, merci. »

— « Mais j'en veux bien, moi! » Rien ne pouvait alté-

rer la bonne humeur d'Antoine. Ce bûcheur solitaire
découvrait enfin la douceur d'aimer, de protéger, de
partager. Il riait sans raison. C'était une ivresse heureuse,
qui le rendait expansif comme jamais il n'avait été.

— « Une cigarette? Non? Tu me regardes... Tu ne
fumes pas? Tu me regardes tout le temps comme si...
comme si je te tendais des pièges! Voyons, mon vieux, un
peu d'abandon, que diable, un peu de confiance; tu n'es
plus au pénitencier! Tu te méfies encore de moi? Dis? »

— « Mais non. »

— « Quoi donc? Tu as peur que je t'aie trompé, que
je t'aie fait revenir et que tu ne sois pas libre comme tu
l'espérais? »

— « N...non. »

— « Qu'est-ce que tu crains? Regrettes-tu quelque
chose? »

— « Non. »

— « Alors? Que se passe-t-il donc derrière ce front
buté? Hein? »

Il vint à l'enfant, et fut sur le point de se pencher
jusqu'à lui, de l'embrasser; mais il ne le fit pas. Jacques
leva vers Antoine un œil morne; il vit que l'autre attendait une réponse :

— « Pourquoi me demandes-tu tout ça? » fit-il. Et
après un léger frisson, il ajouta, très bas : « Qu'est-ce que
ça peut faire? »

Il y eut un court silence. Antoine enveloppait son
cadet d'un regard si compatissant, que Jacques eut de
nouveau envie de pleurer.

— « Tu es comme un malade, mon petit », constata
Antoine sur un ton attristé. « Mais cela passera, aie
confiance. Laisse-toi seulement soigner... Aimer », ajouta-t-il avec timidité, sans regarder l'enfant. « Nous ne
nous connaissons pas bien encore. Songe donc, neuf ans
de différence, c'était un abîme entre nous, tant que tu
étais un enfant. Tu avais onze ans quand j'en avais vingt;
nous ne pouvions rien mettre en commun. Mais maintenant ce n'est plus du tout la même chose. Je ne sais
même pas si je t'aimais autrefois; je n'y pensais pas. Tu
vois que je suis franc. Mais je sens bien que cela aussi

est changé. Je suis très content, très... ému même, de te voir là, près de moi. La vie va être plus facile à deux, et meilleure. Tu ne crois pas? Vois-tu, quand je rentrerai de l'hôpital, je suis sûr que je me dépêcherai pour être plus tôt revenu chez nous. Et je te trouverai là, assis à ton bureau, ayant travaillé avec entrain. N'est-ce pas? Et le soir, on redescendra de bonne heure, on s'installera chacun de son côté, sous la lampe, et on laissera les portes ouvertes, pour se voir, pour se sentir voisins... Ou bien, certains soirs, on bavardera, on bavardera ensemble comme deux amis, sans pouvoir se décider à se coucher... Qu'est-ce que tu as? Tu pleures? »

Il s'approcha de Jacques, s'assit sur le bras de son fauteuil, et, après une hésitation, lui prit la main. Jacques tenait détourné son visage en larmes, mais il gardait dans les siennes la main d'Antoine, et pendant une grande minute, il la serra fébrilement, à la broyer.

— « Antoine! Antoine! » s'écria-t-il enfin d'une voix étouffée. « Ah, si tu savais tout ce qui s'est passé en moi depuis un an... »

Il sanglotait si fort qu'Antoine se garda bien de l'interroger. Il avait jeté son bras autour des épaules de Jacques et tenait son cadet tendrement pressé contre lui. Une fois déjà, lors de leur première expansion, dans l'obscurité du fiacre, il avait connu cet instant de pitié enivrante, cette surabondance soudaine de force, de volonté pour deux. Et bien souvent depuis, une certaine pensée lui était venue, qui, ce soir, prenait soudain un relief étrange. Il se leva et se mit à arpenter la chambre.

— « Tiens », commença-t-il avec une exaltation particulière, « je ne sais pas pourquoi je te parle de ça dès aujourd'hui. D'ailleurs, nous aurons l'occasion d'y revenir. Vois-tu, je pense à ceci : que nous sommes deux frères. Ça n'a l'air de rien, et pourtant c'est une chose toute nouvelle pour moi, et très grave. Frères! Non seulement le même sang, mais les mêmes racines depuis le commencement des âges, exactement le même jet de sève, le même élan! Nous ne sommes pas seulement deux individus, Antoine et Jacques : nous sommes deux Thibault, nous sommes les Thibault. Est-ce que tu comprends ce que je veux dire? Et ce qui est terrible, c'est justement d'avoir en soi cet élan, ce même élan, l'élan des Thibault. Comprends-tu? Nous autres, les Thibault, nous ne sommes pas comme tout le monde. Je crois même que nous avons quelque chose de plus que les autres, à cause de ceci : que nous sommes des Thibault. Moi, partout où j'ai passé, au collège, à la Faculté, à l'hôpital, partout, je me suis senti un Thibault, un être à part, je n'ose pas dire supérieur, et pourtant si, pourquoi pas? oui, supérieur, armé d'une force que les autres n'ont pas. Et toi, penses-y. A l'école, est-ce que tu ne sentais pas, tout cancre que tu étais, cet élan inférieur qui te faisait dépasser tous les autres, *en force?* »

— « Oui », articula Jacques, qui ne pleurait plus. Il dévisageait son frère avec un intérêt passionné, et sa physionomie avait pris à l'improviste une expression d'intelligence et de maturité qui lui donnait dix ans de plus que son âge.

— « Voilà longtemps que j'ai constaté ça », reprit Antoine. « Il doit y voir en nous une combinaison exceptionnelle, d'orgueil, de violence, d'obstination, je ne sais comment dire. Ainsi, tiens, je pense à père... Mais tu ne le connais pas bien. D'ailleurs, lui, c'est autre chose encore. Eh bien », continua-t-il après une pause, et il vint s'asseoir vis-à-vis de Jacques, le buste penché, les mains sur les genoux, comme faisait M. Thibault, « ce que je voulais seulement te dire aujourd'hui, c'est que cette force secrète, elle apparaît sans cesse dans ma vie, je ne sais comment dire, à la manière d'une vague, à la manière de ces brusques lames de fond qui vous soulèvent quand on nage, qui vous portent, qui vous font franchir, d'un grand bond, tout un espace! Tu verras! C'est merveilleux. Mais il faut savoir en tirer parti. Rien n'est impossible, rien n'est même difficile, quand on a cette force-là. Et nous l'avons, toi et moi. Comprends-tu? Ainsi moi... Mais je ne te dis pas ça pour moi. Parlons de toi. Voilà le moment de mesurer cette force en toi, de la connaître, de t'en servir. Le temps perdu, tu le rattraperas d'un seul coup, *si tu le veux.* Vouloir! Tout le monde ne peut pas vouloir. (Il n'y a d'ailleurs pas bien

longtemps que j'ai compris ça.) Moi, je peux vouloir.
Et toi aussi tu peux vouloir. Les Thibault peuvent
vouloir. Et c'est pour ça que les Thibault peuvent tout
entreprendre. Dépasser les autres! S'imposer! Il le faut.
Il faut que cette force, cachée dans une race, aboutisse
enfin! C'est en nous que l'arbre Thibault doit s'épa-
nouir : l'épanouissement d'une lignée! Comprends-tu
ça? » Jacques avait toujours ses yeux rivés à ceux d'Antoine, avec une attention douloureuse. « Comprends-tu
ça, Jacques? »

— « Mais oui, je comprends! » cria-t-il presque. Ses
yeux clairs brillaient; une sorte d'irritation vibrait dans
sa voix. Il avait un pli bizarre au coin des lèvres : on eût
dit qu'il en voulait à son frère d'avoir ainsi bouleversé
son âme par ce souffle inattendu. Il eut un rapide frisson; puis son visage se détendit, prit une expression de
fatigue extrême.

— « Ah, laisse-moi! » fit-il tout à coup, et il laissa
tomber le front entre ses mains.

Antoine s'était tu. Il examinait son frère. Comme il
avait encore maigri, pâli, depuis quinze jours! Ses cheveux roux, tondus de près, accusaient le volume anormal
du crâne, et rendaient plus visible le décollement des
oreilles, la fragilité de la nuque. Antoine remarqua la
peau transparente des tempes, la flétrissure du teint, le
cerne des yeux.

— « T'es-tu corrigé? » lança-t-il à brûle-pourpoint.

— « De quoi? » murmura Jacques. La limpidité de
son regard se troubla. Il rougit, mais garda une expression étonnée, qui était feinte.

Antoine ne répondit rien.

L'heure avançait. Il consulta sa montre et se leva; il
avait sa contre-visite à passer, vers cinq heures. Il hésitait à prévenir son frère qu'il allait le laisser seul jusqu'au
dîner; mais, contrairement à son attente, Jacques parut
presque content de le voir partir.

En effet, resté seul, il se sentit comme allégé. Il eut
l'idée de faire le tour de l'appartement. Mais dans
l'antichambre, devant les portes closes, il fut pris d'une
angoisse inexplicable, revint chez lui et s'enferma. Il

avait à peine regardé sa chambre. Il aperçut enfin le bouquet de violettes, la banderole. Tous les détails de la journée s'enchevêtraient dans sa mémoire, l'accueil du père, la conversation d'Antoine. Il s'allongea sur le canapé, et recommença à pleurer; sans aucun désespoir : non, il pleurait d'épuisement surtout, et aussi, à cause de la chambre, des violettes, de cette main que son père avait posée sur sa tête, des attentions d'Antoine, de cette vie nouvelle et inconnue; il pleurait parce qu'on semblait de toutes parts vouloir l'aimer; parce qu'on allait maintenant s'occuper de lui, et lui parler, et lui sourire; parce qu'il faudrait répondre à tous, parce que c'en était fini pour lui d'être tranquille.

Antoine, pour ménager les transitions, avait remis au mois d'octobre la rentrée de Jacques dans un lycée. Avec d'anciens camarades qui se destinaient à l'Université, il avait élaboré un programme d'études récapitulatives, qui avait pour but de rééduquer progressivement l'intelligence de l'enfant. Trois professeurs différents se partagèrent la besogne. C'étaient tous des jeunes gens, des amis. L'élève bénévole travaillait à ses heures et selon ses capacités d'attention. Antoine eut bientôt le plaisir de constater que la solitude du pénitencier n'avait pas causé aux facultés mentales de son frère autant de dommages que l'on avait pu craindre : à certains égards son esprit avait même singulièrement mûri dans la solitude; si bien qu'après un départ assez lent, les progrès devinrent bientôt plus rapides qu'Antoine n'avait osé l'espérer. Jacques profitait, sans en abuser, de l'indépendance qui lui était accordée. D'ailleurs Antoine, sans le dire devant son père, mais avec l'assentiment tacite de l'abbé Vécard, ne redoutait guère les inconvénients de la liberté. Il avait conscience que la nature de Jacques était riche, et qu'il y avait fort à gagner à la laisser se développer à sa guise et dans son propre sens.

Durant les premiers jours, l'enfant avait éprouvé une vive répugnance à sortir de la maison. La rue l'étourdissait. Antoine dut s'ingénier à lui trouver des courses à faire pour l'obliger à prendre l'air. Jacques refit ainsi connaissance avec son ancien quartier. Bientôt même il prit goût à ces promenades; la saison était belle; il aima suivre les quais jusqu'à Notre-Dame, ou bien flâner

dans les Tuileries. Il se hasarda même un jour à pénétrer
dans le musée du Louvre; mais il y trouva l'air étouffant,
poussiéreux, et l'alignement des tableaux si monotone,
qu'il s'en échappa assez vite et n'y retourna plus.

Aux repas, il restait silencieux; il écoutait son père.
D'ailleurs, le gros homme était si autoritaire et d'un
commerce si rugueux, que tous les êtres obligés de vivre
à son foyer se réfugiaient silencieusement derrière un
masque. Mademoiselle elle-même, en dépit de son
admiration béate, lui dissimulait sans cesse sa véritable
figure. M. Thibault jouissait de ce silence déférent, qui
laissait libre cours à son besoin d'imposer ses jugements,
et qu'il confondait naïvement avec une approbation
générale. Vis-à-vis de Jacques, il se tenait sur une grande
réserve; et, fidèle à ses engagements, ne l'interrogeait
jamais sur l'emploi de son temps.

Il y avait un point, cependant, sur lequel M. Thibault s'était montré intraitable : il avait formellement
interdit toutes relations avec les Fontanin; et, par sur-
croît de sécurité, il avait décidé que Jacques ne paraî-
trait pas cette année à Maisons-Laffitte, où M. Thibault
allait s'installer chaque printemps avec Mademoiselle,
et où les Fontanin possédaient également une petite
propriété, en bordure de la forêt. Il fut convenu que
Jacques resterait cet été-là à Paris, comme Antoine.

L'interdiction de revoir les Fontanin fut l'objet d'un
sérieux entretien entre Antoine et son frère. Le premier
cri de Jacques fut de révolte : il avait le sentiment que
l'injustice passée ne serait jamais effacée, tant que serait
maintenue cette suspicion contre son ami. Réaction
violente, qui ne déplut pas à Antoine : elle lui était une
preuve que Jacques, le vrai Jacques, renaissait. Mais,
lorsque ce premier mouvement de colère fut passé, il
s'employa à raisonner son cadet. Il n'eut d'ailleurs pas
grand-peine à obtenir de lui la promesse qu'il ne chercherait pas à revoir Daniel. En réalité, Jacques n'y
tenait pas autant qu'on aurait pu le penser. Il était encore
trop sauvage pour souhaiter d'autres contacts, et l'intimité de son frère lui suffisait; d'autant qu'Antoine
s'efforçait de vivre avec lui sur un pied de simple cama-

raderie, sans rien qui pût marquer leur différence d'âge et moins encore l'autorité dont il avait été investi.

Dans les premiers jours de juin, Jacques, qui rentrait, vit un attroupement sous la porte cochère : la mère Fruhling venait d'avoir une attaque et gisait en travers de sa loge. Elle reprit ses sens dans la soirée; mais, du côté droit, le bras et la jambe n'obéissaient plus.

A quelques jours de là, un matin, Antoine allait sortir, on sonna. Une gretchen, en chemisette rose et tablier noir, apparut dans l'encadrement de la porte; rougissante, avec un sourire hardi :

— « Je viens pour le ménage... M. Antoine ne me reconnaît pas? Lisbeth Fruhling... »

Elle avait le parler de l'Alsace, plus traînant encore sur ses lèvres d'enfant. Antoine se rappelait bien « l'orpheline de la mère Fruhling », qui vivait jadis à cloche-pied dans la cour. Elle expliqua qu'elle arrivait de Strasbourg pour soigner sa tante, la suppléer dans son service; et, sans perdre de temps, elle commença le ménage.

Elle revint ainsi chaque jour. Elle apportait le plateau et assistait au petit déjeuner des jeunes gens. Antoine la plaisantait sur ses brusques rougeurs et l'interrogeait sur la vie allemande. Elle avait dix-neuf ans; depuis six ans qu'elle avait quitté l'immeuble, elle habitait chez son oncle, qui tenait à Strasbourg un *hôtel-restauration* dans le quartier de la gare. Tant qu'Antoine était là, Jacques se mêlait un peu à la conversation. Mais dès qu'il se sentait seul avec Lisbeth dans l'appartement, il l'évitait.

Pourtant, les jours où Antoine était de garde, c'était dans la chambre de Jacques qu'elle portait le déjeuner. Il lui demandait alors des nouvelles de la tante; et Lisbeth ne lui faisait grâce d'aucun détail : maman Fruhling se remettait, mais lentement; l'appétit, de jour en jour, était meilleur. Lisbeth avait le respect de la nourriture. Elle était petite, dodue, et l'élasticité de son corps

trahissait sa passion pour la danse, les jeux, le chant.
Lorsqu'elle riait, elle regardait Jacques sans la moindre
gêne. Un minois éveillé, le nez court, deux lèvres fraîches,
légèrement gonflées, des yeux de porcelaine, et, tout
autour du front, une mousse de cheveux qui n'étaient
pas blonds, mais couleur de chanvre.

Chaque jour Lisbeth bavardait un peu plus longtemps.
La timidité de Jacques s'apprivoisait. Il l'écoutait avec
une attention sérieuse. Il avait une façon d'écouter qui
lui avait de tout temps valu des confidences : secret de
domestiques, de condisciples, parfois même de professeurs. Lisbeth causait avec lui plus librement qu'avec
Antoine; et c'était avec l'aîné qu'elle se montrait le plus
enfant.

Un matin, elle remarqua que Jacques feuilletait un
dictionnaire allemand, et perdit le peu qui lui restait de
réserve. Elle voulut voir ce qu'il traduisait, et s'attendrit devant un lied de Gœthe qu'elle savait par cœur, et
que même elle chantait :

> Fliesse, fliesse, lieber Fluss
> Nimmer werd' ich froh...

La poésie allemande avait le don de lui tourner la
tête. Elle fredonna plusieurs romances, dont elle expliquait les premiers vers. Ce qu'elle trouvait de plus beau
était toujours puéril et triste :

> Si j'étais un petit oiseau-hirondelle
> Ah, comme vers toi je m'envolerais!...

Cependant elle avait une prédilection pour Schiller.
Elle se recueillit et récita tout d'un trait un fragment
qu'elle chérissait entre tous, ce passage de *Marie Stuart*,
où la jeune reine prisonnière obtient de faire quelques
pas dans les jardins de sa prison, et s'élance sur les
pelouses, éblouie de soleil, ivre de jeunesse. Jacques ne
comprenait pas tous les mots; elle traduisait à mesure,
et, pour exprimer cet élan vers la liberté, elle trouva des

accents si naïfs, que Jacques, songeant à Crouy, sentit son cœur s'amollir. Par bribes, après bien des réticences, il se mit à conter ses malheurs. Il vivait encore si seul et parlait si rarement que le son de sa voix le grisait vite. Il s'anima, dénatura la vérité à plaisir, glissa dans son récit toutes sortes de réminiscences littéraires; car, depuis deux mois, le plus clair de son travail consistait à dévorer les romans de la bibliothèque d'Antoine. Il sentait bien que ces transpositions romantiques avaient sur la sensibilité de Lisbeth plus d'action que n'aurait eue la pauvre réalité. Et lorsqu'il vit la jolie fille essuyer ses yeux, dans l'attitude de Mignon, pleurant sa patrie, il goûta une volupté d'artiste, qui lui était encore inconnue, et il en ressentit tant de reconnaissance qu'il se demanda, tremblant d'espoir, si ce n'était pas de l'amour.

Le lendemain de ce jour-là, il l'attendit avec impatience. Elle s'en doutait peut-être; elle lui apportait un album plein de cartes illustrées, d'autographes, de fleurs séchées : sa vie de jeune fille, depuis trois ans : toute sa vie. Jacques la pressait de questions; il aimait à s'étonner, et il s'étonnait de tout ce qu'il ne connaissait pas. Les histoires de Lisbeth étaient jalonnées de détails indubitables, qui ne permettaient pas de suspecter sa bonne foi; pourtant, lorsque ses joues se coloraient et que sa voix devenait plus traînante, elle avait cet air d'inventer, de mentir, que l'on voit aux gens qui essayent de raconter un rêve. Elle trépignait de plaisir en parlant des soirées d'hiver à la *Tanzschule*, où se retrouvaient les jeunes gens et les jeunes filles du quartier. Le maître à danser, armé d'un très petit violon, poursuivait les couples en marquant la cadence, tandis que Madame tournait les dernières valses viennoises sur le piano automatique. A minuit, on mangeait. Puis, par bandes folâtres, l'on s'ébrouait dans la nuit, et l'on s'accompagnait de maison en maison, sans pouvoir se séparer, tant la neige était douce aux pas, tant le ciel était pur et le vent vif aux joues. Parfois des sous-officiers se mêlaient aux danseurs habituels. L'un d'eux s'appelait Fredi, un autre Will. Lisbeth hésita longtemps à désigner, dans la photographie d'un groupe en uniformes, le gros joujou de bois qui portait ce prénom de Will. « *Ach* », dit-elle, en époussetant l'image d'un revers de manche, « il est si noble, si langoureux! » Elle avait dû aller chez lui, car il y avait une histoire de cithare, de framboises et de caillé, au milieu de laquelle elle s'interrompit avec un petit rire inattendu, et qu'elle n'acheva pas. Tantôt elle nommait Will son fiancé, et tantôt elle parlait de lui comme s'il eût été perdu pour elle. Jacques finit par comprendre qu'il avait été envoyé dans une garnison de Prusse, après un épisode ténébreux et ridicule, dont le souvenir la faisait tour à tour frissonner d'effroi et pouffer de rire : il y avait une chambre d'hôtel au fond d'un couloir dont le parquet grinçait; mais là, tout devenait incompréhensible; la chambre devait être située dans l'hôtel même de Fruhling, sinon le vieil oncle n'aurait pas pu, en pleine nuit, poursuivre le sous-officier dans la cour, et le jeter dans la rue, en chemise et en chaussettes. Lisbeth ajoutait, en guise d'explication, que son oncle songeait à l'épouser pour tenir la maison; elle disait aussi qu'il avait un bec-de-lièvre, où brûlait, du matin au soir, un cigare qui sentait la suie; et, cessant de sourire, sans transition, elle se mit à pleurer.

Jacques était assis à sa table. L'album était ouvert devant lui. Lisbeth s'était posée sur le bras du fauteuil; lorsqu'elle se penchait, il respirait son souffle et ses frisures lui frôlaient l'oreille. Il n'éprouvait aucun trouble des sens. Il avait connu la perversité; mais un autre monde maintenant le sollicitait, qu'il croyait découvrir en lui, qu'il exhumait d'un roman anglais récemment parcouru : l'amour chaste, un sentiment de plénitude heureuse et de pureté.

Toute la journée son imagination ne cessa de préparer, dans les plus menus détails, l'entrevue du lendemain : ils étaient seuls dans l'appartement, et il était bien convenu que rien ne les dérangerait de la matinée; il avait assis Lisbeth sur le canapé, à droite; elle penchait la tête en avant, et lui, debout, il apercevait sa nuque sous les cheveux follets, dans l'échancrure du corsage; elle n'osait pas lever les yeux; il se penchait : « Je ne veux

pas que vous repartiez... » Alors seulement elle redressait
la tête, avec un regard interrogateur; et lui, sa réponse
était un baiser sur le front, le baiser de fiançailles. « Dans
cinq ans, j'aurai vingt ans. Je dirai à papa : " Je ne suis
plus un enfant. " S'ils me disent : " C'est la nièce de la
concierge ", je... » Il fit un geste de menace. « Fiancée!
Fiancée!... Vous êtes ma fiancée! » Sa chambre lui parut
trop petite pour tant de joie. Il sortit. L'air était chaud.
Il se mouvait avec volupté dans la lumière. « Fiancée!
Fiancée! Elle est ma fiancée! »

Il dormait si fort, le lendemain, qu'il ne l'entendit
même pas sonner, et sauta du lit en reconnaissant son
rire dans la chambre d'Antoine. Lorsqu'il les rejoignit,
Antoine avait déjeuné, et, prêt à sortir, tenait Lisbeth à
pleines mains par les deux épaules :
— « Tu entends? » menaçait-il; « si tu lui laisses
encore prendre du café, tu auras affaire à moi! » Lisbeth
riait de son rire particulier; elle refusait de croire que du
bon café au lait à l'allemande, bien sucré et avalé bouil-
lant, pût jamais faire du mal à maman Fruhling.
Ils restèrent seuls. Elle avait mis sur le plateau des
tortillons de pâtisserie semés d'anis, qu'elle avait confec-
tionnés la veille à son intention. Elle le regardait déjeuner
avec déférence. Il s'en voulait d'avoir faim. Rien de tout
cela n'était prévu; il ne savait à quel endroit raccorder la
réalité avec la scène qu'il avait si méticuleusement préparée. Pour comble de malheur, on sonna. C'était une surprise : la mère Fruhling entra, clopin-clopant; elle n'était
pas encore bien valide, mais elle allait mieux, beaucoup
mieux, et venait dire bonjour à M. Jacques. Il fallut
ensuite que Lisbeth l'aidât à regagner la loge, l'installât
dans son fauteuil. Le temps passait. Lisbeth ne revenait
pas. Jacques n'avait jamais pu supporter la contrainte des
circonstances. Il allait et venait, en proie à une contrariété, qui ressemblait à ses colères d'autrefois. Il serrait
les mâchoires et enfonçait les poings dans ses poches. Il
se mit à lui en vouloir.
Lorsqu'elle reparut enfin, il avait la bouche sèche et
l'œil mauvais; il était si énervé par l'attente, que ses

mains tremblaient. Il fit mine d'avoir à travailler. Elle
expédia le ménage et lui dit au revoir. Penché sur ses
livres, la mort dans l'âme, il la laissa partir. Mais, sitôt
seul, il se renversa en arrière, et il eut un sourire si parfaitement amer, qu'il s'approcha de la glace, afin d'en
jouir objectivement. Pour la vingtième fois, son imagination lui représentait la scène convenue : Lisbeth assise,
lui debout, la nuque... Il en ressentit un écœurement, mit
ses mains devant ses yeux, et se jeta sur le canapé pour
pleurer. Mais les larmes ne venaient pas; il n'éprouvait
que de l'énervement et de la rancune.

Quand elle entra, le jour suivant, elle avait un air
attristé que Jacques prit pour un reproche, et qui fit
fondre aussitôt son ressentiment. En réalité, elle venait
de recevoir une mauvaise lettre de Strasbourg : son oncle
la réclamait; l'hôtel était plein; Fruhling acceptait de
patienter une semaine encore, mais pas davantage. Elle
avait pensé montrer la lettre à Jacques; mais il vint à
elle avec un regard si timide et si tendre, qu'elle se retint
de rien dire de triste. Elle s'assit distraitement sur le
canapé, juste à la place où il avait décidé qu'elle serait,
et il se tenait debout, à l'endroit où il s'était vu lui-
même. Elle baissa la tête, et il aperçut, sous les frisons,
la nuque qui fuyait dans l'échancrure du corsage. Il se
penchait déjà, comme un automate, lorsqu'elle se redressa
— un peu trop tôt. Elle le regarda avec surprise, sourit,
l'attira près d'elle sur le canapé, et, sans la moindre hésitation, colla son visage contre celui de Jacques, sa tempe
contre sa tempe, sa joue chaude le long de sa joue.
— « Chéri... *Liebling*... »
Il crut défaillir de douceur, et ferma les yeux. Il sentit
les doigts de Lisbeth, dont le bout était piqué par les
aiguilles, caresser sa joue libre, s'insinuer dans son col;
le bouton céda. Il eut un frisson délicieux. La petite main
magnétique, glissant entre la chemise et la peau, vint se
blottir contre son buste. Alors, lui aussi, il hasarda deux
doigts qui heurtèrent une broche. Elle entrouvrit elle-
même son corsage pour l'aider. Il retenait son souffle.
Sa main frôla une chair inconnue. Elle fit un mouvement,

comme s'il l'eût chatouillée, et il sentit tout à coup la
chaude masse d'un sein couler dans le creux de sa paume.
Il rougit, et l'embrassa gauchement. Aussitôt elle lui
rendit son baiser à vif, en pleine bouche; il en resta
décontenancé, un peu dégoûté même de la fraîcheur,
qu'après la chaleur du baiser, lui laissait cette salive
étrangère. Elle avait remis son visage tout contre le sien
et ne bougeait plus; il sentait contre sa tempe battre ses
cils.

Dès lors, ce fut le rite quotidien. Elle retirait sa broche
dès l'antichambre, et la piquait, sitôt entrée, à la portière.
Tous deux s'installaient sur le canapé, joue contre joue,
les mains au chaud, et restaient silencieux. Ou bien elle
commençait quelque romance allemande, qui leur mettait
les larmes aux yeux; et, pendant de longs moments, ils
balançaient en mesure leurs bustes enlacés, et mêlaient
leurs haleines, sans désirer d'autres joies. Si les doigts
de Jacques s'agitaient un peu sous la chemisette, s'il
déplaçait un peu la tête pour frôler de ses lèvres la joue
de Lisbeth, elle fixait sur lui ses yeux qui semblaient
toujours demander qu'on fût gentil avec elle, et soupi-
rait :
— « Soyez langoureux... »
D'ailleurs, une fois bien en place, les mains restaient
sages. D'un accord tacite, Lisbeth et Jacques évitaient
les gestes inédits. Leur étreinte était toute dans cette
pression patiente et continue de leurs visages, et aussi,
à chaque respiration, dans cette caresse que procurait
aux doigts la tiède palpitation des poitrines. Pour Lisbeth, qui souvent semblait lasse, elle écartait sans effort
toute sollicitation des sens : auprès de Jacques elle se
grisait de pureté, de poésie. Quant à lui, il n'avait même
pas à repousser de tentation plus précise : ces chastes
caresses trouvaient leur fin en soi; l'idée qu'elles pussent
être le prélude d'autres ardeurs ne l'effleurait même pas.
Si parfois la tiédeur de ce corps féminin lui causait un
trouble physique, c'était presque sans qu'il en prît
conscience : il serait mort de dégoût et de honte, à la
pensée que Lisbeth pût s'en apercevoir. Auprès d'elle,

jamais aucune convoitise impure ne l'avait assailli. La
dissociation était complète entre son âme et sa chair.
L'âme appartenait à l'aimée; la chair menait sa vie solitaire dans un autre monde, dans un monde nocturne où
Lisbeth ne pénétrait pas. S'il lui arrivait encore, certains
soirs, ne pouvant trouver le sommeil, de se jeter hors des
draps, d'arracher sa chemise devant la glace, de baiser
ses bras et de palper son corps avec une frénétique insa-
tiété, c'était toujours seul, loin d'elle; l'image de Lisbeth
ne venait jamais se joindre au cortège habituel de ses
évocations.

Cependant, pour Lisbeth, la date du départ approchait;
elle devait quitter Paris le dimanche suivant, par le train
de nuit, et n'avait pas eu le courage d'en avertir Jacques.
Ce dimanche-là, à l'heure du dîner, Antoine, sachant
son frère en haut, rentra chez lui. Lisbeth attendait.
Elle se jeta sur son épaule en pleurant.
— « Eh bien? » demanda-t-il avec un étrange sourire.
Elle fit signe que non.
— « Et tu pars tout à l'heure? »
— « Oui. »
Il eut un geste d'impatience.
— « C'est sa faute, aussi! » fit-elle : « Il n'y pense pas. »
— « Tu avais promis d'y penser pour lui. »
Elle le regarda. Elle le méprisait un peu. Il ne pouvait
pas comprendre que, pour elle, Jacques, « ce n'était pas
la même chose ». Mais Antoine était beau, elle aimait
son air fatal, et lui pardonnait d'être comme les autres.
Elle avait épinglé sa broche au rideau, et se déshabillait
d'un air distrait, songeant déjà au voyage. Lorsque Antoine la saisit dans ses bras, elle eut un rire saccadé qui
se perdit dans sa gorge :
— « *Liebling*... Sois langoureux pour notre dernier
soir... »

Antoine fut absent toute la soirée. Vers onze heures,
Jacques l'entendit rentrer et gagner sa chambre sans
faire de bruit. Il allait se coucher, il ne l'appela pas.
En pénétrant dans son lit, son genou heurta quelque

chose de dur : un paquet, une surprise! C'était, dans du
papier d'étain, quelques tortillons à l'anis, gluants de
caramel; et, plié dans un mouchoir de soie aux initiales
de Jacques, un petit billet mauve :

A mon bien-aimé!

Jamais encore elle ne lui avait écrit. C'était comme si
ce soir elle fût venue se pencher à son chevet. Il riait
de plaisir en décachetant l'enveloppe :

« Monsieur Jacques,

« Quand vous aurez cette chère lettre je serai déjà
loin... »

Les lignes se brouillaient; son front se couvrit de
sueur.

« ...je serai déjà loin car je monte ce soir dans le chemin
de fer de 22 h 12 à la gare de l'Est pour Strasbourg... »

— « Antoine! »

Appel si déchirant qu'Antoine accourut, croyant son
frère blessé.

Jacques était assis sur son lit, les bras écartés, les
lèvres entrouvertes, les yeux suppliants : on eût dit qu'il
se mourait et qu'Antoine seul pouvait le sauver. La
lettre traînait sur les draps. Antoine la parcourut, sans
étonnement : il venait de conduire Lisbeth au train. Il
se pencha sur son frère; mais l'autre l'arrêta :

— « Tais-toi, tais-toi... Tu ne peux pas savoir, Antoine, tu ne peux pas comprendre... »

Il employait les mêmes mots que Lisbeth. Son visage
avait pris une expression butée, et son regard une fixité,
une pesanteur, qui rappelaient l'enfant de jadis. Soudain
sa poitrine se gonfla, ses lèvres se mirent à trembler, et,
comme s'il cherchait à se réfugier contre quelqu'un, il se
détourna et s'abattit sur le traversin, en sanglotant. Un
de ses bras restait en arrière; Antoine toucha cette main
crispée qui s'agrippa aussitôt à la sienne, et qu'il serra
tendrement. Il ne savait que dire; il regardait le dos
courbé de son frère, que les sanglots secouaient. Une
fois de plus, il avait la révélation de ce feu caché sous la
cendre, toujours prêt à s'embraser; et il mesurait la
vanité de ses prétentions éducatrices.

Une demi-heure passa; la main de Jacques se desser-

rait; il ne sanglotait plus, il haletait. Peu à peu la respiration se fit plus régulière; il s'endormait. Antoine ne bougeait pas, ne se décidait pas à partir. Il songeait avec
angoisse à l'avenir de ce petit. Il attendit une demi-heure
encore; puis il s'en alla, sur la pointe des pieds, laissant
les portes entrouvertes.

Le lendemain, Jacques dormait encore, ou feignait le
sommeil, lorsque Antoine quitta la maison.

Ils se retrouvèrent en haut, à la table familiale. Jacques
avait les traits fatigués, un pli méprisant aux coins des
lèvres, et cet air des enfants qui s'enorgueillissent de se
croire méconnus. Pendant tout le repas, son regard évita
celui d'Antoine; il ne voulait même pas être plaint.
Antoine comprit. Au reste, il ne tenait guère à parler
de Lisbeth.

Leur vie reprit son cours comme s'il ne se fût rien
passé.

X

Un soir, avant le dîner, Antoine eut la surprise de trouver dans son courrier une enveloppe à son nom qui contenait une lettre cachetée, à l'adresse de son frère. Il ne reconnut pas l'écriture, et, Jacques étant là, il ne voulut pas avoir l'air d'hésiter :

— « Voilà qui est pour toi », dit-il.

Jacques s'approcha vivement et son visage s'empourpra. Antoine, qui feuilletait un catalogue de livres, lui remit l'enveloppe sans le regarder. Lorsqu'il leva la tête, il vit que Jacques avait glissé la lettre dans sa poche. Leurs yeux se croisèrent; ceux de Jacques étaient agressifs.

— « Pourquoi me regardes-tu comme ça? » fit-il. « J'ai bien le droit de recevoir une lettre? »

Antoine considéra son frère sans rien dire, lui tourna le dos et quitta la pièce.

Pendant le dîner, il causa avec M. Thibault sans s'adresser à Jacques. Ils redescendirent ensemble, comme chaque soir, mais n'échangèrent pas une parole. Antoine gagna sa chambre; il s'asseyait à peine à sa table, lorsque Jacques entra sans avoir frappé, s'avança d'un air provocant et jeta sur le bureau la lettre dépliée :

— « Puisque tu surveilles ma correspondance! »

Antoine replia la feuille sans la lire, et la tendit à son frère. Comme celui-ci ne la prenait pas, il écarta les doigts et la lettre tomba sur le tapis. Jacques la ramassa et l'enfonça dans sa poche.

— « Alors, ce n'est pas la peine de me faire la tête », ricana-t-il.

Antoine haussa les épaules.

— « Et puis, j'en ai assez, si tu veux savoir! » reprit Jacques, élevant tout à coup la voix. « Je ne suis plus un enfant. Je veux... j'ai bien le droit... » Le regard attentif et calme d'Antoine l'irritait. « Je te dis que j'en ai assez! » cria-t-il.

— « Assez de quoi? »

— « De tout. » Sa figure avait perdu toute nuance : l'œil fixe et courroucé, les oreilles décollées, la bouche entrouverte, lui donnaient un air stupide; il devenait très rouge. « D'ailleurs, c'est par erreur que cette lettre est arrivée ici! J'avais ordonné qu'on m'écrive poste restante! Là, au moins, je recevrai les lettres que je veux, sans avoir de compte à rendre à qui que ce soit! »

Antoine l'examinait toujours, sans répondre. Ce silence lui donnait beau jeu et masquait son embarras : jamais encore l'enfant ne lui avait parlé sur ce ton.

— « D'abord, je veux revoir Fontanin, entends-tu? Personne ne m'en empêchera! »

Ce fut un trait de lumière : l'écriture du cahier gris! Jacques correspondait avec Fontanin, malgré sa promesse. Et elle, Mme de Fontanin, était-elle au courant? Autorisait-elle cette correspondance clandestine?

Antoine, pour la première fois, se voyait contraint d'endosser un rôle de parent; le temps n'était pas éloigné où il eût pu avoir devant M. Thibault l'attitude que Jacques avait en ce moment devant lui. L'aspect des choses s'en trouvait renversé.

— « Tu as donc écrit à Daniel? » demanda-t-il en fronçant les sourcils.

Jacques lui tint tête par un signe très affirmatif.

— « Sans m'en parler? »

— « Et puis après? » fit l'autre.

Antoine faillit se lever pour gifler l'impertinent. Il serra les poings. La tournure du débat risquait de compromettre ce à quoi il tenait le plus.

— « Va-t'en », prononça-t-il sur un ton qui feignait le découragement. « Ce soir, tu ne sais plus ce que tu dis. »

— « Je dis... Je dis que j'en ai assez! » cria Jacques en tapant du pied. « Je ne suis plus un enfant. Je veux fréquenter qui bon me semble. J'en ai assez de vivre comme ça. Je veux voir Fontanin, parce que Fontanin est mon ami. Je lui ai écrit pour ça. Je sais ce que je fais. Je lui ai donné rendez-vous. Tu peux le dire à... à qui tu voudras. J'en ai assez, assez, assez! » Il trépignait; et rien ne subsistait plus en lui, que haine et révolte.

Ce qu'il ne disait pas, ce qu'Antoine ne pouvait guère deviner, c'est qu'après le départ de Lisbeth, le pauvre gamin s'était senti le cœur si vide et tout à la fois si lourd, qu'il avait cédé au besoin de confier à un être jeune le secret de sa jeunesse; bien plus : de partager avec Daniel ce poids qui l'étouffait. Et, dans son exaltation solitaire, il avait par avance vécu les heures d'amitié totale, où il supplierait son ami d'aimer une moitié de Lisbeth, et Lisbeth de laisser Daniel prendre à sa charge cette moitié d'amour.

— « Je t'ai dit de t'en aller », reprit Antoine, qui affectait de rester impassible et savourait sa supériorité. « Nous reparlerons de tout cela quand tu auras recouvré la raison. »

— « Lâche! » hurla Jacques que ce flegme exaspérait. « Pion! » Et il partit en claquant la porte.

Antoine se leva pour donner un tour de clef, et se jeta dans un fauteuil. Il avait pâli de rage.

« Pion! L'imbécile. Pion. Il me le paiera. S'il croit qu'il peut se permettre — il se trompe! Ma soirée est perdue, je suis incapable de travailler maintenant. Il me le paiera. Ma tranquillité d'autrefois. Quelle sottise j'ai faite! Et pour ce petit imbécile. Pion! Plus on en fait pour eux... L'imbécile, c'est moi : je gâche pour lui une partie de mon temps, de mon travail. Mais c'est fini. J'ai ma vie, moi, mes examens. Ce n'est pas ce petit imbécile qui... » Il ne pouvait rester en place et se mit à arpenter la chambre. Il se vit tout à coup en présence de Mme de Fontanin, et ses traits prirent une expression ferme et désabusée : « J'ai fait ce que j'ai pu, Madame. J'ai essayé la douceur, l'affection. Je lui ai laissé la plus grande liberté. Et voilà. Croyez-moi, Madame, il y a des natures contre lesquelles on ne peut rien. La société n'a qu'un moyen de s'en garantir, c'est en les empêchant de nuire. Ce n'est pas sans raison que les pénitenciers s'intitulent Œuvres de Préservation sociale... »

Un grignotement de rat lui fit tourner la tête. Sous la porte close un billet venait d'être glissé :

« Je te demande pardon pour pion. Je ne suis plus en colère. Laisse-moi revenir. »

Antoine sourit malgré lui. Il eut un brusque élan d'affection, et, sans réfléchir davantage, alla vers la porte et l'ouvrit. Jacques attendait, les bras ballants. Il était encore si énervé qu'il baissa la tête et pinça les lèvres pour ne pas éclater de rire. Antoine avait pris un air irrité, distant; il revint s'asseoir.

— « J'ai à travailler », fit-il sèchement. « Tu m'as déjà fait perdre assez de temps pour ce soir. Qu'est-ce que tu veux? »

Jacques leva ses yeux qui restaient rieurs, et regarda son frère bien en face :

— « Je veux revoir Daniel », déclara-t-il.

Il y eut un court silence.

— « Tu sais que père s'y oppose », commença Antoine. « J'ai pris la peine de t'expliquer pourquoi. Tu t'en souviens? Ce jour-là, il a été convenu entre nous que tu accepterais cet état de choses et ne ferais aucune tentative pour renouer les relations avec les Fontanin. J'ai eu confiance en ta parole. Tu vois le résultat. Tu m'as trompé; à la première occasion, tu as rompu le pacte. Maintenant, c'est fini : jamais plus je ne pourrai avoir confiance en toi. »

Jacques sanglotait.

— « Ne dis pas ça, Antoine. Ce n'est pas juste. Tu ne peux pas savoir. C'est vrai que j'ai eu tort. Je n'aurais pas dû écrire sans t'en parler. Mais c'est parce qu'il y avait autre chose que j'aurais été forcé de raconter, et je ne pouvais pas. » Il murmura : « Lisbeth... »

— « Il ne s'agit pas de ça », interrompit aussitôt Antoine, afin d'éluder un aveu qui l'eût gêné plus encore que son frère. Et, pour obliger Jacques à changer de sujet : « Je consens à tenter une nouvelle et dernière expérience : tu vas me promettre... »

— « Non, Antoine, je ne peux pas te promettre de ne

pas revoir Daniel. C'est toi qui vas me promettre de me laisser le voir. Ecoute-moi, Antoine, ne te fâche pas. Je te jure devant Dieu que je ne te cacherai plus rien. Mais je veux revoir Daniel et je ne veux pas le revoir sans que tu le saches. Lui non plus d'ailleurs. Je lui avais écrit de me répondre poste restante; il n'a pas voulu. Ecoute ce qu'il m'écrit : *Pourquoi poste restante. Nous n'avons rien à dissimuler. Ton frère a toujours été pour nous. C'est donc à lui que j'adresse ce mot, qu'il te remettra.* Et, à la fin, il refuse le rendez-vous que je lui proposais derrière le Panthéon : *J'en ai parlé à Maman. Le plus simple serait que tu viennes aussitôt que possible passer un dimanche à la maison. Maman vous aime bien, ton frère et toi, elle me charge de vous inviter tous les deux.* Tu vois, il est loyal, lui. Papa ne s'en doute pas, il le condamne sans rien savoir de lui; je ne lui en veux pas trop, mais toi, Antoine, ce n'est pas pareil. Tu connais Daniel, tu le comprends, tu as vu sa mère; tu n'as aucune raison d'être comme papa. Tu dois être content que j'aie cette amitié. Il y a bien assez longtemps que je suis seul! Pardon, je ne dis pas ça pour toi, tu sais bien. Mais toi, c'est une chose; et Daniel, c'est une autre. Tu as bien des amis de ton âge, toi? Tu sais bien ce que c'est d'avoir un vrai ami? »

« Ma foi, non... », songeait Antoine, en remarquant l'expression heureuse et tendre que prenait le visage de Jacques, dès qu'il prononçait ce mot d'*ami*. Il eut soudain envie d'aller à son frère et de l'embrasser. Mais le regard de Jacques avait quelque chose d'irréductible et de combattif, qui était blessant pour l'orgueil d'Antoine. Aussi eut-il la velléité de heurter cette obstination, de la briser. Cependant l'énergie de Jacques lui en imposait un peu. Il ne répondit rien, allongea les jambes et se mit à réfléchir. « En réalité », se disait-il, « moi qui ai l'esprit large, je dois convenir que l'interdiction de mon père est absurde. Ce Fontanin ne peut avoir sur Jacques qu'une bonne influence. Milieu parfait. Qui m'aiderait, même, dans ma tâche. Oui, certainement, *elle* m'aiderait, elle verrait même plus clair que moi; elle prendrait vite de l'ascendant sur le petit; c'est une femme de tout premier ordre. Mais si jamais père apprenait ça... Eh bien? Je ne

suis plus un enfant. Qui a pris la responsabilité de
Jacques? Moi. J'ai donc le droit de juger en dernier
ressort. J'estime que, prise à la lettre, la défense de père
est absurde et injuste : je passe outre, voilà tout. D'abord,
Jacques m'en sera plus attaché. Il pensera : " Antoine
n'est pas comme papa. " Et puis, je suis sûr que la
mère... » Il se vit, une seconde fois, devant Mme de Fontanin, qui souriait : « Madame, j'ai tenu à vous amener
mon frère moi-même... »

Il se leva, fit quelques pas, et vint se planter devant
Jacques, qui restait immobile, la volonté tendue, férocement décidé à combattre et à vaincre l'opposition d'Antoine.

— « Je suis bien obligé de te le dire, puisque tu m'y
forces : mon intention, en dépit des ordres de père, a
toujours été de te laisser revoir les Fontanin. Je projetais
même de t'y conduire, ainsi tu vois? Mais je voulais
attendre que tu aies bien repris ton assiette : je comptais
patienter jusqu'à la rentrée. Ta lettre à Daniel précipite
les choses. Soit. Je prends tout sur moi. Père n'en saura
rien ni l'abbé. Nous irons dimanche, si tu veux.

« Remarque », ajouta-t-il après une pause et sur un
ton d'affectueux reproche, « combien tu t'es mépris,
combien tu as eu tort de ne pas me faire meilleur crédit.
Je te l'ai vingt fois répété, mon petit : franchise complète
entre nous, confiance réciproque, ou bien c'est la faillite
de tout ce que nous avons espéré. »

— « Dimanche? » balbutia Jacques. Il était tout désorienté d'avoir gain de cause sans lutte. Il eut l'impression qu'il était dupe de quelque machination qu'il n'apercevait pas. Puis il eut honte de ce soupçon. Antoine était
vraiment son meilleur ami. Quel dommage qu'il fût si
vieux! Mais quoi, dimanche prochain? Pourquoi si tôt?
Il se demandait maintenant s'il était vrai qu'il désirât
tant revoir son ami.

Daniel dessinait, ce dimanche-là, auprès de sa mère, lorsque la petite chienne se mit à aboyer. On avait sonné. Mme de Fontanin posa son livre.

— « Laisse, maman », fit Daniel, en la devançant vers la porte. On avait dû, faute d'argent, congédier la femme de chambre, puis, le mois précédent, la cuisinière; Nicole et Jenny aidaient au ménage.

Mme de Fontanin, qui prêtait l'oreille, sourit en reconnaissant la voix du pasteur Gregory, et fit quelques pas à sa rencontre. Il avait saisi Daniel aux épaules et le dévisageait avec un rire rauque :

— « Comment? Pas dehors pour une bonne promenade, *boy*, par ce beau temps? Il n'y aura donc jamais ni canot, ni cricket, ni sport, chez ces Français? » L'éclat de ses petits yeux noirs, dont l'iris emplissait l'écartement des paupières sans laisser paraître le blanc, était si pénible à soutenir de près, que Daniel détournait la tête avec un sourire gêné.

— « Ne le grondez pas », dit Mme de Fontanin. « Il attend la visite d'un camarade. Vous savez, ces Thibault? »

Le pasteur, en grimaçant, fouilla dans ses souvenirs : tout à coup, avec une énergie diabolique, il frotta vigoureusement l'une contre l'autre ses mains sèches, d'où semblaient jaillir des étincelles, et sa bouche se fendit en un rire étrange, silencieux.

— « Oh *yes* », fit-il enfin. « Le barbu docteur? Bon, brave jeune homme. Vous souvenez-vous quel visage étonné, quand il est venu voir notre chère petite chose ressuscitée? Il voulait mesurer la ressuscitation avec son thermomètre! *Poor fellow!* Mais, où est-elle, notre *dar-*

ling? Aussi enfermée dans sa chambre, par si splendide soleil? »

— « Non, rassurez-vous. Jenny est dehors avec sa cousine. A peine si elles ont pris le temps de déjeuner. Elles essayent un appareil de photographie... que Jenny a reçu pour sa fête. »

Daniel, qui avançait un siège pour le pasteur, leva la tête et regarda sa mère, dont la voix s'était troublée en donnant ce détail.

— « Quoi, à propos de cette Nicole? » demanda Gregory en s'asseyant. « Rien de nouveau? »

Mme de Fontanin fit signe que non. Elle ne désirait pas traiter ce sujet devant son fils, qui, au nom de Nicole, avait glissé un coup d'œil vers le pasteur.

— « Mais, dites-moi, *boy* », fit brusquement celui-ci en se tournant vers Daniel, « votre barbu docteur ami, quand viendra-t-il réellement pour nous importuner? »

— « Je ne sais pas. Vers trois heures peut-être. »

Gregory se dressa pour extraire de son gilet de clergyman une montre d'argent large comme une soucoupe.

— « *Very well!* » cria-t-il. « Vous avez presque une heure, paresseux garçon! Jetez de côté la veste, et allez tout de suite, courant tout autour du Luxembourg, pour tirer un record de course à pied! *Go on!* »

Le jeune homme échangea un regard avec sa mère, et se leva.

— « Bien, bien, je vous laisse », fit-il malicieusement.

— « Rusé garçon! » murmura Gregory en le menaçant du poing.

Mais dès qu'il fut seul avec Mme de Fontanin, son visage glabre prit une expression de bonté et son regard devint caressant.

— « Maintenant », dit-il, « le temps est venu où je désire parler à votre cœur seulement, *dear*. » Il se recueillit comme s'il priait. Puis, d'un geste nerveux, il passa ses doigts dans ses mèches noires, alla prendre une chaise et s'assit à califourchon. « Je l'ai vu », annonça-t-il, en regardant Mme de Fontanin pâlir. « Je viens de sa part. Il regrette. Comme il est malheureux! » Il ne la quittait pas des yeux; il semblait, en l'enveloppant de son regard

obstinément joyeux, vouloir calmer cette souffrance qu'il
lui apportait.

— « Il est à Paris ? » balbutia-t-elle, sans songer à ce
qu'elle disait, puisqu'elle savait que Jérôme était venu
lui-même l'avant-veille, jour anniversaire de la naissance
de Jenny, déposer pour sa fille cet appareil de photographie, chez la concierge. Où qu'il fût, jamais encore il
n'avait omis de fêter un anniversaire des siens. « Vous
l'avez vu ? » reprit-elle d'une voix distraite, sans que
l'expression de son visage parvînt à se fixer. Depuis des
mois, elle pensait à lui d'une manière continuelle mais si
diffuse, qu'une torpeur spéciale l'envahissait maintenant, dès qu'il était question de lui.

— « Il est malheureux », répéta le pasteur avec insistance. « Il est bourré de remords. Sa piteuse créature est
toujours chanteuse, mais il est dégoûté réellement, il ne
veut plus la revoir jamais. Il dit qu'il ne peut vraiment
vivre sans sa femme, sans ses enfants; et je crois c'est
vrai. Il demande votre pardon; il promet tout pour rester
encore votre mari; il vous prie de chasser votre volonté
de divorce. Sa face, je l'ai perçu, est maintenant la face
du Juste : il est réellement droit-homme, et bon. »

Elle se taisait et regardait vaguement devant elle. Ses
joues pleines, le menton un peu empâté, la bouche molle
et sensible, respiraient tant de mansuétude, que Gregory
crut qu'elle pardonnait.

— « Il dit que vous allez tous deux, ce mois, chez le
tribunal du juge », continua-t-il, « pour la conciliation;
et qu'après seulement commencera la véritable machination de divorce. Alors il mendie, parce qu'il est vraiment changé entièrement. Il dit qu'il n'est pas ce qu'il
paraît, et meilleur que nous croyons. Je pense cela aussi.
Il désire maintenant travailler, s'il trouve travail. Et, si
vous voulez, il vivra ici avec vous, dans un chemin renou-
velé et réparateur. »

Il vit la bouche se crisper et un tremblement agiter le
bas du visage. Elle secoua les épaules, tout à coup, et
dit :

— « Non. »

Le ton était tranchant, le coup d'œil douloureux et

hautain. Sa décision semblait irréductible. Gregory renversa la tête, ferma les yeux et resta un long moment
silencieux.

— « *Look here* », dit-il enfin, d'une voix très différente,
lointaine et sans chaleur. « Je vais vous dire une histoire,
voulez-vous, que vous ne connaissez pas. C'est l'histoire
d'un homme qui aimait un être. Je dis : écoutez. Il était
fiancé, encore très jeune homme, à une pauvre fille, si
bonne et belle, si vraiment aimée de Dieu, que lui aussi
l'aimait... » Son regard devint pesant. « ...avec toute son
âme », accentua-t-il. Puis il sembla faire un effort, chercher où il en était, et reprit, assez vite : « Alors, après
le mariage, c'est ainsi que cela est arrivé : cet homme, il
a perçu que sa femme, elle ne l'aimait pas lui seulement,
mais qu'elle aimait un autre homme qui était leur ami et
qui venait dans la maison comme un frère des deux.
Alors le pauvre mari a emmené sa femme dans un long
voyage, pour aider qu'elle oublie; mais il a compris
qu'elle aimerait toujours maintenant l'autre homme-ami,
mais non plus jamais lui : et l'enfer a commencé pour
eux. Il a vu sa femme souffrant l'adultère dans son corps;
et puis dans son cœur, et à la fin jusque dans son âme,
car elle devenait injuste et mauvaise. Oui », fit-il gravement, « cette chose-là était réellement terrible : elle devenait mauvaise à cause de l'amour contrarié; et lui aussi
devenait mauvais, parce que le négatif était tout autour
d'eux. Alors, qu'est-ce que vous croyez qu'il a fait, cet
homme? Il priait. Il pensait : " J'aime un être, je dois
éviter le mauvais pour cet être. " Et joyeusement, il a
invité sa femme et son ami dans sa propre chambre,
devant le Nouveau Testament, et il a dit : " Soyez mariés
solennellement l'un avec l'autre devant Dieu, par moi-
même. " Ils pleuraient tous les trois. Mais il a dit après :
" N'ayez pas crainte : moi, je quitte; et jamais plus je
reviendrai encore importuner votre bonheur. " »

Gregory mit sa main devant ses yeux, et prononça, à
voix basse :

— « Ah, *dear*, quelle récompense de Dieu, que le souvenir d'un si total amour-sacrifice ! » Puis il releva le front :
« Et il a fait comme il a dit : il a laissé tout son argent

pour eux, parce qu'il était riche excessivement, et elle pauvre comme le misérable Job. Il est parti loin, de l'autre côté du monde, et je sais, il est tout seul encore depuis dix-sept années, sans argent, et il gagne sa propre vie, comme moi je peux faire, comme un simple infirmier disciple de la *Christian Scientist Society*. »

Mme de Fontanin l'examinait avec émotion.

— « Attendez », fit-il avec vivacité, « je vous dirai la fin maintenant. » Son visage était tiraillé en tous sens, et, sur le dossier de la chaise où il s'accoudait, ses doigts de squelette s'entrelacèrent brusquement. « Le pauvre, il pensait qu'il laissait le bonheur derrière lui pour eux, et qu'il emportait avec lui toutes les mauvaises choses; mais ici est le secret de Dieu : c'est le mauvais qui est resté avec eux, là-bas. Ils ont ri de lui. Ils ont trahi l'Esprit. Ils acceptaient son sacrifice, pleurant, et dans leurs cœurs, ils moquaient. Ils disaient mensonges à propos de lui dans toute la *gentry*. Ils ont promené des lettres de lui. Ils ont fait étalage contre lui de sa fictive complaisance. Même ils ont dit qu'il avait abandonné sa femme sans un penny, pour la possession d'une autre femme en Europe. Ils ont dit ces choses, oui! Et ils ont payé un jugement de divorce contre lui. »

Il baissa les paupières une seconde, fit entendre une sorte de gloussement rauque, se leva, et, soigneusement, s'en fut replacer sa chaise où il l'avait prise. Toute trace de douleur était effacée de son visage.

— « Eh bien », reprit-il en se penchant vers Mme de Fontanin immobile, « tel est Amour, et si nécessaire est le pardon, que si, à l'instant même, cette chère perfide femme venait tout à coup près de moi pour dire : " James, je reviens maintenant sous le toit de votre maison. Vous serez de nouveau mon serviteur piétiné. Quand je veux, je rirai encore de vous. " Eh bien, je lui dirais : " Venez, prenez tout ce peu que j'ai. Je remercie Dieu pour votre retour. Et je ferai tellement grand effort pour être réellement bon devant vos yeux, que vous aussi, vous deviendrez bonne : car le Mauvais n'existe pas. " Oui, en vérité, *dear*, si jamais ma Dolly vient un jour à mes côtés pour demander son refuge, voilà comme je ferai avec elle. Et

je ne dirai pas : " Dolly, je pardonne ", mais seulement :
" Christ vous garde ! " Et ainsi mes paroles ne me
reviendront pas à vide : parce que le Bien est le seul
pouvoir capable de mettre le frein sur le Négatif ! » Il se
tut, croisa les bras, saisit à pleine main son menton anguleux, et, d'une voix chantante de prédicant : « Vous, de
même vous devez faire, Madame Fontanin. Parce que
vous aimez cet être de tout votre amour, et Amour c'est
Justice. Christ a dit : *Si votre Justice n'est pas autre que
celle du scribe usuel ou du pharisien, vous n'entrerez pas
dans le Royaume.* »

La pauvre femme secoua la tête :

— « Vous ne le connaissez pas, James », murmura-
t-elle. « L'air est irrespirable autour de lui. Partout il
apporte le mal. Il détruirait de nouveau notre bonheur.
Il contaminerait les enfants. »

— « Quand Christ a touché la plaie du léprosé avec
sa main, ce n'est pas la main de Christ qui est devenue
épidémique, mais le léprosé qui a été nettoyé. »

— « Vous dites que je l'aime, non, ce n'est pas vrai !
Je le connais trop bien maintenant. Je sais ce que valent
ses promesses. J'ai pardonné trop souvent. »

— « Quand Pierre demande à Christ combien il devra
pardonner son frère : *Faut-il jusqu'à sept fois.* Alors Christ
répond : *Qu'est-ce que c'est, jusqu'à sept fois. Moi je dis
jusqu'à soixante et dix fois sept fois.* »

— « Je vous dis que vous ne le connaissez pas, James ! »

— « Qui donc peut penser : *Je connais mon frère ?*
Christ a dit : *Je ne juge aucun.* Et moi, Gregory, je dis :
Celui qui vit une vie de péché sans être trouble et
malheureux dans son cœur, c'est parce qu'il est encore
loin de l'heure de vérité ; mais il est bien près de l'heure
de vérité, celui qui pleure parce que sa vie est dans le
péché. Je vous dis, il regrette, il avait la face du Juste. »

— « Vous ne savez pas tout, James. Demandez-lui ce
qu'il a fait quand cette femme a dû fuir en Belgique pour
échapper aux créanciers qui la traquaient. Elle était partie
avec un autre ; il a tout quitté pour les suivre et consenti
à toutes les compromissions. Il a tenu pendant deux mois
une place de contrôleur dans le théâtre où elle chantait !

Je vous dis que c'est une honte. Elle continuait à vivre avec son violoniste, il acceptait tout, il dînait chez eux, il venait faire de la musique avec l'amant de sa maîtresse. La face du Juste! Vous ne le comprenez pas. Aujourd'hui, il est à Paris, repentant, il dit qu'il a quitté cette femme, qu'il ne veut plus la revoir. Pourquoi donc alors paye-t-il ses dettes, si ce n'est pour se l'attacher à nouveau? Car il désintéresse un à un les créanciers de Noémie. Oui, voilà pourquoi il est à Paris! Avec quel argent? Le mien, celui de ses enfants. Tenez, voici trois semaines, savez-vous ce qu'il a fait? Il a hypothéqué notre propriété de Maisons-Laffitte pour jeter vingt-cinq mille francs à un créancier de Noémie qui perdait patience! »

Elle baissa le front; elle ne disait pas tout. Elle se souvenait de cette convocation chez le notaire, à laquelle elle s'était rendue sans méfiance, et où elle avait trouvé Jérôme à la porte, qui l'attendait. Il avait besoin de sa procuration pour l'hypothèque, parce que la propriété lui appartenait à elle, par héritage. Il l'avait implorée, prétextant qu'il était sans le sou, acculé au suicide; et il faisait, sur le trottoir, le geste de retourner ses poches. Elle avait cédé, presque sans lutte; elle l'avait accompagné chez le notaire, pour qu'il cessât de la harceler ainsi, en pleine rue, — et aussi parce qu'elle était elle-même à court d'argent, et qu'il lui avait promis de prélever sur la somme quelques billets de mille francs, dont elle avait besoin pour vivre six mois, en attendant le règlement des comptes après le divorce.

— « Je vous répète que vous ne le connaissez pas, James. Il vous jure que tout est changé, qu'il désire vivre près de nous? Si je vous apprenais qu'avant-hier, lorsqu'il est venu déposer en bas son cadeau pour l'anniversaire de Jenny, il avait laissé, à cent mètres de notre porte, une voiture... dans laquelle il n'était pas venu seul! » Elle frissonna; elle revit soudain, sur le banc du quai des Tuileries, Jérôme et cette petite ouvrière en noir, qui pleurait. Elle se leva : « Voilà l'homme qu'il est », cria-t-elle : « tout sens moral est chez lui à ce point aboli, qu'il se fait accompagner par une maîtresse de rencontre le jour où il va souhaiter la fête de sa fille! Et vous

dites que je l'aime encore, non, ce n'est pas vrai! »
Elle s'était redressée; elle semblait vraiment, à ce moment-là, le haïr.

Gregory la considéra sévèrement :

— « Vous n'êtes pas dans la vérité », dit-il. « Même
en pensée, devons-nous rendre mal pour mal? L'Esprit
est tout. Le Matériel est esclave du Spirituel. Christ a
dit... » Les aboyements de Puce lui coupèrent la parole.
« Voilà votre damné barbu docteur! » grommela-t-il,
avec une grimace. Il courut reprendre sa chaise, et s'assit.

La porte s'ouvrit en effet. C'était Antoine, que suivaient Jacques et Daniel.

Il entrait de son pas résolu, ayant accepté les consé-
quences de cette visite. La lumière des fenêtres ouvertes
frappait en plein son visage; ses cheveux, sa barbe formaient une masse sombre; tout l'éclat du jour se concen-
trait sur le rectangle blanc du front, auquel il prêtait le
rayonnement du génie; et, bien qu'il fût de taille moyenne
il eut un instant l'air grand. Mme de Fontanin le regardait
venir, et toute sa sympathie réveillée se dilatait soudain.
Tandis qu'il s'inclinait devant elle et qu'elle lui prenait
les mains, il reconnut Gregory, et fut mécontent de le
trouver là. Le pasteur lui fit, de sa place, un signe de
tête cavalier.

Jacques, à l'écart, examinait curieusement l'étrange
bonhomme; et Gregory, à califourchon sur sa chaise, le
menton sur ses bras croisés, le nez rouge, la bouche
grimaçant un incompréhensible sourire, contemplait les
jeunes gens avec bonhomie. A ce moment, Mme de
Fontanin s'approcha de Jacques, et l'expression de ses
yeux était si affectueuse, qu'il se souvint du soir où elle
l'avait tenu pleurant dans ses bras. Elle-même y songeait, car elle s'écria :

— « Il a tellement grandi que je n'oserai plus... »; et
comme, ce disant, elle l'embrassait, elle se mit à rire
avec un rien de coquetterie : « C'est vrai que je suis une
maman; et vous êtes un peu comme le frère de mon
Daniel... » Mais elle vit que Gregory s'était levé et qu'il
s'apprêtait à partir : « Vous ne vous en allez pas, James? »

— « Pardonnez-moi », fit-il, « maintenant je dois quitter. » Il serra vigoureusement les mains des deux frères, et vint à elle.

— « Encore un mot », lui dit Mme de Fontanin, en l'accompagnant hors de la pièce. « Répondez-moi franchement. Après ce que je vous ai appris, pensez-vous encore que Jérôme soit digne de reprendre sa place auprès de nous? » Elle l'interrogeait des yeux. « Pesez votre réponse, James. Si vous me dites : " Pardonnez ", — je pardonnerai. »

Il se taisait; son regard, son visage exprimaient cette universelle pitié où se complaisent ceux qui croient être en possession de la Vérité. Il crut voir comme une lueur d'espérance passer dans les yeux de Mme de Fontanin. Ce n'était pas ce pardon-là que Christ désirait d'elle. Il détourna la tête, et fit entendre un ricanement réprobateur.

Elle le prit alors par le bras et fit mine de le congédier affectueusement :

— « Je vous remercie, James. Dites-lui que c'est non. »

Il n'écoutait pas; il priait pour elle.

— « Que Christ règne sur votre cœur », murmura-t-il, en s'éloignant sans la regarder.

Lorsqu'elle revint dans le salon où Antoine, regardant autour de lui, songeait à sa première visite, Mme de Fontanin dut faire effort pour refouler son agitation.

— « Comme c'est gentil d'avoir accompagné votre frère », s'écria-t-elle, forçant un peu sa bienvenue. « Asseyez-vous là. » Elle désignait à Antoine un siège auprès d'elle. « Nous ferons bien aujourd'hui de ne pas compter sur les jeunes pour nous tenir compagnie... »

Daniel avait en effet passé son bras sous celui de Jacques et l'entraînait vers sa chambre. Ils étaient de même taille maintenant. Daniel ne s'attendait pas à trouver son ami si transformé : son amitié en était affermie, et plus pressant son désir de confidence. Dès qu'ils furent seuls, sa figure s'anima, prit une expression mystérieuse :

— « D'abord que je te prévienne : tu vas la voir : c'est une cousine qui habite avec nous. Elle est... divine! »

Surprit-il un léger embarras dans l'attitude de Jacques?
Fut-il troublé par un scrupule tardif? « Mais parlons de
toi », fit-il avec un sourire aimable; il gardait jusque
dans la camaraderie une courtoisie un peu cérémonieuse.
« Depuis un an, pense donc! » Et comme Jacques se
taisait : « Oh, rien encore », reprit-il en se penchant.
« Mais j'ai bon espoir. »

Jacques fut gêné par l'insistance du coup d'œil, par
le timbre de la voix. Il s'apercevait enfin que Daniel
n'était pas tout à fait comme avant, mais il n'eût su dire
en quoi. Ses traits étaient restés les mêmes; peut-être
l'ovale du visage s'était-il allongé; mais la bouche avait
toujours la même circonflexion compliquée, mieux accu-
sée encore par le liséré de la moustache; et il avait
conservé la même façon de sourire d'un seul côté, qui
dérangeait brusquement l'ordonnance des lignes et découvrait les dents du haut, à gauche; peut-être ses yeux
brillaient-ils d'un éclat moins pur; peut-être ses sourcils
obéissaient-ils davantage à cette tension vers les tempes,
qui donnait au regard une douceur glissante; et peut-être
aussi laissait-il percer dans sa voix, dans ses manières,
une sorte de désinvolture qu'il ne se fût pas permise jadis?

Jacques examinait Daniel sans songer à lui répondre;
et, à cause peut-être de cette nonchalance impertinente
qui l'agaçait et le séduisait en même temps, il se sentit
tout à coup porté vers son ami par un retour de cette
tendresse passionnée qu'il éprouvait au lycée; il en eut
les larmes aux yeux.

— « Eh bien, voyons, depuis un an? Raconte! » s'écria
Daniel qui ne tenait pas en place, et qui s'assit pour se
contraindre à l'attention.

Son attitude décelait l'affection la plus vraie; cependant Jacques y perçut une application qui le paralysa.
Il commença néanmoins à parler de son séjour au pénitencier. Il retombait, sans le vouloir précisément, dans
les mêmes clichés littéraires qu'il avait essayés sur
Lisbeth; une espèce de pudeur l'empêchait de raconter
nûment ce qu'avait été là-bas sa vie de chaque jour.

— « Mais pourquoi m'écrivais-tu si peu? »

Jacques éluda la véritable raison, qui était de mettre

son père à l'abri de toute critique malveillante; ce qui
ne l'empêchait d'ailleurs pas, quant à lui, de désapprou-
ver M. Thibault en tout.

— « La solitude, tu sais, ça vous change », expliqua-
t-il après une pause; et rien que d'y songer mit sur son
visage une expression de stupeur. « On devient indifférent à tout. Il y a aussi comme une peur vague qui ne
vous quitte pas. On fait des gestes, mais sans penser à
rien. À la longue, on ne sait presque plus qui on est, on
ne sait même plus bien si on existe. On finirait par en
mourir, tu sais... Ou par devenir fou », ajouta-t-il en
fixant devant lui un regard interrogateur. Il frémit
imperceptiblement, et, changeant de ton, conta la visite
d'Antoine à Crouy.

Daniel l'écoutait sans l'interrompre. Mais dès qu'il
vit que la confession de Jacques se terminait, sa physionomie se ranima.

— « Je ne t'ai même pas dit son nom », lança-t-il :
« Nicole. Tu aimes ? »

— « Beaucoup », dit Jacques, qui, pour la première
fois, réfléchissait au prénom de Lisbeth.

— « Un nom qui lui va. Je trouve. Tu verras. Pas
jolie, jolie, si tu veux. Mais plus que jolie : fraîche,
pleine de vie, des yeux ! » Il hésita : « Appétissante, tu
comprends ? »

Jacques évita son regard. Lui aussi eût souhaité parler
à cœur ouvert de son amour; c'est pour cela qu'il était
venu. Mais, dès les premières confidences de Daniel, il
s'était senti mal à l'aise; et maintenant encore il l'écoutait les yeux baissés, avec un sentiment de contrainte,
presque de honte.

— « Ce matin », narrait Daniel, réprimant mal son
entrain, « maman et Jenny étaient sorties de bonne
heure; alors nous étions seuls à prendre le thé, Nicole
et moi. Seuls dans l'appartement. Elle n'était pas habillée
encore. C'était exquis. Je l'ai suivie dans la chambre de
Jenny, où elle couche. Alors, mon cher, cette chambre,
ce lit de jeune fille... Je l'ai saisie dans mes bras. Un
instant. Elle s'est débattue, mais elle riait. Ce qu'elle est
souple ! Alors elle s'est sauvée, elle s'est enfermée dans

la chambre de maman, elle n'a jamais voulu ouvrir... Je
te raconte ça, c'est idiot », reprit-il en se levant. Il voulut
sourire, mais ses lèvres restaient crispées.

— « Tu veux l'épouser? » demanda Jacques.

— « Moi? »

Jacques eut une impression pénible, comme s'il eût
essuyé une offense. De minute en minute son ami lui
devenait étranger. Un regard curieux, un peu moqueur,
dont Daniel l'enveloppa, acheva de le glacer.

— « Mais toi? » questionna Daniel, en se rapprochant.
« D'après ta lettre, toi aussi, tu... »

Jacques, les yeux toujours baissés, secoua la tête. Il
semblait dire : « Non, c'est fini, de moi tu ne sauras rien. »
D'ailleurs, sans même attendre de réponse, Daniel venait
de se lever. Un bruit de voix jeunes arrivait jusqu'à eux.

— « Tu me raconteras... Les voilà, viens! » Il jeta un
regard vers la glace, redressa la tête et s'élança dans le
couloir.

— « Mes enfants », appelait Mme de Fontanin, « si
vous voulez goûter... »

Le thé était servi dans la salle à manger.

Dès la porte, Jacques, le cœur battant, aperçut deux
jeunes filles près de la table. Elles avaient encore leurs
chapeaux, leurs gants, et le teint avivé par la promenade.
Jenny vint au-devant de Daniel et se pendit à son bras.
Il ne parut pas y prendre garde, et, poussant Jacques
vers Nicole, fit les présentations avec une aisance enjouée.
Jacques sentit glisser sur lui la curiosité de Nicole,
et peser le regard investigateur de Jenny; il détourna les
yeux vers Mme de Fontanin qui, debout près d'Antoine dans la porte du salon, achevait une conversation
commencée :

— « ...inculquer aux enfants », disait-elle en souriant
avec mélancolie, « qu'il n'y a rien de plus précieux que
la vie, et qu'elle est incroyablement courte. »

Il y avait longtemps que Jacques ne s'était trouvé au
milieu de personnes étrangères, et ce spectacle le pas-
sionnait au point de lui enlever toute sa timidité. Jenny
lui parut petite et plutôt laide, tant Nicole avait d'élé-

gance naturelle et d'éclat. En ce moment elle causait avec Daniel et riait. Jacques ne distinguait pas leurs paroles. Elle levait sans cesse les sourcils en signe d'étonnement et de joie. Ses yeux, d'un gris bleu ardoisé, peu profonds, trop écartés et peut-être trop ronds, mais lumineux et gais, entretenaient un perpétuel renouvellement de vie sur son visage blanc et blond, tout en chair, qu'alourdissait une épaisse natte, roulée en couronne autour de sa tête. Elle avait une façon de se tenir un peu penchée en avant, qui lui donnait toujours l'air d'accourir vers un ami, d'offrir à tout venant la vivacité animale de son sourire. Jacques, en la dévisageant, revenait malgré lui au mot de Daniel qui lui avait si fort déplu : appétissante... Elle se sentit examinée et perdit aussitôt de son naturel, en l'exagérant.

C'est que Jacques ne se souciait nullement de dissimuler l'intérêt que lui inspiraient les êtres; il avait l'ingénuité de l'enfant qui contemple, bouche bée : son visage devenait fixe, son regard inanimé. Autrefois, avant son retour de Crouy, il n'était pas ainsi; il coudoyait les gens avec tant d'indifférence qu'il ne reconnaissait jamais personne. Maintenant, où qu'il fût, dans un magasin, dans la rue, son coup d'œil happait les passants. Il n'analysait d'ailleurs pas ce qu'il découvrait en eux; mais sa pensée travaillait à son insu; car il lui suffisait d'avoir surpris une particularité de physionomie ou d'attitude, pour que ces inconnus, croisés par hasard, devinssent dans son imagination des personnages spéciaux, auxquels il attribuait des caractéristiques individuelles.

Mᵐᵉ de Fontanin le tira de sa rêverie en posant la main sur son bras.

— « Venez goûter près de moi », lui dit-elle. « Faites-moi maintenant une petite visite. » Elle lui confia une tasse, une assiette. « Je suis si contente de vous voir ici. Jenny, ma mignonne, offre-nous du gâteau. Votre frère vient de me raconter la vie que vous menez tous les deux, dans le petit appartement. Je suis si contente! Deux frères qui s'entendent comme de vrais amis, voilà une si ravissante chose! Daniel et Jenny s'entendent bien,

eux aussi, c'est ma grande joie. Et cela te fait sourire,
mon grand », dit-elle à Daniel qui s'approchait avec
Antoine. « Il faut toujours qu'il se moque de sa vieille
maman. Embrasse-moi pour ta punition. Devant tout
le monde. »

Daniel riait, un tant soit peu gêné peut-être; mais il
s'inclina et effleura de ses lèvres la tempe maternelle. Ses
moindres gestes avaient de la grâce.

Jenny, de l'autre côté de la table, suivait la scène; elle
eut un délicat sourire, qui enchanta Antoine. Elle ne
résista pas à venir de nouveau se suspendre au bras de
Daniel. « Encore une », pensa Antoine, « qui donne plus
qu'elle ne reçoit. » Dès sa première visite, ce regard de
femme dans cette figure d'enfant l'avait intrigué. Il
remarqua le joli mouvement d'épaules, qui lui échappait
de temps à autre, pour soulever hors du corset sa poitrine
naissante, puis doucement la laisser reprendre sa place.
Elle ne ressemblait en rien à sa mère; pas davantage à
Daniel; et l'on ne s'en étonnait pas : elle paraissait née
pour une vie différente des autres.

Mme de Fontanin buvait son thé à petites lampées,
tenant la tasse tout près de son visage rieur, et, à travers la buée, elle faisait de petits signes d'amitié à
Jacques. Son regard, à force de clarté et de tendresse,
donnait une impression de lumière, de chaleur; et ses
cheveux blancs couronnaient, comme un étonnant dia-
dème, son front jeune, largement découvert. Les yeux
de Jacques allaient de la mère au fils. Il les aimait tous
deux, à cette minute, avec tant de force qu'il souhaitait ardemment que cela se vît; car il éprouvait plus
qu'un autre le besoin de n'être pas méconnu. Sa curiosité des êtres allait jusque-là : jusqu'à briguer une place
dans leur pensée intime, jusqu'à désirer fondre sa vie
dans la leur.

Devant la fenêtre, une contestation s'élevait entre
Nicole et Jenny, à laquelle Daniel vint prendre part.
Ils se penchèrent tous trois sur l'appareil de photographie, afin de vérifier s'il y restait ou non un dernier
cliché à prendre.

— « Pour me faire plaisir ! » s'écria tout à coup Daniel, de cette voix chaude qu'il n'avait pas autrefois, fixant sur Nicole son regard caressant et impérieux. « Si! Telle que vous êtes là, en chapeau; et mon ami Thibault près de vous! »

« Jacques! » appela-t-il; et plus bas : « Je vous en prie, je veux absolument vous prendre ensemble! »

Jacques les rejoignit. Daniel les entraîna de force dans le salon, où la lumière, disait-il, était meilleure.

Mme de Fontanin et Antoine s'attardaient dans la salle à manger.

— « Je tiens à ce que vous ne vous mépreniez pas sur cette visite », concluait Antoine, avec cette brusquerie qui lui semblait donner à ses paroles l'accent de la franchise. « S'il savait que Jacques est ici, et que c'est moi qui l'y amène, je crois qu'il soustrairait mon frère à mon influence, et que tout serait à recommencer. »

— « Pauvre homme », murmura Mme de Fontanin, sur un tel ton qu'Antoine sourit :

— « Vous le plaignez? »

— « De n'avoir pas su mériter la confiance de fils tels que vous. »

— « Ce n'est pas sa faute, et ce n'est pas non plus la mienne. Mon père est ce qu'il est convenu d'appeler un homme éminent et respectable. Je le respecte. Mais, que voulez-vous? Jamais, sur aucun point, nous ne pensons, je ne dis pas seulement la même chose, mais je dis : d'une manière analogue. Jamais, quel que soit le sujet, nous n'avons pu nous placer au même point de vue. »

— « Tous n'ont pas encore reçu la lumière. »

— « Si c'est à la religion que vous pensez », dit vivement Antoine, « mon père est excessivement religieux! »

Mme de Fontanin hocha la tête.

— « L'apôtre Paul était déjà d'avis que ce ne sont pas ceux qui écoutent la Loi qui sont justes devant Dieu, mais ceux qui la mettent en pratique. »

Elle éprouvait pour M. Thibault, qu'elle croyait plaindre de tout son cœur, une antipathie instinctive et farouche. L'interdiction dont son fils, sa maison, dont elle-même était l'objet, lui paraissait odieusement injuste et motivée par les plus viles raisons. Se souvenant avec répugnance de l'aspect du gros homme, elle ne lui pardonnait pas de suspecter ce à quoi elle attachait le plus haut prix : son élévation morale, son protestantisme. Et elle savait d'autant plus gré à Antoine d'avoir cassé le jugement paternel.

— « Et vous », demanda-t-elle avec une soudaine appréhension, « est-ce que vous êtes resté pratiquant? »

Il fit signe que non, et elle en fut si heureuse que son visage s'éclaira.

— « La vérité est que j'ai pratiqué fort tard », expliqua-t-il. Il lui semblait que la présence de Mme de Fontanin le rendît plus lucide; plus loquace, assurément. C'est qu'elle avait une façon prévenante d'écouter qui prêtait de la valeur à ses interlocuteurs et les encourageait à se hisser pour elle au-dessus de leur niveau habituel. « Je suivais la routine, sans vraie piété. Dieu était pour moi une espèce de proviseur auquel rien ne pouvait échapper, et qu'il était prudent de satisfaire à l'aide de certains gestes, d'une certaine discipline; j'obéissais, mais je n'y trouvais guère que de l'ennui. J'étais un bon élève en tout; en religion aussi. Comment ai-je perdu la foi? Je n'en sais plus rien. Lorsque je m'en suis avisé, — il n'y a pas plus de quatre ou cinq ans — j'avais déjà par ailleurs atteint un degré de culture scientifique qui laissait peu de place à des croyances religieuses. Je suis un positif », fit-il, avec un sentiment de fierté; à vrai dire, il exprimait là des idées qu'il improvisait, n'ayant guère eu occasion ni loisir de s'analyser si complaisamment. « Je ne dis pas que la science explique tout, mais elle constate; et, moi, ça me suffit. Les *comment* m'intéressent assez pour que je renonce sans regret à la vaine recherche des *pourquoi*. D'ailleurs », ajouta-t-il rapidement et en baissant la voix, « entre ces deux ordres d'explications, il n'y a peut-être qu'une différence de degré? » Il sourit comme pour s'excuser : « Quant à la morale », reprit-il, « eh bien, elle ne me préoccupe guère. Je vous scandalise? Voyez-vous, j'aime mon travail, j'aime la vie, je suis énergique, actif, et je crois avoir éprouvé que cette activité est par elle-même une règle de conduite. En tout cas, jusqu'à présent, je ne me suis jamais trouvé hésitant sur ce que j'avais à accomplir. »

Mme de Fontanin ne répondit rien. Elle n'en voulait pas à Antoine de s'avouer si différent d'elle. Mais, en son for intérieur, elle remerciait davantage Dieu d'être si constamment présent dans son cœur. Elle puisait dans cette assistance une confiance surabondante et joyeuse, qui, véritablement, rayonnait d'elle : au point que, sans cesse malmenée par l'événement et plus malheureuse à beaucoup près que la plupart de ceux qui l'approchaient, elle avait néanmoins ce privilège d'être pour chacun une source de courage, d'équilibre, de bonheur. Antoine en faisait, à ce moment même, l'expérience; jamais, dans l'entourage de son père, il n'avait rencontré personne qui lui inspirât cette réconfortante vénération, et autour de qui l'atmosphère fût à ce point exaltante à force d'être pure. Il désira faire un pas de plus vers elle, fût-ce au détriment de la vérité :

— « Le protestantisme m'a toujours attiré », affirmat-il, bien qu'il n'eût jamais songé aux protestants avant d'avoir connu les Fontanin. « Votre Réforme c'est la Révolution sur le terrain religieux. Il y a dans votre religion des principes d'émancipation... »

Elle l'écoutait avec une sympathie grandissante. Il lui paraissait jeune, ardent, chevaleresque. Elle admirait sa physionomie vivante, le pli attentif de son front; et, comme il relevait la tête, elle ressentit une joie enfantine à découvrir dans ses traits une particularité qui ajoutait au caractère réfléchi de son regard : la paupière supérieure était chez lui si étroite qu'elle disparaissait presque sous l'arcade sourcilière lorsqu'il avait les yeux grands ouverts, à tel point que les cils venaient presque doubler les sourcils et se confondre avec eux. « Celui qui possède un front pareil », pensait-elle, « est incapable de bassesse... » Alors cette pensée la traversa : qu'Antoine personnifiait l'homme digne d'être aimé. Elle était encore toute vibrante de son ressentiment contre son mari. « Lier sa vie à un être de cette trempe... »

C'était la première fois qu'elle comparait quelqu'un à Jérôme; la première fois surtout qu'un regret précis l'effleurait, et ce soupçon qu'un autre eût pu lui apporter le bonheur. Ce ne fut qu'un élan, passionné, furtif, qui la troubla, d'un coup, jusqu'aux profondeurs, mais dont elle eut honte presque aussitôt, qu'elle maîtrisa du moins sur-le-champ, tandis que s'évanouissait plus lentement l'amertume que la contrition, et peut-être le regret, laissaient derrière eux.

L'entrée de Jenny et de Jacques acheva de libérer son imagination. Du plus loin, avec un geste accueillant, elle les appela près d'elle, de crainte qu'ils ne pussent se croire importuns. Mais, au premier coup d'œil, elle eut l'intuition qu'il s'était passé quelque chose entre eux.

Effectivement.

Aussitôt pris le cliché de Nicole et de Jacques, Daniel avait offert de constater sur l'heure s'il était réussi. Il avait, le matin, promis à Jenny et à sa cousine de leur apprendre à développer, et elles avaient déjà préparé le nécessaire dans une penderie sans emploi, située à l'extrémité du couloir, et dont Daniel se servait naguère comme de chambre noire. Ce placard était si étroit qu'il était malaisé d'y tenir plus de deux. Aussi Daniel avait-il manœuvré de telle sorte que Nicole y entrât la première; alors, s'élançant vers Jenny, et appuyant une main fébrile sur son épaule, il lui avait glissé à l'oreille :

— « Tiens compagnie à Thibault. »

Elle lui avait jeté un regard clairvoyant, réprobateur; mais elle avait consenti, tant avait d'action sur elle le prestige de son frère, tant était irrésistible cette façon qu'il avait d'exiger, par la voix, par l'effronterie du regard, par l'impatience de toute son attitude, que l'on se soumît sans différer à son désir.

Jacques, pendant cette courte scène, était demeuré en arrière, devant une vitrine du salon. Jenny le rejoignit, crut s'assurer qu'il n'avait rien surpris du manège de Daniel, et lui dit, avec une moue :

— « Et vous, est-ce que vous faites de la photo? »

— « Non. »

Elle comprit à l'imperceptible gêne de la réponse qu'elle n'aurait pas dû poser la question; elle se souvint qu'il venait d'être longtemps enfermé dans une espèce de cachot. Par association d'idées, et pour dire quelque chose, elle reprit :

— « Vous n'aviez pas revu Daniel depuis longtemps, n'est-ce pas? »

Il baissa les yeux.

— « Non. Très longtemps. Depuis... Cela fait plus d'un an. »

Une ombre passa sur le visage de Jenny. Sa seconde tentative n'était guère plus heureuse que la première : elle semblait avoir voulu rappeler à Jacques l'escapade de Marseille. Tant pis. Elle lui avait toujours gardé rancune de ce drame; à ses yeux, il en portait toute la responsabilité. De longue date, sans le connaître, elle le détestait. En l'apercevant, ce soir-là au début du goûter, elle s'était souvenue malgré elle du mal qu'il leur avait fait; et, dès le premier examen, il lui avait déplu sans réserve. D'abord elle le jugeait laid, même vulgaire, à cause de sa grosse tête aux traits mal formés, de sa mâchoire, de ses lèvres gercées, de ses oreilles, de ses cheveux roux qui se cabraient en épi sur le front. Vraiment elle ne pardonnait pas à Daniel son attachement pour un tel camarade; et, dans sa jalousie, elle s'était presque réjouie de constater que le seul être qui osât lui disputer une part de l'affection fraternelle, eût si peu d'attraits.

Elle avait pris la petite chienne sur ses genoux et la caressait distraitement. Jacques gardait les yeux à terre, songeant lui aussi à sa fugue, puis au soir où il avait pour la première fois franchi le seuil de cette maison.

— « Est-ce que vous trouvez qu'il a beaucoup changé? » demanda-t-elle afin de rompre le silence.

— « Non », fit-il; mais, se ravisant soudain : « Pourtant si, tout de même. »

Elle remarqua ce scrupule, et lui sut gré d'être sincère; pendant une seconde, il lui fut moins antipathique. Cette fugitive rémission fut-elle perceptible à Jacques?

Il cessa de penser à Daniel. Il regardait Jenny et se posait des questions à son sujet. Il n'aurait pas su exprimer ce qu'il entrevoyait de sa nature; cependant, sous ce visage à la fois expressif et clos, au fond de ces prunelles vivantes mais qui ne trahissaient pas leur secret, il avait deviné l'instabilité nerveuse et le perpétuel frémissement de la sensibilité. L'idée lui vint qu'il serait doux de la mieux connaître, de pénétrer ce cœur fermé, peut-être même de devenir l'ami de cette enfant? L'aimer? Une minute il y rêva : ce fut une minute de béatitude. Il avait tout oublié de ses misères passées, il ne lui semblait plus possible d'être jamais malheureux. Ses regards allaient et venaient autour de la pièce, effleurant Jenny avec un mélange d'intérêt et de timidité, qui l'empêchait de remarquer combien l'attitude de la jeune fille était réservée, défensive. Tout à coup, par un renversement fatal de sa pensée, Lisbeth lui apparut : petite chose, familière, domestique, presque rien. Epouser Lisbeth? La puérilité de cette hypothèse lui apparaissait pour la première fois. Alors? Un vide soudain se creusait dans sa vie, un vide affreux qu'il fallait combler à tout prix, — que Jenny eût tout naturellement comblé, — mais...

— « ...dans un collège? »

Il tressaillit. Elle lui parlait.

— « Pardon? »

— « Vous êtes dans un collège? »

— « Pas encore », fit-il, tout troublé. « Je suis très en retard. Je prends des leçons avec des professeurs, des amis de mon frère. » Il ajouta, sans penser à mal : « Et vous? »

Elle fut offensée qu'il se permît de l'interroger, et plus encore par son regard amical. Elle répondit d'un ton sec :

— « Non, je ne vais dans aucune école; je travaille avec une institutrice. »

Il eut un mot malencontreux :

— « Oui, pour une fille, ça n'a pas d'importance. »

Elle se rebiffa :

— « Ce n'est pas l'avis de maman. Ni de Daniel. »

Elle le dévisageait avec des yeux franchement hostiles. Il s'aperçut de sa maladresse, voulut se rattraper, crut dire quelque chose d'aimable :

— « Une fille en sait toujours assez pour ce qu'elle a besoin... »

Il comprit qu'il s'enferrait; il n'était maître ni de ses pensées ni de ses paroles; il eut l'impression que le pénitencier avait fait de lui un imbécile. Il rougit, puis, tout à coup, cette bouffée de chaleur qui lui montait au visage l'étourdit, et il ne vit plus d'autre issue que dans la colère. Il chercha, pour se venger, un trait qu'il ne trouva pas, perdit tout bon sens, et lança avec cet accent de gouaillerie vulgaire que prenait souvent son père :

— « Le principal ne s'apprend pas dans les écoles : c'est d'avoir bon caractère ! »

Elle se retint au point de ne pas même hausser les épaules. Mais comme Puce venait de bâiller bruyamment :

— « Oh, la vilaine ! La mal élevée ! » fit-elle d'une voix qui tremblait de rage. « Oh, la mal élevée ! » répéta-t-elle encore une fois, avec une insistance triomphante. Puis elle mit la chienne à terre, se leva, et fut s'accouder au balcon.

Cinq longues minutes s'écoulèrent dans un silence intolérable. Jacques n'avait pas bougé de sa chaise; il étouffait. Dans la salle à manger, la voix de Mme de Fontanin alternait avec celle d'Antoine. Jenny lui tournait le dos; elle fredonnait un de ses exercices de piano; son pied battait la mesure avec impertinence. Ah, elle raconterait tout à son frère, pour qu'il cessât de fréquenter ce malotru ! Elle le haïssait. A la dérobée, elle l'aperçut, rouge et digne. Son aplomb redoubla. Elle chercha ce qu'elle pourrait inventer afin de le blesser davantage.

— « Viens, Puce ! Moi, je m'en vais. »

Et, quittant le balcon, elle passa devant lui comme s'il n'existait pas, et se dirigea sans hâte vers la salle à manger.

Jacques craignit par-dessus tout, en restant là, de ne plus savoir ensuite comment s'en aller. Il la suivit donc, mais sans l'accompagner.

L'amabilité de Mme de Fontanin changea son ressentiment en mélancolie.

— « Ton frère vous a donc abandonnés? » dit-elle à sa fille.

Jenny, avec un visage fuyant, déclara :

— « J'ai demandé à Daniel de développer mes clichés tout de suite. Oh, il n'en a pas pour longtemps. »

Elle évitait le regard de Jacques, se doutant bien qu'il n'était pas dupe : complicité involontaire qui aggrava leur inimitié. Il la jugea menteuse, et réprouva sa complaisance à couvrir la conduite de son frère. Elle devinait son jugement et s'en trouvait blessée dans son orgueil.

Mme de Fontanin leur souriait, et leur faisait signe de s'asseoir.

— « Ma petite malade a joliment grandi », constata Antoine.

Jacques ne disait rien et regardait à terre. Il sombrait dans le désespoir. Jamais il ne redeviendrait comme autrefois. Il se sentait malade, malade jusqu'au fond de l'âme, à la fois faible et brutal, livré à ses impulsions, jouet d'une implacable destinée.

— « Etes-vous musicien? » lui demanda Mme de Fontanin.

Il n'eut pas l'air de comprendre ce qu'elle disait. Ses yeux s'emplirent de larmes; il se pencha vivement, et fit mine de renouer le lacet de son soulier. Il entendit qu'Antoine répondait pour lui. Ses oreilles bourdonnaient. Il souhaita mourir. Jenny le regardait-elle?

Il y avait plus d'un quart d'heure déjà que Daniel et Nicole étaient entrés dans le cabinet noir.

Daniel s'était hâté de pousser le loquet et de dérouler les pellicules hors de l'appareil :

— « Ne touchez pas à la porte », dit-il; « le moindre filet de jour voilerait toute la bande. »

Aveuglée d'abord par l'obscurité, Nicole aperçut bientôt, tout près d'elle, des ombres incandescentes qui se mouvaient dans le halo rouge de la lanterne; et peu à peu elle distingua deux mains de fantôme, longues, fines, tranchées au poignet, et qui balançaient une petite cuve.

Elle ne voyait rien d'autre de Daniel que ces deux tron-
çons animés; mais le réduit était si étroit, qu'elle sentait
chacun de ses mouvements comme s'il l'eût frôlée. Ils
retenaient leur souffle, songeant l'un et l'autre, par une
fatale obsession, au baiser du matin, dans la chambre.

— « Est-ce... qu'on voit quelque chose? » murmura-
t-elle.

Il ne voulut pas répondre tout de suite : il savourait la
délicieuse angoisse dont était fait ce silence; et, dispensé
de toute retenue par les ténèbres, il s'était tourné vers
Nicole et dilatait les narines pour aspirer l'air qui l'enveloppait.

— « Non, pas encore », scanda-t-il enfin.

Il y eut un nouveau silence. Puis, la cuvette, que Nicole
ne quittait pas du regard, devint immobile : les deux
mains de flamme avaient déserté la lueur de la lampe.
Ce fut un moment interminable. Brusquement, elle se
sentit saisie à pleins bras. Elle n'eut aucune surprise et
fut presque soulagée d'être délivrée de l'attente; mais
elle rejeta le buste en arrière, à droite, à gauche, pour
fuir la bouche de Daniel qu'elle espérait et redoutait à la
fois. Enfin leurs visages se trouvèrent. Le front brûlant
de Daniel heurta quelque chose d'élastique, de glissant
et de froid : la tresse que Nicole portait enroulée autour
de la tête; il ne put réprimer un frisson, un léger mouvement de recul; elle en profita pour lui dérober ses lèvres,
juste le temps d'appeler :

— « Jenny! »

Il étouffa le cri avec sa main, et, debout, appuyé de
tout son corps sur celui de Nicole qu'il écrasait contre
la porte, il balbutiait, entre ses dents serrées, comme
s'il eût le délire :

— « Tais-toi, laisse... Nicole... Chérie adorée... Ecoute-
moi... »

Elle se défendait moins, il crut qu'elle cédait. Elle
avait glissé le bras derrière elle et cherchait le verrou :
brutalement le battant céda, un flot de jour viola l'obscurité. Il la lâcha et referma la porte. Mais elle avait aperçu
son visage! Méconnaissable! un masque chinois, livide,
avec des plaques roses autour des yeux qui les allon-

geaient vers les tempes; des pupilles rétractées, sans
expression; sa bouche tout à l'heure si mince, et maintenant enflée, informe, entrouverte... Jérôme! Il n'avait
guère de ressemblance avec son père, et, dans ce jet
impitoyable de lumière, c'était Jérôme qu'elle avait vu!

— « Mes compliments », fit-il enfin, d'une voix sif-
flante. « Tout le rouleau est perdu. »

Elle répondit posément :

— « Je veux bien rester, j'ai à vous parler. Mais
ouvrez le loquet. »

— « Non, Jenny va venir. »

Elle hésita, puis :

— « Alors, jurez-moi que vous ne me toucherez plus. »

Il eut envie de sauter sur elle, de la bâillonner avec
son poing, de déchirer son corsage; en même temps, il
se sentit vaincu.

— « Je le jure », dit-il.

— « Eh bien, alors, écoutez-moi, Daniel. Je... Je vous
ai laissé aller beaucoup, beaucoup trop loin. J'ai eu tort
ce matin. Mais, cette fois, je dis non. Ce n'est pas pour
en arriver là que je me suis sauvée. » Elle avait prononcé
ces derniers mots, vite et pour elle seule. Elle reprit,
pour Daniel : « Je vous confie mon secret : je me suis
sauvée de chez maman. Oh, contre elle, il n'y a rien à
dire : elle est seulement très malheureuse... et entraînée.
Je ne peux pas vous en dire davantage. » Elle fit une
pause. L'image exécrée de Jérôme restait devant ses yeux.
Le fils ferait d'elle ce qu'elle pensait que Jérôme avait
fait de sa mère. « Vous ne me connaissez pas bien »,
reprit-elle hâtivement, car le silence de Daniel l'effrayait.
« C'est ma faute, d'ailleurs, je le sais. Je n'ai pas été
avec vous ce que je suis vraiment. Avec Jenny, oui. Avec
vous, je me suis laissée aller, vous avez cru... Mais, au
fond, non. Pas ça. Je ne veux pas d'une vie... d'une vie
qui commencerait comme ça. Est-ce que ç'aurait été la
peine de venir auprès d'une femme comme tante Thérèse? Non! Je veux... Vous allez vous moquer de moi,
mais ça m'est égal : je veux pouvoir, plus tard... mériter
le respect d'un homme qui m'aimera pour de vrai, pour
toujours... D'un homme sérieux, enfin... »

— « Mais je suis sérieux », hasarda Daniel, avec un sourire piteux qu'elle devina au son de sa voix. Elle eut aussitôt conscience que tout danger était écarté.

— « Oh non », fit-elle presque gaiement. « Ne vous fâchez pas de ce que je vais vous dire, Daniel : vous ne m'aimez pas. »

— « Oh ! »

— « Mais non. Ce n'est pas moi que vous aimez, c'est... autre chose. Et moi non plus, je ne vous... Tenez, je vais être franche : je crois que jamais je ne pourrai aimer un homme comme vous. »

— « Comme moi ? »

— « Je veux dire : un homme comme tous les autres... Je veux... aimer, oui, plus tard, mais alors ce sera quelqu'un de... enfin quelqu'un de pur, qui sera venu à moi autrement... pour autre chose... Je ne sais pas comment vous expliquer. Enfin un homme très différent de vous. »

— « Merci ! »

Son désir était tombé; il ne songeait plus qu'à éviter de paraître ridicule.

— « Allons », reprit-elle, « la paix; et n'y pensons plus. » Elle entrouvrit la porte; cette fois, il la laissa faire. « Amis ? » fit-elle, en lui tendant la main. Il ne répondit pas. Il regardait ses dents, ses yeux, sa peau, ce visage étalé qu'elle offrait comme un fruit. Il eut un sourire forcé et ses paupières battirent. Elle prit sa main et la serra.

— « Ne gâchez pas ma vie », murmura-t-elle avec une inflexion câline. Et, drôlement, les sourcils levés : « Un rouleau de clichés, ça suffit pour aujourd'hui. »

Il consentit à rire. Elle ne lui en demandait pas tant, et en ressentit un peu de tristesse. Mais, en somme, elle était assez fière de sa victoire, et de l'opinion qu'il aurait d'elle, plus tard.

— « Eh bien ? » cria Jenny dès qu'ils reparurent dans la salle à manger.

— « Raté », fit Daniel sèchement.

Jacques, par dépit, en éprouva du plaisir. Nicole eut un sourire malicieux :

— « Complètement raté ! » répétait-elle.

Mais, voyant que Jenny détournait son visage crispé, et qu'un afflux de larmes troublait son regard, elle courut à elle et l'embrassa.

Jacques, depuis l'entrée de son ami, avait cessé de songer à lui-même : il ne pouvait détacher de Daniel son attention. Le masque de Daniel avait une expression nouvelle, pénible à voir : une contradiction entre le bas et le haut du visage, un désaccord entre le regard voilé, soucieux, fuyant, et le sourire cynique qui relevait la lèvre et désaxait les traits vers la gauche.

Leurs yeux se rencontrèrent. Daniel fronça légèrement les sourcils et changea de place.

Cette défiance blessa Jacques encore plus profondément que tout le reste. Depuis son arrivée, Daniel n'avait cessé de le décevoir. Il en prit conscience, enfin. Pas une minute de véritable contact entre eux : il n'avait même pas pu révéler à son ami le nom de Lisbeth! Il crut un instant souffrir de cette désillusion; il souffrait surtout, en réalité, mais sans bien s'en rendre compte, d'avoir osé pour la première fois porter sur son amour un jugement critique, et de s'en être ainsi lui-même dépossédé. Comme tous les enfants, il ne vivait que du présent, car le passé s'évanouissait tôt dans l'oubli, et l'avenir n'éveillait en lui qu'impatience. Or, le présent s'obstinait à avoir aujourd'hui un intolérable goût d'amertume; l'après-midi s'achevait dans un découragement sans limites. Et lorsque Antoine lui fit signe de s'apprêter pour le départ, ce fut une impression de soulagement pour lui.

Daniel avait aperçu le geste d'Antoine. Il se hâta de rejoindre Jacques.

— « Vous ne partez pas encore? »

— « Mais si. »

— « Déjà? » Il ajouta, plus bas : « On s'est si peu vu. » Lui aussi ne recueillait de sa journée que du désappointement. Il s'y ajoutait du remords vis-à-vis de Jacques; et, ce qui le navrait davantage encore, vis-à-vis de leur amitié.

— « Excuse-moi », fit-il tout à coup, en poussant Jacques dans l'embrasure de la fenêtre, avec un air humble et si bon, que Jacques, oubliant tous ses déboires, se sentit de nouveau soulevé par un élan de sa tendresse passée. « Aujourd'hui, ça tombait si mal... Quand te reverrai-je? » continua Daniel d'une voix pressante. « Il faut que je te voie seul, longuement. Nous ne nous connaissons plus bien. Ce n'est pas extraordinaire, toute une année, pense donc! Mais il ne le faut pas. »

Il se demanda soudain ce qu'allait devenir cette amitié, que, depuis si longtemps, rien n'alimentait plus, rien qu'une fidélité mystique dont ils venaient d'éprouver la fragilité. Ah, il ne fallait pas laisser dépérir ça! Jacques lui paraissait un peu enfant; mais son affection pour lui restait entière, et, qui sait? plus vive peut-être de se sentir ainsi l'aînée.

— « Nous restons chez nous tous les dimanches », disait, au même moment, Mme de Fontanin à Antoine. « Nous ne quitterons Paris qu'après la distribution des prix. » Ses yeux s'éclairèrent. « Car Daniel a des prix », chuchota-t-elle, sans dissimuler son orgueil. « Tenez », ajouta-t-elle brusquement, en s'assurant que son fils lui tournait le dos et ne pouvait l'entendre, « venez, je veux vous montrer mes trésors. » Elle s'élança gaiement vers sa chambre; Antoine l'accompagna. Dans un tiroir de son secrétaire, gisaient, alignées, une vingtaine de couronnes de lauriers en carton peint. Elle referma presque aussitôt le meuble et se mit à rire, un peu gênée de s'être laissée aller à cet enfantillage. « Ne le dites pas à Daniel », dit-elle, « il ne sait pas que je les garde. »

Ils revinrent en silence jusqu'au vestibule.

— « Eh bien, Jacques? » appela Antoine.

— « Aujourd'hui, ça ne compte pas », dit Mme de Fontanin en tendant à Jacques ses deux mains : elle le regardait avec insistance; on eût dit qu'elle avait tout deviné. « Vous êtes ici chez des amis, mon petit Jacques : toutes les fois que vous voudrez venir, vous serez le bienvenu. Et le grand frère aussi, cela va sans dire », reprit-elle en se tournant vers Antoine, avec un geste gracieux.

Jacques chercha Jenny des yeux; mais elle avait disparu avec sa cousine. Il se pencha vers la petite chienne, et mit un baiser sur son front satiné.

Mme de Fontanin revint dans la salle à manger afin
de remettre la table en ordre. Daniel, qui la suivait distraitement, vint s'adosser au chambranle de la porte, et,
silencieux, alluma une cigarette. Il pensait à ce que lui
avait dit Nicole : pourquoi lui avait-on caché que sa
cousine s'était sauvée de chez elle, qu'elle était venue
chercher refuge chez eux? Un refuge contre quoi?

Mme de Fontanin allait et venait avec cette aisance
de mouvements qui lui conservait l'allure d'une jeune
femme. Elle songeait à la conversation d'Antoine, à tout
ce qu'il lui avait appris sur lui, sur ses études et ses
projets d'avenir, sur son père. « Un cœur loyal », se
disait-elle; « et quel beau front... » Elle chercha une
épithète : « méditatif », ajouta-t-elle avec un élan joyeux.
Elle se souvint alors de l'idée qui l'avait traversée : une
seconde, en esprit, n'avait-elle pas péché, elle aussi? Les
paroles de Gregory lui revinrent à la mémoire. Et tout
à coup, sans raison précise, elle sentit monter une telle
allégresse, qu'elle posa l'assiette qu'elle tenait pour
passer les doigts sur son visage, pour palper, lui sem-
blait-il, cette joie sur ses traits. Elle vint à son fils, surpris, mit gaiement les mains sur ses épaules, le regarda
jusqu'au fond des yeux, l'embrassa sans rien dire, et
brusquement quitta la pièce.

Elle alla droit à son bureau, et, de sa grosse écriture
d'enfant, un peu tremblée, elle écrivit :

　　　　　« Mon cher James,
　　« J'ai été bien orgueilleuse devant vous. Qui de nous
a le droit de juger? Je remercie Dieu de m'avoir éclairée
encore une fois. Dites à Jérôme que je renonce à demander le divorce. Dites-lui... »

Les mots dansaient à travers ses larmes.

XII

A quelques jours de là, Antoine fut éveillé, au petit jour, par des coups frappés aux volets. Le chiffonnier ne pouvait se faire ouvrir la porte cochère; il entendait le timbre sonner dans la loge, et soupçonnait un accident.

En effet : maman Fruhling était morte : une dernière attaque l'avait terrassée au pied de son lit.

Jacques arriva comme on reposait la vieille sur son matelas. La bouche entrouverte découvrait des dents jaunes. Cela lui rappelait quelque chose d'horrible : ah oui, le cadavre du cheval gris, sur la route de Toulon... Et, tout à coup, l'idée lui vint que Lisbeth allait peut-être faire le voyage.

Deux jours s'écoulèrent. Elle ne venait pas, elle ne viendrait pas. Tant mieux. Il ne précisait pas ses sentiments. Même après sa visite avenue de l'Observatoire, il avait continué à travailler un poème dans lequel il célébrait la bien-aimée et se lamentait sur son exil. Mais il ne souhaitait pas vraiment la revoir.

Pourtant, il passait dix fois par jour devant la loge, et chaque fois il jetait un regard anxieux à l'intérieur, et chaque fois il s'en retournait rassuré, mais insatisfait.

La veille de l'enterrement, comme il rentrait après avoir dîné seul au petit restaurant où Antoine et lui prenaient leurs repas depuis le départ de M. Thibault pour Maisons-Laffitte, — le premier objet qui frappa ses yeux fut, à la porte de la loge, une valise abandonnée. Un tremblement le saisit et son front se couvrit de sueur. Dans la lumière que faisaient les cierges autour

de la bière, une silhouette d'enfant était agenouillée
sous des voiles de deuil. Sans hésiter, il entra. Les deux
religieuses levèrent sur lui leurs regards indifférents;
mais Lisbeth ne se retourna pas. Le soir était orageux;
une odeur chaude et sucrée emplissait la pièce; des
fleurs se fanaient sur le cercueil. Jacques restait debout,
regrettant d'être entré; cet appareil funèbre lui causait
un invincible malaise. Il ne pensait plus à Lisbeth,
il cherchait l'occasion de fuir. Une religieuse se leva pour
moucher la mèche d'un cierge; il en profita pour s'es-
quiver.

Lisbeth avait-elle deviné sa présence, reconnu son
pas? Elle le rejoignit avant même qu'il eût atteint la
porte de l'appartement. Jacques s'était retourné, l'entendant venir. Ils restèrent quelques secondes l'un
devant l'autre, dans le coin sombre de l'escalier. Elle
pleurait sous ses voiles baissés, sans voir la main que
Jacques lui tendait. Il aurait voulu pleurer aussi, par
contenance; mais il n'éprouvait rien, qu'un peu d'ennui
et de timidité.

Une porte, en haut, claqua. Jacques craignit qu'on ne
les surprît là, et tira ses clefs. Mais le trouble, l'obscurité, l'empêchaient de trouver la serrure.

— « Ce n'est peut-être pas la bonne clé? » suggérait-
t-elle. Il fut tout ébranlé par le son traînant de cette voix.
Enfin le battant s'ouvrit; elle hésitait; le pas du locataire
descendait les étages.

— « Antoine est de garde », souffla Jacques pour la
décider. Il se sentit rougir. Elle franchit le seuil, sans
paraître gênée.

Lorsqu'il eut refermé la porte et donné de la lumière,
il vit qu'elle allait tout droit à leur chambre, et s'asseyait
sur le canapé, avec les gestes de jadis. Il aperçut alors, à
travers le crêpe, ses paupières gonflées et son visage,
enlaidi peut-être, mais transfiguré par la tristesse. Il
remarqua qu'elle avait un doigt enveloppé de linge. Il
n'osait pas s'asseoir; il ne pouvait écarter de son esprit
les lugubres circonstances de ce retour.

— « Comme il fait lourd », dit-elle; « il va faire de
l'orage. »

Elle se déplaça un peu sur son siège, et son attitude semblait inviter Jacques à prendre la place qu'elle lui faisait près d'elle : sa place. Il s'assit; et aussitôt, sans dire un mot, sans retirer son voile, l'écartant seulement du côté de Jacques, elle mit comme autrefois son visage tout contre le sien. Le contact de cette joue mouillée lui fut désagréable. Le voile de crêpe dégageait un relent de teinture, de vernis. Il ne savait que faire, que dire. Il voulut prendre sa main; elle poussa un cri :

— « Vous êtes blessée? »

— « *Ach*, c'est un... un panaris », soupira-t-elle.

Tout se mêlait dans ce soupir : son mal, son chagrin, le flot de sa tendresse sans issue. Elle déroulait distraitement le pansement; et lorsque le doigt apparut, fripé, livide, l'ongle décollé par l'abcès, Jacques eut un arrêt de respiration, une seconde de vertige, comme si elle eût soudain dénudé quelque place de chair secrète. Pourtant la chaleur de ce corps si proche le pénétrait à travers les vêtements. Elle tourna vers lui ses yeux de faïence, qui semblaient toujours prier qu'on ne lui fît pas de peine. Alors il eut envie, malgré sa répugnance, de baiser la main malade pour la guérir.

Mais elle s'était levée et roulait tristement la bande autour de son doigt.

— « Il faut que je retourne », dit-elle.

Elle avait l'air si las, qu'il proposa :

— « Laissez-moi vous faire une tasse de thé? Voulez-vous? »

Elle lui jeta un étrange regard, et, seulement après, sourit.

— « Je veux bien. Je vais faire une petite prière là-bas, et je reviens. »

Il se hâta de faire chauffer l'eau, de préparer le thé, de le porter dans sa chambre. Lisbeth n'était pas revenue. Il s'assit.

Maintenant, il désirait qu'elle revînt. Il éprouvait un trouble, qu'il ne cherchait pas à expliquer. Pourquoi ne revenait-elle pas? Il n'osait pas l'appeler, la disputer à maman Fruhling. Mais qu'attendait-elle pour revenir? Le temps passait. Il allait à chaque instant tâter la théière.

Quand le thé fut froid, il n'eut plus de prétexte pour se
lever, et resta immobile. Les yeux lui faisaient mal à
force de fixer la lampe. L'impatience lui donnait la
fièvre. Il eut les nerfs cinglés par la lueur d'un éclair, à
travers les fentes des volets. Reviendrait-elle jamais? Il
se sentait engourdi et malheureux, — malheureux à se
laisser mourir.

Un roulement sourd. Boum! voilà la théière qui
éclate! C'est bien fait! Le thé retombe en pluie, fouette
les persiennes. Lisbeth est trempée, l'eau coule sur ses
joues, sur son crêpe, qui déteint, qui devient pâle, pâle,
et transparent comme un tulle de mariée...

Jacques sursauta : elle venait de se rasseoir, d'appuyer
de nouveau son visage au sien :

— « *Liebling*, tu dormais? »

Jamais encore elle ne l'avait tutoyé. Elle avait retiré
son voile, et dans un demi-sommeil, il retrouvait enfin,
malgré les yeux battus et la bouche défaite, le vrai visage
de sa Lisbeth. Elle eut un geste las des épaules.

— « Maintenant », dit-elle, « oncle m'épousera. »

Elle courba la tête. Pleurait-elle? Son accent avait été
plaintif, mais résigné; qui sait même si elle n'éprouvait
pas un peu de curiosité envers ce nouvel avenir?

Jacques ne poussait pas l'analyse si loin. Il voulait
qu'elle fût malheureuse, tant il goûtait en ce moment de
volupté à la plaindre. Il l'entoura de ses bras, il la serra
de plus en plus fort, il semblait vouloir la fondre en lui.
Elle chercha sa bouche, qu'il lui abandonna avec avidité.
Jamais il n'avait connu pareil soulèvement de tout son
être. Sans doute elle avait d'avance dégrafé son corsage,
car tout de suite, presque sans l'avoir cherché, il eut
dans le creux de sa main la chaude pesanteur du sein nu.

Alors elle se tourna, pour que la main de Jacques pût
aller et venir plus aisément sur son corps, qu'il sentait
libre sous la robe.

— « Prions ensemble pour maman Fruhling », balbutia-t-elle.

Il n'eut aucune envie de sourire; il n'était pas éloigné
de croire qu'il priait, tant il y avait de ferveur dans ses
caresses.

Tout à coup, elle se dégagea, avec une sorte de gémissement; il crut avoir heurté son doigt malade, ou bien qu'elle fuyait. Mais elle n'avait fait qu'un pas pour éteindre la lumière, et revenait vers lui. Il entendit contre son oreille : « *Liebling!* » puis il sentit une bouche glissante chercher une seconde fois sa bouche, des doigts fébriles fouiller ses vêtements...

Un nouveau roulement de tonnerre l'éveilla; la pluie crépitait sur les dalles de la cour. Lisbeth... Où était-elle? Nuit noire. Jacques était seul sur le canapé en désordre. Il eut l'intention de se lever, d'aller à sa recherche; il ébaucha même le geste de se dresser sur un coude; mais il ne put lutter contre son sommeil, et retomba sur les coussins.

Il faisait grand jour lorsque enfin il ouvrit les yeux.

Il aperçut tout d'abord la théière sur la table; puis sa veste, à terre, en tapon. Alors il se souvint; il se leva. Et une irrésistible envie le prit aussitôt de quitter ce qui lui restait de vêtements, et de laver à grande eau ses membres moites. La fraîcheur du tub lui parut un baptême. Encore ruisselant, il se mit à aller et venir par la chambre, cambrant les reins, palpant ses jambes nerveuses, sa peau fraîche, avec un total oubli de ce que pouvait lui rappeler de honteux cette complaisante adoration de sa nudité. La glace lui offrit sa svelte image, et pour la première fois depuis bien longtemps, il contempla, sans trouble aucun, les particularités de son corps. Au souvenir de ses égarements, il eut même un haussement d'épaules, suivi d'un sourire indulgent. « Des bêtises de gosse », songea-t-il; ce chapitre-là lui semblait définitivement clos, comme si des forces longtemps méconnues, longtemps déviées, eussent enfin trouvé leur véritable carrière. Sans réfléchir précisément à ce qui s'était passé cette nuit, sans même penser à Lisbeth, il se sentait le cœur joyeux, l'âme et la chair purifiées. Ce n'était pas qu'il eût le sentiment d'avoir découvert quelque chose, mais plutôt celui d'avoir recouvré un ancien état d'équilibre : comme un convalescent, que réjouit mais n'étonne en rien le retour de la santé.

Toujours nu, il se glissa dans le vestibule et entrebâilla la porte d'entrée. Il crut distinguer, dans l'ombre de la loge, Lisbeth agenouillée sous ses voiles, comme la veille au soir. Des hommes, sur des échelles, tendaient de noir la porte cochère. Il se rappela que l'enterrement avait lieu à neuf heures, et s'habilla en hâte, comme pour une fête. Ce matin-là, toute action lui était une joie.

Il achevait de remettre sa chambre en ordre, lorsque M. Thibault, revenu exprès de Maisons-Laffitte, vint le prendre.

Il suivit le convoi aux côtés de son père. A l'église, il défila parmi les autres, parmi tous ces gens qui ne savaient pas, et serra la main de Lisbeth, sans grande émotion, avec un certain sentiment de supériorité fami-lière.

Toute la journée la loge fut vide. Jacques attendait d'un instant à l'autre le retour de Lisbeth, sans formuler consciemment le désir qui couvait sous cette impatience.

A quatre heures, on sonna, il courut ouvrir : son pro-fesseur de latin! Il avait oublié qu'il avait répétition ce jour-là.

Il suivait distraitement l'explication d'Horace, lors-qu'on sonna de nouveau. Cette fois, c'était elle. Elle aperçut, dès le seuil, la porte de la chambre, ouverte, et le dos du professeur courbé sur la table. Quelques se-condes, l'un devant l'autre, ils s'interrogèrent des yeux. Jacques ne soupçonnait guère qu'elle venait lui faire ses adieux, qu'elle repartait par le train de six heures. Elle n'osa rien dire, mais elle eut un léger frisson; ses paupières battirent, elle leva son doigt malade jusqu'à sa bouche, puis, de tout près, comme si déjà le train l'em-portait pour toujours, elle lui jeta un baiser bref, et s'enfuit.

Le répétiteur reprit la phrase interrompue :

— « *Purpurarum usus* équivaut à *purpura quâ utuntur.* Sentez-vous la nuance? »

Jacques souriait, comme s'il eût senti la nuance. Il songeait que Lisbeth allait lui revenir tout à l'heure; il revoyait, dans l'ombre du vestibule, son visage sous le voile levé, et ce baiser qu'elle avait comme arraché de ses lèvres pour lui, avec son doigt enveloppé de linge.

— « Continuez », dit le professeur.

1921.

— Continuez », dit le professeur.

1924.

TABLE

PREMIÈRE PARTIE

DEUXIÈME PARTIE

ACHEVÉ D'IMPRIMER
PAR   L'IMPRIMERIE   FLOCH
MAYENNE

)4993)

LE 8 NOVEMBRE 1961

N° d'éd. : 8.387. Dépôt lég. : 3ᵉ trim. 1953

Imprimé en France

111
7 vols.

Gramley Library
Salem College
 Winston-Salem, NC 27108